LIEBESLYRIK

DER DEUTSCHEN FRÜHE

LIEBESLYRIK DER DEUTSCHEN FRÜHE

IN ZEITLICHER FOLGE

Herausgegeben von

HENNIG BRINKMANN

PÄDAGOGISCHER VERLAG SCHWANN

DÜSSELDORF

Gesamtherstellung Schwann Düsseldorf

GELEIT

Von den Anfängen des deutschen Daseins bis zur Mitte des 12. Jahrhunderts ist das „weltliche“ Lied von Schweigen verhüllt; nur was zu Papier kam, konnte dem Schweigen entrinnen.

Immer folgen die Zeiten des Bewahrens den Zeiten des Schaffens, und viel Geschaffenes erreicht die Zone des Bewahrens nicht mehr. Erst der Wille zum Schreiben kann auf die Dauer retten; er kommt mit dem Rittertum.

Freilich, nicht jeder Ritter war wie Heinrich von Veldeke oder Hartmann von Aue schreibgewohnt; aber was die Ritter schufen, denkt an Vermittlung durch Schrift. Was wir an handschriftlicher Überlieferung besitzen, stammt schon aus einer späteren Zeit, als die Erben begannen, das dichterische Vermächtnis der schöpferischen Jahrzehnte zu sammeln. Die kleine Heidelberger Handschrift (A) ist auf elsässischem Boden noch im 13. Jahrhundert entstanden, und sie hat Sammlungen benutzt, die noch weiter zurückreichen. Aber nirgends greifen wir für die ältere Zeit eine Sammlung, die der Wille eines Dichters selbst geprägt hat. So liegt eine weite Spanne zwischen dem Beginn der Lyrik und dem Beginn schriftlichen Bewahrens, das unmittelbar zu uns herüberreicht.

Erstaunlich ist es darum, daß die Lyrik der Frühzeit noch in solcher Fülle zu uns redet; denn inzwischen waren Haltung und Sprechweise längst gewandelt, und an der erzählenden Dichtung des Rittertums können wir beobachten, daß die frühe Dichtung verloren ging oder nur in Bruchstücken bewahrt blieb, weil ihre künstlerische Daseinsart inzwischen überholt war. Auch die frühe Lyrik mußte von solchen Verlusten getroffen werden. Wo sie weiterlebte, mußte sie sich eine Anpassung an den veränderten Geschmack gefallen lassen; manche Fassung der großen Heidelberger Liederhandschrift (C) zeugt noch davon.

Aber im ganzen vermögen wir auch noch bei Liedern der Frühzeit den ursprünglichen Wortlaut zu vernehmen. Wir vertrauen der Überlieferung mehr als Lachmann und Carl von Kraus, die für unsere Beurteilung der Handschriften die Grundlage schufen. Zumal die kleine Heidelberger Handschrift hat den überlieferten Wortlaut getreu bewahrt; sie hat vielfach äußerlich durch Fehler des Schreibens und Hörens entstellt, aber niemals bewußt geändert. Wir geben ihr darum in manchen Fällen Recht, die bisherige Forschung verwarf. Natürlich können wir deswegen nicht auf kritisches Urteil verzichten. Die Anmerkungen sagen, wo unsere Fassung sich von den geltenden Entscheidungen entfernt. Wir wissen, daß sie oft nur den Wert einer Vermutung hat. Jeder Herausgeber muß sie wagen.

Für das sprachliche Gewand haben wir keine sichere Gewähr. Die Aussage der Reime reicht nicht aus; die Erfahrung hat gelehrt, daß die sprachlichen Werte der Reime, die oft ihre eigenen Gesetze haben, außerhalb des Reimes keine unbedingte Geltung haben. Die eigene Sprache Hausens und Morungens kennen wir noch nicht; sie müßte erst noch aus Landschaft und Umwelt der Dichter aufgebaut werden, ähnlich wie das eben für Veldeke durch Frings geschehen ist. Und selbst dann würde noch immer der Unterschied zwischen der Sprache des Dichters und der sprachlichen Form bestehen bleiben, in der die Lieder verbreitet wurden, wenn sie von Landschaft zu Landschaft kamen. Wirkte sich ein Wechsel des Standorts auch im sprachlichen Gewande aus?

Unsere rhythmische Deutung ist der Überlieferung abgehört. Wir bekennen aber, daß auch sie keine letzte Sicherheit hat, denn der Rhythmus eines Liedes wirkt sich erst in der musikalischen Erscheinungsform überzeugend aus. Für sie aber haben wir nur spärliche Zeugen. Wir geben sie unserer Ausgabe mit, damit sie helfen, die Gedichte aufzunehmen als das, was sie in Wahrheit sind: Lieder, die erst im Gesang ihr volles Dasein entfalten, vom Dichter zum Hören und nicht zu stillem Lesen bestimmt. Aber auch die überlieferten oder erschlossenen Melodien rufen die verklungene Stimme des Dichters nicht mehr zurück, der sein eigener Komponist und Sänger war.

Wer mit mittelalterlicher Dichtung umgeht, darf nicht vergessen, daß es weite Bereiche gab, die den Weg zur Schrift nicht suchten. Sie hatten eine Dauer anderer Art: im Wechsel der Altersfolgen wurden sie von der Gemeinschaft angeeignet und mündlich vererbt. Mündlich vererbte Dichtung lebt nach anderem Gesetz fort als schriftbestimmte Dichtung. Diese empfängt von einem Verfasser, der namentlich die Verantwortung trägt, ihre endgültige Gestalt, in der sie nach dem Willen des Urhebers fortdauern soll. Durch die Aufzeichnung wird sie dem verändernden Zugriff wechselnder Zeiten entzogen und bleibt so grundsätzlich, was sie von Anfang war. Ihre Gestalt kann durch die Schrift unabhängig von den geschichtlichen Veränderungen werden; sie ist nur den Gefährdungen unvollkommenen Hörens, Schreibens und Überlieferns ausgesetzt. Freilich ist sie

auf die Bereitschaft von Menschen angewiesen, ihr einen Platz auf dem Papier zu gönnen und zu erhalten.
Solche Unversehrtheit kennt mündlich vererbte Dichtung nicht. Sie kann nicht unverändert als abgelöstes Gebilde durch die Zeiten gehen. Sie tritt aus der Zeit nicht heraus, sondern lebt innig verbunden mit ihr. So lange dauert ihr Dasein, wie Menschen da sind, die sie als lebendigen Besitz sich aneignen und als Vermächtnis den Kommenden weitergeben. Jede Gemeinschaft und jede Altersfolge eignet sie sich auf neue Weise an; sie fragt nach dem Urheber nicht und auch nicht nach der Gestalt, die er seinem Werk zugedacht hatte. Sie muß sich verändern, wenn sie weiter fortleben soll. Sie wird nicht vom Willen eines Dichters, sondern vom Geist der Gemeinschaft geprägt, der sie dient. So gelangt sie nie zu einer endgültigen Gestalt, sondern ist immer auf dem Wege.
Der eigentliche Minnesang ist schriftbestimmte Dichtung, die von einem Verfasser namentlich verantwortet wird und früh zur Aufzeichnung kam. Aber es muß Lyrik voraufgegangen sein, die ihr namenloses Dasein nicht auf kostbarem Pergament, sondern im lebendigen Umgang der Menschen hatte, und wir glauben zu erkennen, daß mündlich vererbte Dichtung auch später neben der schriftbestimmten Lyrik einherlief. Wir dürfen nicht erwarten, daß sie von der Schrift aufgenommen wurde, für die sie nicht bestimmt war. Nur eine glückliche Fügung konnte sie hier und da auf rettendes Papier verschlagen.
Die frühe Lyrik, die sich in unserer Ausgabe sammelt, gehört durchweg zum schriftbestimmten Bereich. Nur wenig Namenloses läßt sie vorangehen als spärliche Zeugen einer größeren Welt. Aber wir sind nicht auf die stofflichen Reste angewiesen, wenn wir uns ein Bild

vom Wesen der frühesten Lyrik machen wollen; denn ihre innere Form wirkt noch in Liedern des 13. Jahrhunderts fort. Sie starb nicht, als die literarische Lyrik begann. Es kommt darauf an, sie zu erkennen.

Von früheren Ausgaben, wie sie in Minnesangs Frühling vorliegen, unterscheidet sich die Anlage unserer Sammlung durch drei Merkmale.

Sie nimmt von den Dichtern, die in ihr eine Stelle haben, nur die echten Lieder auf. Dadurch entfällt viel Liedgut, das Minnesangs Frühling noch mitführt. Das Bild der Dichter wird so gereinigt. Die Entscheidungen über echt oder unecht decken sich in einigen Fällen nicht mit dem Urteil von Carl von Kraus. Die Begründung muß außerhalb der Ausgabe erfolgen.

Die Gedichte sind ferner mit einer Überschrift versehen, die dazu anleiten soll, sie als künstlerische Gebilde aufzunehmen. In der Walther-Ausgabe von Wilmanns und in der kleinen Auswahl von Minnesangs Frühling, die Carl von Kraus für ein schönes Bändchen der Insel veranstaltet hat, ist in gleicher Weise verfahren. Es müßte gelingen, von der unwürdigen Anführung mit Zahlen freizukommen, die heute in der Forschung noch üblich ist (etwa Minnesangs Frühling 136, 1 oder Walther 45, 37). Gedichte gehören nicht in den Bereich der Arithmetik.

Ein drittes Merkmal deutet schon die Überschrift des Buches an: Liebeslyrik der deutschen Frühe in zeitlicher Folge. Wir machen den Versuch, die Lieder der einzelnen Dichter in jener Reihenfolge vorzuführen, in der sie wahrscheinlich entstanden sind. Damit legen wir das Ergebnis umfassender Untersuchungen vor, über die noch berichtet werden soll. Auch hier kann nicht für jede Entscheidung letzte Gültigkeit beansprucht werden. Im ganzen hoffen wir aber der geschichtlichen

Wahrheit nahezukommen. Dem Leser eröffnet sich damit eine neue Möglichkeit: er wird die geistige und künstlerische Entwicklung ablesen können, in der das dichterische Schaffen vermutlich verlief. Die Geschichte der frühen Lyrik spiegelt sich so schon im äußeren Bild.

Zwei Nachteile müssen dabei mit in Kauf genommen werden: Die Dichter erscheinen mit ihrem ganzen Schaffen in einem strengen Nacheinander, das der geschichtlichen Wirklichkeit nicht entspricht. In Wahrheit haben sich ihre Schaffenslinien vielfach überkreuzt. So beginnt Hausen nach Veldeke und hat doch auch auf Veldeke zurückgewirkt. Reimar setzt vor Morungen ein und hat wahrscheinlich doch später von Morungen empfangen. Johansdorf wird älter als Walther sein und verrät in späteren Liedern doch Einwirkung Walthers. Dies Nebeneinander kann eine Druckanordnung nicht zum Ausdruck bringen.

Eine zweite Einschränkung ist zu beachten: die Folge der Lieder eines einzelnen Dichters vermag nicht zum Ausdruck zu bringen, in welchem zeitlichen Abstand die Gedichte voneinander stehen. Wir müssen manchmal mit größeren Zwischenräumen rechnen, während in anderen Fällen die Lieder in einen gemeinsamen Zeitraum gehören und darum im Einzelfalle nicht mit Sicherheit gesagt werden kann, welches Gedicht dem anderen voranging. Das Nacheinander darf also nicht als eine Reihe gedeutet werden, in der ein Lied dem anderen in gleichem Abstand folgt. Dem Aufnehmenden muß es überlassen bleiben zu erkennen, wo sich Lieder zu dichteren Gruppen sammeln und wo sie eine größere Spanne voneinander trennt. In jedem Falle soll die zeitliche Folge dazu anregen, geschichtliche Fragestellungen mehr als bisher zu pflegen, mehr als bisher auf die Intervalle wie auf das historisch Gleichzeitige zu sehen. Zukünftige Betrachtung findet da noch ein weites Feld. Zu seinem Betreten soll eingeladen werden.

Wer den Gedichten dieser Sammlung zuhört, vernimmt das erste Erwachen der deutschen Seele im Lied. Als erste Zeugen der lyrischen Gattung auf weltlichem Boden sind sie uns kostbar. Sie verdienen in unsere grundsätzliche Betrachtung über Dichtung aufgenommen zu werden. Fragen, die wir seit langem an unsere Dichtung richten, sollten auch ihnen zugewendet werden; sie haben denselben Anspruch auf Gehör wie neuere Poesie.

So beginnt unser Geleit mit einer Besinnung auf das Wesen der lyrischen Leistung.

Das Lied bewahrt den Lebenszustand eines Menschen auf, der innerlich getroffen wurde und dadurch in Schwingung geriet. Sein Dasein ist nun verändert. Sein Gedicht ist wie ein Umschauen in einer veränderten Welt, in der er sich neu zu fassen versucht. Er ist derselbe und doch nicht mehr derselbe: das Leben zeigt ihm ein neues Gesicht. So spricht als Verwandelter schon Meinloh (Nr. 3), als Getroffener Hausen (Nr. 9), als Verzauberter oder Beseligter Morungen (Nr. 6, 20) zu uns. Eine innere Erschütterung versetzt die Seele in Schwingung; von ihr tönt das Lied. Der eigentliche lyrische Grundvorgang aber ist die Verwandlung. Meinloh bezeugt sie, Hausen begreift sie, Walther faßt sie am Lebensabend in das erschütternde Bild einer von Grund auf veränderten Welt, in der Natur und Mensch ihm fremd geworden sind (Nr. 69): *liut unde lant, dar inn ich von kinde bin erzogen, die sind mir worden fremde.*

Aus der Verwandlung, die dem bisherigen Dasein enthebt, entfaltet sich eine Fülle von Themen.

Das Wort „verwandelt“ erklingt, wenn im Rhythmus der Jahreszeiten ein Umschwung erfolgt (Dietmar Nr. 6, Rietenburg Nr. 3): im Frühjahr der Aufbruch neuen Lebens, im Herbst das Erstarren und Ersterben des Lebens zum Winter hin. Als Verwandlung wird die Trennung vom geliebten Menschen erfahren, für die schon der Kürenberger zeugt (Nr. 9), ebenso wie die Überwindung der Trennung (Meinloh Nr. 12). Immer wieder ist der ritterliche Mensch dieser Erfahrung ausgesetzt; denn es gehört zu seinem politischen Dasein, daß er der Bewegung der Geschichte folgt. Ein Zug nach Italien oder eine Kreuzfahrt ruft ihn aus dem Kreise geliebter Menschen (Hausen Nr. 12, 14, 16; Rucke Nr. 4; Bernger Nr. 4; Hartmann Nr. 10 und 15; Reimar Nr. 18; Johansdorf Nr. 2 und 14). Es ist das Schicksal staufischen Rittertums, das gezwungen war, in weiten Räumen zu leben. Die Frau wird zum Sinnbild der Heimat und des gewohnten oder ersehnten Daseins. Die Trennung wird zu einem inneren Bruch (Rucke Nr. 4): *ich tuon ein scheiden, daz mir nie von deheinen dingen wart so we.* Der Ritter ist mitten in seiner Existenz getroffen. Alle gewohnten Lebensbedingungen sind verändert, so daß er sich in der Welt neu zurechtfinden muß. Das Lied leistet diese Hilfe.

Der Rhythmus der Jahreszeiten verwandelt die Zeit, die Trennung verändert den Raum, zu dem der Dichter gehört. Mit der Veränderung im Raum, die zur Lösung vom Gewohnten zwingt, kann sich leicht ein Bruch in der Zeit verbinden. Eine enttäuschende Wirklichkeit tritt dann einer schöneren Vergangenheit gegenüber. Erst in der Ferne gewinnt das Leben daheim, das hart und schmerzlich schien, leuchtende Farben (Hausen Nr. 11). Durch die fließende Zeit geht ein Schnitt, der ihre Beständigkeit aufhebt: heute ist nicht mehr da, was gestern noch war. Das gilt nicht allein für das persönliche Dasein, das untrennbar mit der geliebten Frau verknüpft ist, sondern auch für die ganze Zeitlage, in die der Ritter mit seinem Dichten und Leben versetzt ist. Die Form der Zeitklage entsteht so, die schon bei Veldeke auftritt (Nr. 20) und von Walther (Nr. 23, 52) immer wieder eindringlich variiert wird. Die Gegenwart wird als Abfall von gültigen Werten verstanden, ohne die das Leben nicht lebenswert ist. Das Gedicht empfängt seinen Stoß aus verschlimmertem Jetzt und sucht die Rückkehr zum besseren Einst. Was so persönliche Erfahrung hervortreibt, ist zugleich genährt von der mittelalterlichen Neigung, Wunschbilder ins Vergangene zu verlegen. So wird der Weg zu erfülltem Sein leicht zu einer Rückkehr in Entschwundenheiten. Die Kräfte werden beschworen, die das Vergangene trugen.

Die Verwandlung kann aber auch allein das Innere treffen. Das Deutsche des Mittelalters hat dafür einfache Worte bereit: *liep-leit, fröide-truren. liep* ist Inbegriff aller menschlichen Wünsche, verwirklicht, wo sich zwei Menschen glückhaft verbinden; *fröide* bedeutet mehr: nicht nur eine frohe Seelenlage des einzelnen Menschen, sondern darüber hinaus das heitere Miteinander eines geselligen Kreises, in dem die Menschen sich gegenseitig zugewandt sind. *leit* ist das Enttäuschende, das der Mensch gerne abgewendet sähe, das, was seinen Wünschen entgegen ist. *truren* ist die dauernde Stimmung, in die der Enttäuschte zurückgeworfen wird.

Die früheste Lyrik, die noch die Gemeinsamkeit von zwei Partnern sucht, weiß noch von den Stunden der Erfüllung zu reden, in denen sich die Seele mächtig erhebt. Schon der Kürenberger spricht vom hohen Mut, wenn er die innere Erhebung meint (Nr. 5). Dietmar kennt sie (Nr. 6) und Rietenburg (Nr. 2) und Rucke (Nr. 2). Morungen hat sie mit der beschwingenden Kraft seines Enthusiasmus besungen (Nr. 20). Aber tiefer gehen die Erschütterungen, die der Stoß der Enttäuschung hervorruft. Schon Meinloh läßt der Frau durch den Mund eines Boten sagen (Nr. 3): *er hat durch dinen willen eine ganze fröide gar umbe ein truren gegeben.* Die früheste Lyrik kann noch einfache Stimme des Erleidens sein, die aus der Betroffenheit des Gefühls spricht. In der reifen Lyrik aber entzündet sich an der Enttäuschung ein geistiges Ringen, das den Sinn der schmerzlichen Lage zu ergründen versucht. Sie gewinnt mehr und mehr die Bereitschaft, willentlich auf sich zu nehmen, was das Gefühl verwirft, weil sie so in eine tiefere Existenz hineinwächst. Für diese Haltung ist das Schaffen Reimars das große Beispiel.

Eine ritterliche Sonderform der Verwandlung ist der Weg aus der Freiheit und Ungebundenheit des Herrschens in die Abhängigkeit von der Frau, die den Mann überwältigt und innerlich bindet. *betwungen* ist das Wort für diese neue Seelenlage, die den Herrschgewohnten zum Dienenden macht. Hier treffen wir auf das eigentliche Kernerlebnis des Ritters in der Begegnung mit der Frau.

Wir dürfen es freilich nicht bei abhängigen Dienstmannen suchen, sondern bei den großen Herren und mächtigen Liebhabern am Eingang des Minnesangs, denen am Ausgang des Minnesangs die Fürsten des ostdeutschen Raumes antworten. Was fürstliche Menschen des staufischen Beginns zuerst in sich erfahren hatten, wiederholen sie noch einmal aus fürstlicher Haltung in einem späten Widerklang.

In immer neuen Formen wiederholt sich das Bild eines Dienstes, der vom Dichter geleistet wird. So bietet

Meinloh der Frau seinen Dienst an (Nr. 3): *dir enbiutet sinen dienest, dem du bist, frouwe, als der lip.* Hausen bekennt sich zur Freiheit, seinen Willen ihr zu unterwerfen (Nr. 5): *mich kunde nieman des erwenden, in welle ir wesen undertan.* Der Graf von Neuenburg (Fenis) ringt in allen Liedern um den Sinn seines Dienstes, von dem er nicht lassen kann. Reimar formuliert es am schärfsten (Nr. 17): *des han ich mir ein liep erkorn dem ich ze dienste, und waere ez al der werlde zorn, muoz sin geborn.* Der Dichter begegnet der Frau in seinem Lied als Dienender, der sich ganz ihrem Willen unterwirft und sein Schicksal in ihre Hände legt.

Der Ritter, der über das Leben anderer zu gebieten gewohnt ist, muß erfahren, daß die Frau über sein seelisches Schicksal bestimmt. Er fühlt sein menschliches Dasein abhängig von ihr und bekennt sich ausdrücklich zu dieser unentrinnbaren Abhängigkeit. Die Frau ist es nach Hausen (Nr. 2): *an der genade al min fröide stat.* Der Graf von Neuenburg hat sich ganz in ihre Hand gegeben (Nr. 5): *lip unde sinne die gap ich für eigen ir uf genade; der hat si gewalt* (ähnlich Bernger Nr. 2, Hartmann Nr. 2, Reimar Nr. 16, Morungen Nr. 12). Johansdorf bekennt (Nr. 8): *alle mine sinne und ouch der lip daz stet in ir gebote.*

Der Übertritt in seelische Abhängigkeit ist die neue Erfahrung des Ritters, der er die zeitbedingte Form des Dienstes gibt. Man hat den Minnedienst gerne aus der rechtlichen Stellung der Dienstmannen ableiten wollen, und sicher war es von wesentlicher Bedeutung, daß in der ritterlichen Welt der Lehensdienst als erlebte Form der Abhängigkeit von einem Höheren und Mächtigeren bestand. Und auch das ist richtig, daß der Minnedienst als Sehweise und Darstellungsform der Dichtung ohne die soziologische Wirklichkeit des Lehensdienstes nicht möglich gewesen wäre. Aber ein Dienstmann, der einer Frau in der Form des Dienstes huldigte, nahm seine gewohnte Lebensform in die Dichtung mit, ohne daß er seine Rolle zu ändern brauchte. Und doch kam es gerade auf den Rollentausch an, auf die Umkehr im Verhältnis zwischen Mann und Frau. Diese Umkehr mußte der Freie und Unabhängige am stärksten erleben. Und weiter: am Tor zum strengen Minnesang stehen nicht gebundene Dienstmannen, sondern fürstliche Menschen. Ministeriale wie Heinrich von Rucke und Hartmann von Aue blieben innerlich dem Minnedienst fern, während sich eine mächtige Persönlichkeit wie Friedrich von Hausen ganz in ihm erfüllte. Literarische Vorbilder (Ovid und die Troubadours) haben die dichterische Gestaltung beeinflußt. Entscheidend aber war nicht, was von außen kam, sondern was in der Tiefe der Seele vor sich ging.

Es ist ein seltsames und ergreifendes Schauspiel, das im Kern doch sehr viel mehr ist als ein galantes Spiel ohne Verbindlichkeiten: freiwillig beugt sich der Mächtige des Lebens in seiner Dichtung vor der Frau. Was für den Dienstmann nur die Übernahme einer gewohnten Lebensform ist, der Minnedienst, bedeutet für den fürstlichen Menschen eine wahrhafte Umwälzung seines gesamten Daseins. Der Freie erscheint gebunden, der Sieggewohnte überwältigt, der Herrschende unterworfen. So kündet der Mächtigste der Hohenstaufen von der Macht der Frau (Kaiser Heinrich Nr. 3): *mir sint diu riche und diu lant undertan, swenn ich bi der minneclichen bin; und swenne ich von ir gescheide von dan, sost mir al min gewalt und min richtuom da hin.* Als Herrscher fühlt er sich nur in der Nähe der Frau; ohne sie kann ihm alle Macht nichts bedeuten. Die Krone verleiht ihm nur äußere Gewalt; erst die Frau macht ihn wahrhaft zum Menschen. Ohne sie wäre er nichts in der Gesellschaft der Menschen: *verlür ich si, waz hette ich armer danne? da töhte ich ze vröuden noch wiben noch manne.* Der Frau also verdankt er sein eigentliches Menschsein; sie ist es, die ihn zum Menschen macht und tauglich für die anderen Menschen. Darin drückt sich die große Umkehr aus und die Kraft, die sie hervorrief. Der Herrscher selber spricht es stellvertretend aus für den ganzen Stand, der im Aufblick zu ihm geformt war.

Weil eine tiefgreifende Veränderung seines ganzen Wesens den Ritter zum Dichten löste, war es lyrische Dichtung, der sie anvertraut wurde; denn Lyrik ist die Sprache menschlicher Verwandlung. Daß seine Dichtung aber alles, was sie zu sagen hatte, in die eine Begegnung mit der Frau hineinlegte und so den Minnesang als lyrische Form des Rittertums schuf, war ein Dank für die verwandelnde Macht der Frau, die ihn erst auf die Bühne der Dichtung rief. Minnesang nennen wir die Lyrik des Rittertums, weil sie nur das eine Thema der Minne zu kennen scheint, das den Ritter in unablässiger Bemühung um eine Frau zeigt. Man verkennt das Wesen des Minnesangs durchaus, wenn man in ihm nichts anderes als eine geschichtliche Merkwürdigkeit sieht, ein Zeichen für lebensfremde Verspieltheit, die mit leichter Gebärde über den Ernst des Daseins hinweggeht. Gewiß: was der Ritter in seiner Lyrik zu sagen hat, wird sagwürdig und sagbar erst im Blick auf die Frau; nur in der Bewegung auf die Frau gelingt das Lied, weil sie das Dichten entbindet. Aber der thematischen Verengung entspricht eine innere Weite: die Minne hat stellvertretende Bedeutung. Der Dichter redet scheinbar nur von seinem Verhältnis zur Frau; in Wirklichkeit legt er aber in dieses eine, stellvertretende Verhältnis alle seine Aussagen über sein Verhält-

nis zum Menschen, zum Leben und zu Gott. So erhält das Lied eine eigentümliche Tiefe. In der Begegnung mit der Frau lernte der Ritter seinen Standort im Leben zu bestimmen.
Die Auslegung des Minnesangs wird darum ihrer Aufgabe nur gerecht, wenn sie in der Minne das Schicksal der ritterlichen Seele erkennt, wenn sie in dem Ausgesprochenen das Mitgemeinte begreift. Immer geht es um menschliches Dasein schlechthin, ausgedrückt in der zeitbedingten Form des Minnesanges. Wir stimmen uns auf die Aufnahme dieser seltsamen Dichtung richtig ein, wenn wir in der Minne das große, stellvertretende Beispiel sehen für die Stellung des ritterlichen Menschen zum Leben überhaupt. Dann nehmen wir den tiefen Ernst wahr, der hinter diesen Gedichten steht. Uns ist offenbar die Kunst verloren gegangen, noch in heiterem Spiel von tödlichem Ernst zu zeugen. Aber wir sollten aufhorchen, wenn im Minnesang immer wieder das Todesmotiv erklingt. Das ist kein Spiel, wenn Reimar erklärt (Nr. 31): *ich muoz wol sorgen umbe ir leben: stirbet si, so bin ich tot.* Wir verstehen: es geht im eigentlichen Sinne um seine Existenz. Freilich konnte, was die Großen und Ersten aus erschütternder Erfahrung sagten, bei Späteren zum Spiel entarten. Sie haben nur die Gebärden übernommen und nicht die Erfahrungen, für die sie zeugten.
In der Begegnung mit der Frau erwachte das seelisch-geistige Sein des Ritters. Der Minnesang ist die lyrische Form, in der er seine Verwandlung erkennt und bekennt. In ihm spricht der Ritter nicht als Handelnder, der mächtig in die Welt ausgreift, sondern als innerlich Getroffener, dessen Seele Ungewohntes, manchmal schwer Begreifliches widerfährt. Der feste Schritt des Gebietenden ist von der Ungeduld des Wartens abge-

löst. Morungen hat es in ein eindringliches Bild gefaßt (Nr. 6): *ich muoz vor ir sten und warten der frouwen min rehte also des tages diu kleinen vogellin.*

In der Frau ist dem ritterlichen Mannestum wahrhaft eine Sonne aufgegangen. Nicht nur Morungen, der Lichtempfängliche, hat die Frau als Sonne gefeiert; schon Veldeke kennt das Bild, und Walther entwirft das feierliche Schauspiel, wie die ritterliche Dame als Sonne am Sternenhimmel der Gesellschaft erscheint (Nr. 63). Es ist die Sonne des Auferstehungstages, mit dem für den Mann ein neues Dasein anhebt. Das meint Reimars Bekenntnis (Nr. 16), das Morungen (Nr. 22) übernahm: *sie ist min osterlicher tac.*

Den Ritter hatte es wie eine große Entdeckung befallen, als er vor die Frau trat. Tore taten sich ihm auf zu einer Welt, die ihm bis dahin nicht oder doch so nicht bekannt war. Es war eine dreifache Wertwelt: das naturhafte, das gesellige und das werthafte Sein der Frau. In den beiden Worten Schönheit und Ehre ist es beschlossen (Walther Nr. 53).

Trevrizent weist Parzival beim Abschied eindringlich auf die Wehrlosigkeit der Frauen und Priester hin (502, 7), die der Ehrfurcht und dem Schutz des Ritters empfohlen werden. Gerade die Wehrlosigkeit der Frau muß für den Ritter etwas Bezwingendes und Verpflichtendes gehabt haben. Ihre einfache Geschöpflichkeit schon, die sich dem schnellen Zugriff entzog und doch für ihn als Leuchtendes und Lockendes da war, zwang ihn zu einem neuen Verhalten. Ihr war mit den gewohnten Mitteln, mit denen er sich sonst im Leben durchzusetzen pflegte, nicht beizukommen. So verspürte er ihr Anderssein, das Dasein einer anderen Welt, die nun seiner Seele aufging, weil sie sich seinem Willen verwehrte. Mit bewunderndem Staunen tritt er vor das

Wunder ihrer wehrlosen Schönheit, in der Gott sein Meisterwerk schuf. Ihm widmet Hausen seine ersten Worte (Nr. 1), Morungen läßt sich von ihm bannen, und Walther, der ihr körperliches Geheimnis zu enthüllen wagt (Nr. 33), ruft (Nr. 55): *er solt iemer bilde giezen, der daz selbe bilde goz!*

Aber nicht eigentlich das einfache Dasein, sondern das In-der-Welt-Sein der Frau machte sie dem Manne wertvoll und kostbar. Sie lebt nicht für sich selbst, und nicht zu stillem Selbstbesitz oder zur Freude eines einzelnen ist ihr das Geschenk der Schönheit verliehen. Sie gehört der Gesellschaft der Menschen, unter denen sie sich bewegt. Sie ist der schöne Spiegel, in dem die Gesellschaft sich sieht. Morungen sagt (Nr. 14): *durch schouwen so geschuof si got dem man, daz si were ein spiegel, al der werlde ein bilde gar.* Sie ist ja nicht als einzelne etwas, sondern durch den Glanz, den sie in der Öffentlichkeit einer geselligen Abendrunde entfaltet. Hier hatte sie ihr dem ritterlichen Dichter zugewandtes Dasein. Das Private hatte sie in ihrer stillen Kemenate zurückgelassen, wenn sie sich in die festliche Öffentlichkeit begab. Was sie dem Manne an Erhebendem schenken konnte, konnte sie für ihn nur unter anderen, nicht in einsamer Begegnung sein; denn ein neues Leben unter Menschen sollte sie ihm möglich machen, sie sollte ihn zu einem neuen Dasein der geselligen Kulturbereitschaft erschließen. Sie kann dem Mann nur in der Welt, d. h. in der ritterlichen Gesellschaft begegnen, die von ihrer Erscheinung die festliche Leuchtkraft und Stimmung empfängt, so wie sie dem bewundernden Blick der anderen erst ihre Geltung verdankt. Der Ritter, der um sie wirbt, kann sie nicht als einzelne treffen, weil sie in der Front der Gesellschaft steht und aus ihr nicht herausgelöst werden kann. So muß er sich an alle wenden, wenn er die eine unter ihnen sucht. Es ist durchaus sinnvoll, wenn sie namenlos bleibt. Wohl ist sie da und gegenwärtig, wenn das Lied zu ihr kommt, aber jedes Nennen würde sie aus dem geschlossenen Kreis herausbrechen und ihr mit dem Namen ein gesondertes Dasein geben. Auch die Namenlosigkeit, die jedes persönliche Sichzueignen vermeidet, gehört zu ihrem In-der-Welt-Sein.

Die Gesellschaft ist keine willkürlich gewählte, sondern eine notwendige Ebene der Begegnung von Mann und Frau; denn wie die Frau, so kann auch der Dichter nur in der Gesellschaft etwas sein. Er tritt nicht als Fremder auf, um für unbekannte Welten zu werben, und er braucht nicht wie Dichter neuerer Zeiten ein Gemeinsames erst durch seine Leistung zu stiften, etwa eine ferne Gemeinde, die weit verstreut im Lande lebt und sich da still und voneinander getrennt um seine Worte sammelt. Er braucht nicht wie einsame Schaffende der letzten Jahrhunderte ins Unbekannte zu dichten, ohne zu wissen, welche Hände das Geschenk seines Geistes empfangen, ein ins Verlorene Schenkender oft. Er schaut in das Gesicht vertrauter Hörer, die ihm erwartungsvoll entgegensehen, und weiß genau, in welche Hände er sein Geschenk legt. Menschen sind da, die auf ihn warten, ihm Zugewendete, Erschlossene, die bereit sind mitzuspielen, Mitschwingende und Mittönende, wenn sein Lied ertönt. Ohne ihr Mitschwingen wäre sein eigenes Schwingen nichts.

So sind Dichter und Frau gemeinsam darauf angewiesen, sich in der Gesellschaft einander zuzuwenden und nicht in stillen Stunden persönlichen Zusammenseins. Denn beide suchen das Gemeinsame; sie können nur in der Öffentlichkeit etwas sein, die sie bestätigt. Darum muß sich der Minnesang auf der Bühne der Gesellschaft begeben, die uns fremd geworden ist und für jene Zeit doch Daseinsgrund war.

Wenn der Dichter die Schönheit der Frau feiert, vergißt er nie ihren ethischen Wert. *schoene* und *reine* oder *schoene* und *guot* sind die Beiworte, die ihr Walther verleiht, und immer adelt erst der innere Wert das schöne geschöpfliche Sein. Früh schon fängt das Rühmen an. Meinloh wird herbeigelockt vom ethischen Ruf der Frau (Nr. 1): *do ich dich loben horte, do hete ich dich gerne erkant. durch dine tugende manige fuor ich ie welnde, unz ich dich vant.* Und dann preist er sie (Nr. 2): *vil schoene und biderbe, dar zuo edel unde guot, so weiz ich eine frouwen: der zimet wol allez daz si tuot*; und weiter: *si ist edel unde ist schoene, in rehter maze gemeit. ich gesach nie eine frouwen diu ir lip schoner künde han* (vgl. auch Meinloh Nr. 6). Ähnlich beginnt Morungen (Nr. 3): *si ist zallen eren ein wip wol erkant, schoner geberde, mit zühten gemeit, so daz ir lop in dem riche umbe get.* Ihr ethischer Wert erhellt trübe Wolken wie die strahlende Maiensonne. Wie Meinloh fühlt sich auch Reimar vom Ruf der Frau herbeigezwungen (Nr. 16): *mich betwanc ein maere daz ich von ir horte sagen, wies eine frouwe waere diu sich schone kunde tragen.* Der ethische Wert trieb ihn zu ihr hin, und er ist es auch, der ihn unabänderlich bei ihr festhält (Nr. 30). Walther faßt den Wert der Frau in die beiden schlichten Worte *schoene* und *ere* (Nr. 53 und 54). Etwas vom Glanze der reinen Gottesmutter scheint auf sie übergegangen. Sie ist die Reine und Makellose (Johansdorf Nr. 11): *ich engetorste niemer ir gesingen disiu liet, waere si vil reine niht und alles wandels fri.* Reimar und Walther stimmen das Lob des weiblichen Wesens an. Reimars berühmte Strophe, sein Vermächtnis, durch das er sich ewigen Dank erwarb (Walther 82, 34), hebt an: *so wol dir wip, wie reine ein nam.* Bekannt ist Walthers Preis (Nr. 18), der die deutschen Frauen zu Engeln erhebt. Er hatte Reimars Worte im Ohr, als er in einem Liede der Krise bekannte (Nr. 52): *wibes name und wibes lip die sint beide vil gehiure.* In der einen Frau, der das Lied zugewandt ist, offenbaren sich der sittliche Adel und die sittliche Reinheit weiblichen Menschentums schlechthin. Dem Mann ist in der Frau eine andere Hemisphäre des Menschlichen begegnet, die sein Wesen ergänzt. In ihr ist gegenwärtig und leibhafte Gestalt geworden, was er in seinem Aufstieg zu kulturellem Dasein erstrebt. Sie ist, was er werden möchte. Darum sieht er zu ihr empor.

Der Mann hat begriffen, daß er sich überwinden und verwandeln muß, wenn er, der wild Wachsende, die schöne und reine Gestalt gewinnen soll, die er in der Frau bewundert. *ich was wilde*, bekennt Gutenburg (Nr. 2); mit dem Anblick der Frau hat seine Erziehung begonnen. Eine Formung und Läuterung hebt an. Dietmar gesteht dankbar (Nr. 1): *du hast getiuret mir den muot.* Sie ist der Steuermann seines Lebensschiffes geworden (Nr. 8): *der bin ich worden undertan als daz schif dem stiurman, swanne der wac sin ünde so gar gelazen hat.* Wenn die Wogen der Leidenschaft kommen und ihn hin und her zu werfen drohen, gibt sie ihm feste Richtung. So verlernt er, seinen Leidenschaften nachzugeben: *si benimt mir mange wilde tat* (Nr. 8). Freudig nimmt der Ritter die Läuterung auf sich, durch die er hindurch muß, um aus ihr als reines Gold hervorzugehen (Rietenburg Nr. 5): *sit si wil versuochen mich, daz nime ich für allez guot; so wirde ich golde gelich daz man da brüevet in der gluot und versuochet baz. bezzer wirt ez umbe daz, luter, schoener unde clar. swaz ich singe, daz ist war. gluote si ez immer me, ez wurde bezzer vil danne e.*

Auch das ist eine Verwandlung, hervorgerufen durch

die Begegnung und den Umgang mit der Frau. Der Ritter wird reif zu jenem werthaften Dasein, das in der Gesellschaft gelebt werden soll. Durch die Frau wird er vor den anderen gerechtfertigt, wie es Reimar ausspricht (Nr. 30): *und wiste ich niht daz si mich mac vor al der welte wert gemachen, obe si wil, ich gediende ir niemer tac.* Schon Veldeke führt in einer Liederreihe (Nr. 4 bis 10) die Minne als Läuterung vor und rühmt in einem anschließenden spruchhaften Gedicht (Nr. 14): *van minne komet uns al gut, di minne maket reinen mut.* Johansdorf steigert den Gedanken noch (Nr. 9): *swer minne minnecliche treit gar ane valschen muot, des sünde wirt vor gote niht geseit. si tiuret unde ist guot.* Minne geleitet als sittlich reinigende Macht den Ritter zur ewigen Seligkeit. Das ist kein vereinzeltes Aufblitzen, sondern ein Glaube, den Walther in frühen und reifen Gedichten verkündet (Nr. 6 und 55). Als einen Glauben bezeichnet Walther ihn selbst (Nr. 6). Minne ist ein Schatz sittlicher Kräfte *(minne ist aller tugende ein hort)*. Ohne sie kann niemand Gottes Huld gewinnen. So groß ist ihre ethisch erhebende Macht, daß er bekennen kann (82, 9): *minne ist ze himel so gefüege, daz ich si dar geleites bite.* Ein Verlorener ist es, der sich nicht um edle Frauen bemüht, denn (Nr. 24): *swer guotes wibes minne hat, der schamt sich aller missetat.* Durch Walther hören wir auch, wie die Minne den Mann zu einem edlen Glied der Gesellschaft macht (Nr. 25): *er tuo dur einer willen so, daz er den andern wol behage: so tuot in ouch ein ander fro, ob im diu eine gar versage.* Der Weg zu werthaftem Dasein und zu echter Kultur führt über die Begegnung mit der Frau, die Minne heißt.

Nur der wird zum Ziel gelangen, der sich ohne Rücksicht auf die eigene Lage zur Ehre der Frau bekennt. Rühmend schreitet der Dichter auf die Frau zu, in der sich für ihn eine überpersönliche Wertwelt verkörpert, an der er Anteil gewinnen möchte. Jedes Lied des strengen Minnesangs geht diesen Weg, der den Mann in eine überpersönliche Sphäre erheben soll, und keines kann darum auf den Ton des Rühmens verzichten. In besonderer Weise sind aber darauf Dichter angewiesen, die nicht aus der gesicherten Lage des Freien und Unabhängigen sprechen können, sondern durch ihre künstlerische Leistung einen angesehenen Platz in der Gesellschaft verdienen müssen wie Walther. Für sie werden der Minnesang und der Preis der Frau geradezu zum Beruf, und sie haben darum eine größere Empfindlichkeit und ein helleres Bewußtsein ihres Tuns. Schon der frühe Walther läßt der Frau sagen, daß er ihre Ehre und ihren Wert verkündet (Nr. 4). Mit Selbstgefühl rühmt er sich selbst (Nr. 19): *wol mich daz ich in hohen muot mit minem lobe gemachen kan und mir daz sanfte tuot.* Ihre Ehre lebt von seinem rühmenden Lied (Nr. 24): *ir leben hat mines lebennes ere.* Wenn sein Lied verstummt, vergeht auch ihr Ruhm (Nr. 24). Aber es gilt auch umgekehrt: seine eigene Geltung beruht darauf, daß er den Ruhm der Frau am Hofe verkündet (Nr. 62): *treit iuch min lop ze hove, daz ist min werdekeit.* Auf seinen Minnesang gründet er am Lebensabend seine Geltung unter den Menschen (Nr. 65).

Immer, auch in Stunden persönlichen Leides, ist der Dichter zum Rühmen bereit, aber nur selten kann es rein und ungemischt erklingen; denn hinter allem ethischen Bemühen steht ein lebendiger Mensch. Er kann nicht die Wertwelt wollen, die sich ihm in einer Frau erschließt, ohne den Menschen zu sehen, in dem sie sich verkörpert. Er sucht ja nicht ein ungreifbares Reich, das nicht von dieser Erde ist, sondern will sich unter Menschen vollenden. Die Frau ist für ihn eine menschliche

Erscheinung, die sein menschliches Verlangen weckt. Er nennt sie nicht mit Namen, aber er sucht sie auch als Person. Liebe erwacht, die im Gemeinsamen die Zweisamkeit will, die nur zwei Menschen gehört. So ist jeder Weg des Rühmens auch ein Weg des Bittens. Der Ritter möchte nicht vor einem ehernen Standbild knien, das ihm für immer entrückt bleibt, sondern im werthaften Dasein der Frau auch den Menschen erleben, der für ihn da ist und nur für ihn. Durch beschwörendes Flehen sucht er sie zum Sprechen zu bewegen, aber es bleibt ein vergebliches Flehen. Denn die Frau ist aus der Gesellschaft als Person nicht herauszulösen. So sieht er sich immer wieder zurückgeworfen, wenn er sich ihr nähern will. Als Zurückgeworfener stimmt er die Klage an, die sich mit dem Ton des Rühmens eigenartig mischt. Noch in der Klage verläßt ihn das Bewußtsein nicht, daß er zum Rühmen bestimmt ist (Hartmann Nr. 6 und 7). Damit ist seiner Klage eine Grenze gesetzt, die er freiwillig anerkennt, weil er Wert und Ehre der Frau nicht antasten kann, auch wenn sie sich ihm verweigert und ihn so in schmerzliches Leiden treibt. Als Rühmender spricht er, wenn er sich in die überpersönliche Wertwelt erhebt, als Klagender, wenn er durch die Verweigerung der Frau persönlich getroffen wird. Die Klage gehört der persönlichen, das Rühmen der überpersönlichen Sphäre an. Dichter und Lied haben aber in beiden Bereichen ihre Heimat.

Dies macht nun die Größe des Minnesangs aus, daß er die schmerzliche Spannung zwischen persönlicher Enttäuschung und überpersönlichem Gewinn durchzuhalten vermag, ohne in seinem Lied zu ermüden. Auch als Zurückgeworfener verharrt der Dichter in der Bewegung auf die Frau. Nichts wird ihm leichthin geschenkt. Eine schwere Aufgabe ist ihm auferlegt. Jedes persönliche

Mißlingen stellt ihm die Frage, warum er trotzdem nicht von seiner Bemühung läßt. Er wird gezwungen, den Sinn seines In-der-Minne-Seins zu ergründen. So wächst er aus einfachem Dasein in ein neues und tieferes Bewußtsein seiner geistigen Existenz. Er lernt begreifen, daß persönlicher Verlust durch überpersönliche Gewinne gerechtfertigt wird. Einsichten von überzeitlichem Wert gelingen, die den inneren Adel des ritterlichen Menschentums bezeugen.

Mit der Erfolglosigkeit seiner Bemühung hat sich der Kreis um Hausen immer wieder auseinandergesetzt. In ihrer Sprechweise noch sind die Dichter dieses Kreises aufs engste miteinander verbunden. Tränen kommen Gutenburg, wenn er an die Nutzlosigkeit seines Dienens denkt, und doch kann sich seine Seele nicht von ihr lösen, weil das Bewußtsein ihres Wertes ihn festhält (Nr. 3). Dasselbe hat Bernger erfahren (Nr. 1 und 2), und auch er bleibt noch in aussichtsloser Lage treu. Am eindringlichsten hat der Graf von Neuenburg das Thema variiert (Nr. 2). Er faßt es in den Widerspruch (Nr. 2): *ie mere wil ich ir dienen mit staete und weiz doch deich sin niemer lon gewinne.* Der Widerspruch löst sich aber in der Einsicht auf, daß Wert und Zweck nicht zusammenfallen, daß sich die Werte jenseits der Zwecke erfüllen. Wer Werte will, muß bereit sein, auf persönlichen Erfolg zu verzichten. So wird der Gegensatz zwischen der Erfolglosigkeit des Dienens und dem unbeirrbaren Festhalten daran geradezu zum Zeichen dafür, daß sich das Rittertum von jedem Nützlichkeitsdenken befreit hat. Erfolg oder Mißerfolg entscheiden nicht über Sinn und Wert menschlichen Tuns. Hausen war mit dieser bedeutsamen Einsicht den anderen vorangegangen (Nr. 7). Ihm haben sie Hartmann (Nr. 6 und 7) und Reimar nachgesprochen. Hartmann bekennt (Nr. 6): *swaz si mir*

tuot, ich han mich ir gegeben und wil ir einer leben (vgl. Reimar 7, 13, 17, 23).
Wo sich die Wirklichkeit versagt, beginnt das Reich des Geistes, das an keine Bedingungen des Raumes und der Erfahrung gebunden ist. In diesem Reiche aber ist auch der äußerlich Gebundene frei. Selber ein Freier war es, dem diese Entdeckung der Freiheit des Geistes gelang: Friedrich von Hausen. Eine Freude ist ihm darüber aufgegangen, die ihm niemand nehmen kann (Nr. 7): *swie kleine ez mich vervahe, so vröuwe ich mich doch sere, daz mir nieman kan erwern, ichn denke ir nahe, swar ich landes kere.* Dies ist sein Stolz, daß niemand der freien Bewegung seines Geistes die Wege verlegen kann. Menschen haben darüber keine Macht, und Grenzen des Raumes bedeuten nichts, wenn der Flug des Geistes beginnt. Bernger sieht die Bewegung des Geistes unter dem Bilde des Fluges, der im Nu weite Räume überspringt und sogleich da ist, wohin ihn seine Gedanken tragen (Nr. 3): *mir ist alle zit als ich vliegende var ob al der werlte und diu min alliu si. swar ich gedenke, vil wol sprunge ich dar. swie verre ez ist, wil ich, sost mirz nahe bi.* Für die Gedanken gibt es keine Trennung und keine Fremde. So spricht Walther in einem Frühlied (Nr. 3), das später Wolfram parodierte (Nr. 6), von den Augen des Herzens, die durch Mauern und Wände und über alle Länder hin die Frau zu sehen vermögen. Auch er meint die geistige Gegenwart, die jeden Augenblick erreichbar ist. Aus dieser neuen Freiheit des Geistes ist ein neuer Stil entsprungen, von dem noch zu reden sein wird. Er macht sich von der Erfahrung frei und errichtet ein Reich des Möglichen, das leicht und schwerelos über der Wirklichkeit schwebt. Hausen hat auch dieses Reich begründet. Er reitet fern von der Frau durch die Landschaft und überlegt sich, was er ihr sagen würde,

wenn er bei ihr wäre. Mit dem Möglichen, das ihn über das Wirkliche hinweghebt, überwindet er mühelos Zeit und Raum (Nr. 7). Aber ohne den Widerstand der Wirklichkeit, die sich den Wünschen des Menschen verschließt, wäre die Entdeckung der Freiheit des Geistes nicht gelungen.

In der Freiheit des Geistes wird der Dichter unabhängig von der Enge und Schwere des Raumes. Er bleibt der Frau innerlich nah, auch wenn Ströme und Berge dazwischen liegen. Entscheidend ist aber, daß er zugleich eine neue Kraft des Beharrens gewinnt, die ihn fest macht gegen allen Wechsel der Zeit. Er lernt im Veränderlichen das Unveränderliche ergreifen. *staete* nennt sich die Tugend der seelischen Beständigkeit, und die Minne ist ihre hohe Schule. Denn sie will nicht die Gunst eines flüchtigen Augenblicks und das Glück einer vergänglichen Stunde, sondern Dauer ohne Grenzen. Sie stellt den Mann auf harte Proben. Er sieht in die rätselhafte Seele der Frau nicht hinein, die gerne seinen Worten zuhört und sich ihm doch versagt (Reimar Nr. 13): *in ist liep daz man si staeteclichen bite, und tuot in doch so wol daz si versagent.* Wir verstehen den Seufzer, den so widerspruchsvolle Haltung auslöst: *hei, wie mangen muot und wunderliche site si tougenliche in ir herzen tragent.* Die Frau wird Sinnbild der wechselvollen und unbegreiflichen Rätselhaftigkeit des Lebens. Sie kann den Ritter bedrohen, aber an seiner Haltung nicht irre machen. Seine Staete besitzt einen eigenen Wert. Ihn setzt er gegen alle Nutzlosigkeiten und Enttäuschungen ein, die ihm widerfahren. Staete ist das unbeirrbare Festhalten an dem Wert, den er ergriffen hat. Hartmann möchte Meister der Staete werden. Er sucht bei sich selber die Schuld dafür, daß er die Gunst der Frau verlor. Er war noch unvollkommen in der Kunst der Staete.

So faßt er einen neuen Vorsatz (Nr. 9): *nu kere ich mich an staeten muot und muoz mit heile mines ungelückes werden rat. ich bin einer staeten undertan: an der wirt schin diu staete min und deich an staete meister nie gewan.* Gerade in der Erfolglosigkeit muß wahre Staete sich bewähren (Walther Nr. 7): *dem an staete nie gelanc, ob man den in staete siht, seht, des staete ist luter gar.* In der unnachgiebigen Festigkeit, die sich vom Verhalten der anderen und den wechselvollen Erfahrungen des Lebens nicht beeinflussen läßt, kann sich der Charakter formen. Der Minnesang verkündet nicht wie die Rokokolyrik ein „carpe diem", um der Vergänglichkeit irdischen Daseins einen flüchtigen Genuß zu entreißen. Er redet dem Menschen nicht zu: nimm den Augenblick wahr, denn du weißt nicht, wie lange du lebst! Er will nicht das Zeitliche kosten im flüchtigen Nu, sondern sich auch gegen die Zeit und ihre Wechselfälle für das Ewige bereiten. Er will den Sinn für das Dauernde stärken, der die Grundlage jeder großen Kultur ist.

Es gibt keine tiefe Minne ohne Leid. Wer sich zu ihr entschließt, kann der schmerzlichen Erfahrung des Leides nicht entgehn. Schon im Tageliede Dietmars, das nach seliger Nacht die Liebenden in den Schmerz der Trennung auseinanderfallen läßt, klingt die Einsicht auf (Nr. 9): *liep ane leit mac niht gesin.* Wer die Liebe sucht, muß auch das Leid auf sich nehmen, das nun einmal zur Ganzheit des menschlichen Daseins gehört. Es ist kein wahres und echtes Leben, das sich nur die heiteren Stunden herausnehmen möchte. Das ist die Botschaft, die Gottfried von Straßburg in seinem Tristan verkündet. Er will nicht zu Allerweltsmenschen reden, die das Schwere verleugnen (50—57). Er spricht zu Menschen, die sich zur Ganzheit des Daseins entschließen (58—66). Ein edler Sinn nimmt das Widrige hin um der Werte willen, die ihm dadurch geschenkt werden (201—210): *swem nie von liebe leit geschach, dem geschach ouch liep von liebe nie.* Als Gottfried so sprach, wiederholte er Worte aus einem klassischen Liede Reimars, das in die Einsicht mündet (Nr. 26): *ez tuot ein leit nach liebe we: so tuot ouch lihte ein liep nach leide wol. swer welle daz er fro beste, daz eine er dur daz ander liden sol.* Es ist für die ethische Haltung der Dichter bezeichnend: sie rühmen nicht ihre Meisterschaft in der Kunst; Hartmann möchte Meister der Staete sein, Reimar aber will Meister sein in der Kunst, das Leid in edler Haltung zu tragen (Nr. 26): *des einen und deheinen me wil ich ein meister sin, die wile ich lebe; daz lop wil ich daz mir beste und mir die kunst diu werlt gemeine gebe, daz niht mannes siniu leit so schone kan getragen.* Und wirklich: sein Lied ist eine wahrhafte Theodizee des Leides. Als Minnesänger redet er allein von dem Leid, das ihm in der Minne widerfährt; aber wir wissen, daß sie nur das dargestellte Beispiel ist für das Leid in der Welt. Damit tritt seine Dichtung, deren tiefen Ernst man oft verkannte, vor einen neuen Horizont.

Es ist ein seltsamer Widerspruch: Reimar selbst nimmt für sich in Anspruch, wie kein anderer die Freude der ritterlichen Gesellschaft erhöht zu haben (Nr. 32), und kein geringerer als Walther gab seinem Anspruch recht, als er ihm dankbar nach dem Tode nachrief: *du kundest al der werlte fröide meren* (83, 7). Das ganze Schaffen Reimars aber ist ein einziges Ringen um den Sinn des Leides. Wie ist dieser Widerspruch zu verstehen? Es muß Reimar gelungen sein, alle Erfahrungen des Leides auszukosten und es doch für seine Hörer in Freude zu verwandeln.

Der Widerspruch löst sich, wenn man Reimars Stellung unter den Menschen erkennt. Schon früh sieht er sich von den Menschen gesondert, die ein geschütztes Dasein in geselliger Freude führen (Nr. 11, 12, 14, 24). Er schaut zu ihnen hinüber wie in eine fremde Welt. Sie leben in Glück und Freude; sein Leben ist gezeichnet von schmerzlichem Gewinn. Mühelos fällt ihnen die Erfüllung zu, die ihm versagt bleibt. Darum begreifen sie nicht, was ihm widerfährt (Nr. 31, 38). Er fühlt sich stärker als sie: sie würden dem Leid nicht gewachsen sein, das er durchlebt, wenn es zu ihnen käme. Er nimmt für sie stellvertretend das Leid auf sich, das er geradezu wie ein Geschenk begrüßen kann, das er dankbar empfängt. So tritt er als Gefährdeter und schmerzlich Gezeichneter unter Gesicherte und Glückliche. Für sie setzt er sich den Gefährdungen eines rätselhaften und oft feindlichen Lebens aus und fängt die Stöße auf, die andere treffen könnten.

Wohl muß er zu seinen Hörern vom Leide reden, weil es seine persönliche Erfahrung ist, aber er gibt es ihnen nicht in der Gestalt, in der es ihm begegnet; denn er weiß: die Zuhörer, die seinen Liedern gerne folgten, würden sich ihm entziehn, wenn er sich in seiner Dichtung dem Schmerz überließe, so, wie er ihm widerfährt (Nr. 32): *taete ich nach leide, als ichz erkenne, si liezen mich vil schiere, die mich gerne sahen eteswenne.* Er muß sich zur Freude zwingen, weil er unter Menschen lebt: *nu muoz ich fröide noeten mich, dur daz ich bi der werlde si.* Das Leid geht verwandelt durch seine Dichtung hindurch, bevor es seine Hörer erreicht. Wenn es im Liede zu ihnen kommt, ist es nicht mehr dasselbe, das ihm begegnete. So macht er sie vom Druck des Lebens frei; nur er steht in der Zone der Gefahr. Sie wissen — das schützt sie und gibt sie für die Teilnahme frei —, daß das gefährdete Dasein, das im Liede zu ihnen will, nicht ihr eigenes Dasein ist, sondern durch den Mund eines

anderen zu ihnen redet. Freilich werden sie ahnen, daß es der Möglichkeit nach auch von ihnen erfahren werden könnte. Es ist in der Dichtung wohl für ihre Teilnahme, aber nicht für ihre Erfahrung da. Der Dichter hält es ihnen hin und doch zugleich in einer Ferne, die sie nicht mehr bedroht. Er allein ist der Preisgegebene und Ausgesetzte, dessen leidgezeichnetes Sein sie ohne Erschütterung aufnehmen können, weil es für sie keine Gefährdung bringt. Darin liegt eine Freude für sie.
Woher aber nimmt der Dichter die Kraft zu solcher fast übermenschlichen Leistung? Zunächst: Das Leid ist nicht von außen über ihn verhängt, sondern ein selbstgewähltes und selbstverschuldetes Schicksal (Nr. 32); denn es kommt von der Frau, die er selber in Freiheit erwählte. Er preist die eigene Wahl, die ihm die *süeze arebeit* schenkt (Nr. 17). Und er möchte die seelische Mühe nicht missen, die sie ihm auferlegt, denn sie ist ihm lieb geworden und erhöht seinen Wert (Nr. 20): *we war umbe verspraeche ich arebeit diu mir liebet und doch lobelichen stat?* Wie soll er sich dem entziehen, das nicht als Fremdes und Feindliches über ihn kommt, sondern der eigenen Freiheit entspringt? Er liebt noch im Leide die Frau, von der es ausgeht, und das Bewußtsein seiner Freiheit, die sich in innerer Unabhängigkeit für die Frau entschied. Ein stolzes Gefühl beseelt ihn, durch die Auszeichnung des Leides über andere erhoben zu sein. Das macht ihn froh.
Was ihn aber vor allem hebt, das ist der unantastbare Wert der Frau, an die sein Lied sich wendet. Ihr zu leben und zu dichten, das ist sein Dienst, und Dienen kann darum ein Wort für sein Dichten werden. Daß er ihr dienen darf, macht seine Freude aus (Nr. 17): *ich fröu mich des daz ich ir dienen sol.* Die Berührung mit der überpersönlichen Wertwelt, die in der Frau, in seiner

Frau, sich verkörpert, erhellt die Dunkelheit persönlichen Leidens. Die Werte, mit denen sie ihn erfüllt, sind stärker als alle schmerzliche Enttäuschung, die ihm widerfährt. Ein frühes Lied schon mündet in den trotzigen Entschluß (Nr. 7): *ein reine wise saelic wip laz ich so lihte niht.* Nie wird die Klage zur Anklage werden gegen die Frau, denn das würde ihre unantastbare Hoheit verletzen, zu der er sich unbedingt bekennt. Darum ist es besser, den Schmerz hinzunehmen, als durch Vorwurf gegen ihre Hoheit zu verstoßen (Nr. 13): *bezzer ist ein herzeser dann ich von wiben misserede. ich tuon sin niht: si sint von allem rehte her.* So sehen die Menschen ihn froh, obwohl er im Unglück lebt. Er birgt das Dunkle in sich und läßt nach außen nur das Helle leuchten; es ist die Helle, die das Bewußtsein vom Werte seines Dienens und von ihrem Werte ausstrahlt. Die anderen sind zufrieden mit sich selbst und ihrem persönlichen Erfolg; er weiß sich in einer höheren Sphäre und ist darum seines Leides froh (Nr. 24): *so sich genuoge ir liebes fröunt, sost mir mit leide wol.*

Damit verbindet sich eine andere Einsicht: er will die Ganzheit des Lebens, die Glück und Unglück, Freude und Leid umschließt. Sein Falkenlied verkündet diese Bereitschaft (Nr. 20): *schade und frume si min.* Tiefer begründet es ein anderes Gedicht, das Gottfried von Straßburg im Ohre hatte (Nr. 26): wer auf wahre Weise froh sein will, muß das Leid zu tragen bereit sein, das sich von echter Liebe nicht lösen läßt. Eine Art von Schicksalsfrömmigkeit kann daraus wachsen. Zum Trost wird der Satz (Nr. 32): *swaz geschehen sol, daz geschiht.* Durch den Mund eines Boten kommt dieses Bekenntnis auch zur Frau (Nr. 33). Die Theodizee des Leides hat damit ihre Höhe erreicht. Was in der Minne erfahren wurde, spricht sich als allgemeine Lebenserfahrung aus.

Der Mann hat eine Haltung gewonnen, die ihn den Leiden des Daseins gewachsen zeigt. Er hört nicht hin, wenn in seinem Inneren der Schmerz sich meldet, und tut, als ob er seine Sprache nicht verstehe. Er zuckt nicht und verrät mit keiner schmerzlichen Bewegung, was in seinem Herzen vor sich geht (Nr. 26). So vergräbt er in sich selbst, was ihm an Leid widerfährt, weil es andere, Schwächere gefährden könnte (Nr. 38). Das ist sein letztes Wort.

Auf diese Haltung und Leistung aber ist er wahrhaft stolz (Nr. 26; vgl. S. 31), auf die Fähigkeit, in schöner und edler Form zu tragen, was Leiden ihm antut. Edle Gelassenheit mischt sich mit christlicher Sanftmut, wenn er selbst feindliche Äußerungen der Frau in Freuden annimmt (Nr. 26): *nu han eht ich so senften muot, daz ich ir haz ze fröiden nim.* Das ist die Haltung, die ihn rettet in aller Not (Nr. 32): *wan daz ich leit mit zühten kan getragen, ichn könde niemer sin genesen.* In ihm ist eine Kraft gewachsen, die persönliches Leiden in Freude zu verwandeln vermag. Mit dieser Kraft kann er unter den Menschen, die Freude suchen, bestehen.

Ein vierfacher Gewinn im Überpersönlichen entschädigt so für die persönlichen Enttäuschungen: die Einsicht, daß nach Zweck und Erfolg nicht fragen darf, wer sich zu Werten bekennt; die Entdeckung der Freiheit des Geistes, die über die Grenzen der Erfahrung hinaushebt und von den Bedingungen des Raumes unabhängig macht; in der seelischen Beständigkeit der Staete ist eine feste Haltung errungen, ein unbeirrbarer Sinn für das Dauernde, der sich von der vergänglichen Zeit und den Wechselfällen des Lebens nicht beeinflussen läßt; und das persönlich erfahrene Leid ordnet sich einer Gesamtanschauung ein, die weiß, daß der Schmerz notwendig zur Ganzheit des Daseins gehört. Der erste und zweite Gewinn werden Hausen verdankt; Hartmann gibt sich als Meister der Staete, sowie Reimar die Kunst edel getragenen Leides ausgebildet hat.

In der Schule der Minne hat sich das Rittertum so auf eine höhere Ebene des Menschseins erhoben: das Mannestum der Tat hat sich in einen Kulturstand verwandelt. Diese Verwandlung konnte der Ritter nicht als einzelner für sich erreichen; dazu bedurfte es eines festen, geschlossenen Kreises, in dem sie sich verwirklichen konnte. In der höfischen Gesellschaft, in der der Minnesang erklang, hatten sich ritterliche Menschen jenseits des Alltags ein gehobenes, festliches Dasein gegeben, das unter gemeinschaftlichen Bedingungen stand. Das ist die „Gemeinde", in der sich das Lied erfüllt. In ihrem Mittelpunkt steht die ritterliche Frau. Vor ihr rechtfertigt sich alles ritterliche Tun, das Kultur will, und ihr dient das Lied.

Im Sakralbau der Kirche versammelte sich die Gemeinde um den Altar; im Festsaal der Burg vereinigt sich ritterliches Menschentum zu gemeinsamem Dienst an der Frau. Die Burgen, zu wehrhaftem Dasein geschaffen, erhalten ein neues Gesicht. Noch ragt hoch über die Mauern der trotzige Bergfried empor, und wuchtige Quadern zeugen von der Macht, die sich in den Burgen eine monumentale Heimstatt baut. Aber hinter dem männlichen Ernst des wuchtigen Wehrbaus beginnt ein neues Leben: der Palas entsteht, ein weiter, heller Raum, in dem sich die Gäste zu festlichem Dasein selber ein Schauspiel geben; Arkaden umlaufen den Saal. An Arkaden und Kapitelen lebt sich ein neuer Sinn für die Schönheit der Form aus. Mit männlicher Würde hat sich weibliche Anmut vermählt. Wille zu trotziger Selbstbehauptung hat die mächtigen Quadern getürmt; in ihrem bergenden Schutz sind die Ritter zur Hingabe frei

geworden, die nicht sich selber behaupten, sondern sich im Schenken verschwenden will. Die Milte regiert, die nicht ängstlich rechnet, sondern die Sorge des Alltags vergißt, der schenkende Mensch, der mit vollen Händen spendet und dabei auch das eigene Besitztum und das eigene Leben nicht schont. Das Gut dient der Ehre. Man besitzt, um zu geben, denn auf dem Besitz baut sich das kulturelle Dasein auf, durch das sich das irdische Gut rechtfertigt. Wenn sich die Gesellschaft zur abendlichen Runde versammelt, hebt ein Schauspiel an, das heiter erschlossene, dem andern geöffnete Menschen sucht. Wer sich darin bewegt, steht unter den Blicken der Frau, die anerkennen oder verwerfen. Alles männliche Tun spielt sich unter den Augen von Zuschauern ab, wie im Nibelungenliede die Werbung um Brunhild und ihre Einholung, und gibt sich darum eine bestimmte Form. Eine Sprache bildet sich aus, die für die Allgegenwart des Zuschauers zeugt. Eigenschaften und Leistungen gelten, wenn sie von anderen Augen wahrgenommen und bestätigt sind. Ein Spiegeldasein für die Gesellschaft und in der Gesellschaft hebt an.
Die Minne, das eigentliche Urphänomen der höfischen Gesellschaft, ist eine besondere und geschichtlich einmalige Art, der Frau zu begegnen, die so zu keiner anderen Zeit wiederkehrt. Sie ist nicht dem einzelnen überlassen, sondern verbindlich festgelegt. Der Zuhörer wird nicht aufgefordert, den Worten des Dichters in ein persönliches Dasein zu folgen; im Liede prägt sich eine Haltung aus, um die sich die festlich versammelte Gemeinde bemüht. Der Dichter erfüllt Erwartungen, die seinem Kommen entgegensehen. Sänger und Hörer bauen im Singen und Hören eine gemeinsame Welt. Es geht um die rechte Begegnung von Mann und Frau schlechthin und nicht um Liebeserfahrung als persönliches Gefühl.

Im Beispiel des Liedes tritt vor die Gesellschaft die Haltung, zu der sie sich als Ganzes erheben will; die Hörenden sind aufgerufen, dem Dichter nachzuleben.
Die hohe Minne, die den Mann in ein höheres Dasein erhebt, ist an bestimmte Bedingungen geknüpft. So kann es nicht wundernehmen, wenn viele Motive immer wiederkehren. Sie bezeugen, daß das Gemeinsame stärker als das Besondere war.
Das erste ist: der rechte Weg führt stets vom Manne zur Frau; denn der Mann ist in Bewegung geraten. Er ist unterwegs zu einem Dasein in Kultur und sucht bei der Frau, was ihm fehlt. Er will die Verwandlung und findet sie in der Begegnung mit der Frau.
Das Ziel kann nur die verheiratete Dame ritterlichen Standes sein. Denn nur in der Gesellschaft ist die Begegnung möglich, zu der allein die verheiratete Frau den Zutritt hat. Sie allein ist für den Ritter gesellschaftlich da und menschlich reif. Ihre ritterliche Abkunft verbürgt die menschliche Vollkommenheit, die wahrer Adel besitzen soll, und als verheiratete Frau hält sie die innere Reife bereit, um die der Mann sich bemüht. Ihr darf die menschliche Reife und Hoheit zugetraut werden, die den Einsatz des Mannes lohnt. Das einfache Mädchen könnte wohl Heilige, aber nicht Herrin sein. Die Frau wird einem anderen gehören, weil erst das nicht Selbstverständliche, das Andere den Eros weckt. Was die andere weckte, kann dann aber auch der eigenen Frau zugewendet werden, die dem Manne nicht in Liebe, sondern aus politischen und wirtschaftlichen Gründen gegeben war. Am Ende können sich wie bei Wolfram auch Mann und Frau in Minne begegnen.
In der Begegnung der beiden Geschlechter sind die Rollen auf bestimmte und besondere Weise verteilt. Eine Rangordnung legt für beide Partner die Plätze fest: die

Frau steht auf höherer Ebene als der Mann. Sie ist für die Gesellschaft das überpersönliche Prinzip schlechthin. Die religiösen und staatlichen Bindungen scheinen auf sie übergegangen. Wie eine Heilige wird sie verehrt, und wie einer Herrin wird ihr gehuldigt. Der Ritter beugt sich vor ihr als höchstem irdischem Wert und als höchster seelischer Macht. Wie hinter dem ritterlichen Menschen das Bild des Königs steht, so leuchtet hinter jeder einzelnen Frau die Fürstin als Urbild des Frauentums auf. Überirdischer Glanz kann auf sie von der Gestalt der reinen Gottesmutter fallen, deren Verehrung im 12. Jahrhundert allenthalben üppig aufgeblüht war. Die Frau wurde zur Mittlerin irdischer Vollkommenheit. Die Frauenverehrung des Minnesangs hat von der Verehrung der Heiligen gelernt, und der Minnedienst wirbt um die Herrin der Seele in den Formen des Lehensdienstes.

Immer bleibt der Mann auf dem Wege, und nur sehr selten sehen wir ihn einmal am Ziel; denn er bejaht die ethische Verwandlung, auf die es ihm ankommt, mehr als die Befriedigung sinnlicher Wünsche. Sein eigentliches Ziel ist ja nicht, daß sein sinnliches Verlangen einmal zur Ruhe kommt, sondern daß sein Wert sich erhöht. So kann nur eine Begegnung, die innerlich läutert und hebt, zu rechter Minne führen; das aber wird vornehmlich eine Werbung sein, bei der die Frau sich versagt. Erst wo die Frau sich als Person dem Ritter leibhaft entzieht, wächst die Seele des Mannes. Man könnte Vordergrund und Hintergrund unterscheiden: Im Hintergrunde regen sich die sinnlichen Wünsche, die auf das körperliche Zusammensein mit der Frau gehn *(biligen)*, und da steht, wenn auch in unerreichbarer Ferne, der Liebeslohn; das scheinen ersehnte Möglichkeiten. Im Vordergrunde aber enthüllt sich die Wirklichkeit: der Mann auf einer inneren Wanderung, die ihr äußeres Ziel nie erreicht, weil sie ihr inneres Ziel in sich selbst hat. Die Minne lebt geradezu davon, daß sie sich im Leben nicht realisieren läßt. Daß sie keinen äußeren Erfolg hat, erhöht nur ihren inneren Wert. Wo der Dichter von seinem Verlangen nach greifbarem Lohn spricht, redet er die Sprache der anderen Menschen; aber er redet davon nur, um seine Haltung davon abzusetzen, die sich von äußerer Belohnung frei gemacht hat. Er hat den Ort verlassen, von dem seine Wanderung ausging, und kommt nie zum Ziel, das anderen Menschen vor Augen steht, wenn sich in ihnen Liebe regt. So bleibt er in unablässiger Verwandlung begriffen, stets unterwegs, ein Mensch ohne Gegenwart, der in eine entweichende Zukunft erwartend ausschaut und gelegentlich in das Vergangene zurücksieht, das hinter ihm unwiderruflich versinkt. Den erfüllten Augenblick kennt die höfische Gesellschaft nicht. Wo ihn der Minnesang sucht, verlegt er ihn in einen anderen Bereich. Walther kennt ihn, aber außerhalb der höfischen Welt bei Mädchen einfachen Standes. Da kann sich die Liebe einmal als selig erfahrene Gegenwart erfüllen (Nr. 36). Freilich, eigentliche Gegenwart ist es auch dann nicht, denn das Mädchen blickt erinnernd zurück.

Noch ein Letztes gilt: in der einen Frau feiert der Minnesang die Frau schlechthin; denn die einzelne ist als Stellvertreterin des Frauentums überhaupt gemeint. Wohl sucht der Dichter die eine Frau unter den anderen, an die sein Lied gerichtet ist, und er kann eifersüchtig darüber wachen, daß sie sich nicht an andere wendet und daß andere sich nicht an sie wenden so wie er, aber er sucht in der einen immer das Urbild weiblichen Menschentums. So bleibt sein Lied ein Geschenk an alle, auch wenn er nur von der einen spricht. Es ist nicht er-

forderlich, daß er ausdrücklich das Lob aller Frauen anstimmt; die anderen wußten sich in der einen mitgemeint und mitgeehrt.
Wohl kommt es bei der Minne auf die Haltung an, in der die Begegnung mit der Frau bestanden wird; zugleich aber ist sie eine neue seelische Erfahrung, und die Dichtung müht sich, ihre Rätsel zu ergründen. Noch fehlen die Mittel, den neuen Seelenzustand mit eigenen Kräften darzustellen; man greift in den reichen Vorrat, den man in der Dichtung des Altertums (Ovid) und in der Seelenlehre des Christentums ausgebildet fand. Darin war die provenzalische Lyrik vorangegangen; darum folgte man ihr gerne, wenn man die seelische Verfassung verdeutlichen wollte. Man wird darum keine neue Erkenntnis erwarten, sondern darauf achten, wie man die neue seelische Erfahrung sah.
Minne befällt den Mann als eine Leidenschaft, die seinen gesunden Seelenzustand gefährdet oder aufhebt. Wie eine Krankheit kommt sie über ihn (Hausen Nr. 4, 14; Morungen Nr. 5, 19); er wird *siech an libe.* Dem ritterlichen Menschen lag es nahe, die Gefährdung seines Lebens als Verwundung zu sehen (Regensburg Nr. 2; Hausen Nr. 4 und 14; Gutenburg Nr. 1; Bligger Nr. 2; Morungen Nr. 5, 19, 27, 28; Walther Nr. 22 und 47). Die Frau hat ihn verwundet, und nur sie vermag ihn zu heilen. Damit deutet er zweierlei an: einmal, daß sein Leben bedroht ist, weil er von einer äußeren Macht feindlich getroffen wurde; dann, daß sein Dasein in Leben und Tod abhängig ist von der Frau. Wenn alles Menschliche Ruhe findet, versagt sich dem Dichter der Schlaf (Dietmar Nr. 4, Reimar Nr. 28); es gibt keine ruhige Nacht und kein frohes Erwachen. Äußere Zeichen verraten die innere Veränderung: der Minnebefallene wird abwechselnd bleich und rot (Reimar Nr. 27). Wal-

ther sieht Cupido (bei ihm ist es Frau Minne) am Werk: sie trifft ihn mit ihren Pfeilen (Nr. 22, 34).

Der Liebende ist nicht mehr Herr über sich selbst; er hat die geistige Lenkung verloren (Bernger Nr. 4, Morungen Nr. 8 und 26, Walther Nr. 14 und 16), sein „Sinn" gehört ihm nicht mehr oder ist bei der Frau: *ir schone nimt mir so gar minen sin.* Schicksalhaft wird die innere Veränderung, wenn es ihm einmal vergönnt ist, unmittelbar vor die Frau zu treten. Nun wäre es ihm möglich, bekennend auszuströmen, was ihn seit langem bewegt, aber die Liebe überwältigt ihn so, daß er verstummt und kein Wort zu sagen vermag. So muß es Reimar leidvoll erfahren (Nr. 32), und Walther gesteht (Nr. 30): *swenne ich iezuo wunder rede kan, sihet si mich einest an, so han ichs vergezzen.* Morungen geht es wie einem Stummen, *der von siner not niht gesprechen enkan, wan daz er mit der hant siniu wort tiuten muoz* (Nr. 26). Wenn er die Frau reden hört, überwältigt ihn das Glück (Nr. 27): *swenne ich si hoere sprechen, so ist mir also wol, daz ich gesitze vil gar ane witze noch enweiz war ich sol.* Wenn sie lächelnd vor ihm steht, weiß er nicht, wer er ist (Nr. 26). Das Leid treibt das Wasser aus dem Herzen in die Augen (Gutenburg Nr. 3). Niemand hat den Zustand der Leidenschaft so wie Morungen vergegenwärtigt, der ihn in immer neuen und anderen Farben schildert. Wirkliche Erregung zittert darin. Ein Blick der Frau entzündet ihn wie das Feuer dürren Zunder (Nr. 6); so jäh und heftig flammt es in ihm auf. Wie ein Verzauberter kommt er sich vor (Nr. 6). Ihr Lachen betört ihn (Nr. 16). Er dichtet so die klassischen Lieder der Leidenschaft im Minnesang (bes. Nr. 26 und 27). Zugleich aber wird die innere Erregung zum Zeugen des liebenden Verlorenseins an die Frau. Hausen ist so in Gedanken an die Frau versunken, daß er nicht merkt, wer ihn grüßt, und am Abend guten Morgen wünscht (Nr. 6). Rute aber packt die Leidenschaft so, wenn die Frau lockend vor ihm steht, daß er auf dem Sprunge liegt und sich wie ein Raubtier auf sie stürzen möchte (Nr. 2), in unbeherrschter Erregung. Die Minne wird eine Krankheit zum Tode. Schon Dietmar klagt (Nr. 4): *joch waene ich sterben. wes lie si got mir armen man ze kale werden?* Veldeke läßt das Todesmotiv und das Motiv vom sterbenden Schwan aufklingen (Nr. 6, 24, 25). Die Frau fürchtet bei Reimar die Minne wie den Tod (Nr. 27), und Hartmann warnt vor Minne, *diu mangen bringet auf den tot* (Nr. 10). Morungen sieht den sicheren Tod vor sich (Nr. 7): *diu liebe und diu leide wellen mich beide fürdern hin ze grabe.* Wer also in Minne eintritt, tritt in eine Gefahr, die das Leben kosten kann. Darum will sich die Frau dem gefährlichen Wagnis entziehen (Reimar Nr. 37, Walther Nr. 26).

Die Minne hat im Herzen ihren Sitz: sie ist ein innerer Vorgang. Die Augen werden dem Manne zum Schicksal (Hausen Nr. 12); denn sie haben die Frau erwählt und sind dadurch vor dem Herzen schuldig geworden. Es ist ein Gedanke aus Platos Phaedrus, der hier über die provenzalischen Troubadours eine seltsame Fernwirkung übt. Bei Morungen mischt sich in die Versinnlichung des Vorgangs die Vorstellung der Unbefleckten Empfängnis ein (Nr. 11, 21). Ohne seine Augen zu verletzen, ist sie in sein Inneres eingedrungen, und keine Türe brauchte sie dabei zu benutzen (Nr. 11). Nun wohnt sie in seinem Herzen wie in einem Gefäß. Oder er vergleicht ihr Eindringen mit der Sonne, deren Strahlen ungebrochen durch Glas zu leuchten vermögen (Nr. 21). In sein tiefstes Innere bricht sie ein, in den Herzensgrund, der offenbar als Kern der Seele vorgestellt wird (Nr. 27 und 28; vgl. auch Reimar Nr. 9): *si brach alse tougen al in mins herzen grunt.*

Bei Kaiser Heinrich taucht zuerst der Gedanke auf, daß die Frau im Inneren des Mannes eine dauernde Wohnung hat. Im Herzen des Dichters lebt sie abgeschlossen von der Außenwelt; Hausen weist ihr sein Herz als Klause an (Nr. 13): *min herze muoz ir kluse sin.* Keine andere Frau erhält Zutritt dazu. Sie ist die wahre Herrin des ritterlichen Herzens geworden (Morungen Nr. 6): *sie gebiutet unde ist in dem herzen min frouwe und herer danne ich selbe si.* Walther hat den Gedanken gegen Reimar gewendet, wenn er die Frau sagen läßt (Nr. 12): *so han ich im mir vil nahen minem herzen eine stat gegeben, da noch nieman in getrat.* Morungen konnte rühmen (Nr. 10): *wol mich des daz si min herze so besezzen hat, daz der stat da nieman wirt bereit alse ein har so breit, swenne ir rehtiu liebe mich bestat.* Die Innerlichkeit der Minne, die in der seelischen Tiefe vor sich geht, kommt so zum Ausdruck.
Die Frau erscheint dem Dichter im Traum (Hausen Nr. 15): *in minem troume ich sach ein harte schoene wip die naht unz an den tach.* In der Einsamkeit tritt sie leibhaft vor seine Augen (Morungen Nr. 8): *swenne ich eine bin, si schint mir vor den ougen.* Er meint, daß sie durch die Mauern zu ihm komme: *so bedunket mich, wie si ge dort her ze mir aldur die muren.* Allgegenwärtig ist sie so für ihn und allmächtig wie Venus. Wenn sie will, entführt sie ihn mit ihrer weißen Hand hoch über die Zinnen der Burg hinweg. Es ist im Grunde ein Geschöpf seiner Phantasie, und er weiß das auch. Wenn er sich zum Schlafen wendet, bleibt Minne mächtig und geleitet im Traum die Frau zu ihm (Morungen Nr. 31): *Minne, ... diu brahte in troumes wise die frouwen min, da min lip an slafen was gekeret.* Aber so schön und erhaben sie ist, auch sie trägt wie alles Schöne die Spuren der Vergänglichkeit: *do sach ich ... ir liehten schin schone und für alle wip geheret, niuwan daz ein lützel was verseret*

ir vil fröiden richez rotez mündelin. Im Traume ruft der Wunsch das ersehnte Bild herbei.

Zu den eigentümlichen Vorstellungen des Mittelalters, die aus christlichem Bereiche stammen, gehört es, daß die Körperteile des Menschen als handelnde Subjekte auftreten können, so daß die Ganzheit der Persönlichkeit in selbständig tätige Organe aufgegliedert scheint. Die Augen nehmen das Sichtbare, Äußere auf, um es in das Innere zu geleiten, in dem ungeschieden Gefühle und Gedanken wohnen. Hier haben Herz, Sinn und Seele ihren Sitz. Meist bedeutet Herz den Innenraum, nicht allein den geistigen Raum, der die Frau in sich aufnimmt, sondern den Ort aller Empfänglichkeit. Es kann selbständig dem Menschen gegenübertreten und wird für Not und Versagen des Mannes verantwortlich gemacht (Dietmar Nr. 3, Veldeke Nr. 4). Der Rat des Herzens hat den Mann zur Minne veranlaßt (Bernger Nr. 1): *herze, die schulde waren din: du gaebe mir an sie den rat.* Es war ein schlimmer Rat, der den Ritter zu törichtem Handeln verführte (Bernger Nr. 2). So wird das Herz zum Verräter (Rucke Nr. 7): *mir hat daz herze verraten den lip (muot* und *sinne* sind hier als Glieder des Herzens verstanden). In Hartmanns „Minneklage" ist das Motiv zur Anklage des Herzens gesteigert.

So ist die Minne ein mehrschichtiger Vorgang im Menschen. Sie kann alle Spuren der Leidenschaft und des körperlichen Leidens zeigen, aber auch ganz ins Geistige entrückt sein. Immer ist sie Sexus und Eros zugleich. Wohl zittert in ihr auch die Erregung des leidenschaftlich verlangenden und erlebenden Menschen, nie verfällt sie aber der niederen Triebwelt; sie erhebt sich darüber hinaus zu einem reinen geistigen Verbundensein, das die Schwere des Körperlichen hinter sich läßt. Im Augenblick der Trennung scheinen die beiden Schichten aus-

einanderzutreten; die Persönlichkeit spaltet sich in zwei Hälften. Die eine bleibt an die Grenzen des Raumes gebunden, die andere macht sich von ihnen frei.
Als Hausen aus der Ferne der Frau sein Lied sendet, muß er erfahren (Nr. 5): *vert der lip in ellende, min herze belibet da* (bei der Frau). Das Herz ist der Frau auf besondere Weise verbunden und zugeeignet; an ihm muß sich die Staete des Ritters zeigen. Seine härteste Probe besteht es, wenn den Ritter der Ruf zur Kreuzfahrt erreicht. Das Herz hat sich einmal für die Frau entschieden und läßt darum nicht von ihr. Hausen tritt seine Fahrt an und muß erfahren, daß sich das Herz von ihm löst und den Weg zur Frau geht (Nr. 12). Hartmann wiederholt das Motiv der Spaltung in allgemeiner Form (Nr. 2): *sich mac min lip von der guoten wol scheiden, min herze, min wille muoz bi ir beliben.* Bei Johansdorf erleidet die Frau den Schnitt der Trennung, als der Mann zur Kreuzfahrt aufbricht. Er aber hat die Spaltung überwunden, weil seine Minne so rein und geläutert ist, daß sie sich mit dem neuen religiösen Auftrag verbinden kann (Nr. 14): *wol si saelic wip diu mit ir wibes güete daz gemachen kan, daz man si vüeret über se.* Reimar erlebt die Spaltung in der ethischen und religiösen Probe, aber nur um wie bei Hausen seine Entscheidung für das Werthöhere gegen die wertniedere Möglichkeit abzusetzen. Das Niedere in ihm (der *lip*) rät ihm, sich erfolgloser Liebe durch Hinwendung zu einer anderen Frau zu entziehen; das Herz aber hält am Höheren fest: seiner Treue zur einmal erwählten Frau (Nr. 17). Als er das Kreuz nimmt, geben ihn die Gedanken nicht frei, die rückwärts zur Frau sich wenden (Nr. 18). Bei Walther ist die Spaltung in die Erfahrung der Minne selbst hineingelegt: sein Herz ist, von ihm getrennt, bei der Frau (Nr. 14). Noch später wiederholt er (Nr. 56): *min lip ist*

hie, so wont bi ir min sin. Gerade diese Stunden der inneren Spaltung offenbaren, daß der Dichter zwar stets dem Niederen ausgesetzt bleibt, aber sich immer für das Höhere entscheidet.

Wir blicken in die inneren Gefährdungen hinein, denen keiner entgehen kann, und bewundern eben darum den Willen zum höheren Wert, der sich gegen äußere Widerstände und gegen innere Bedrohungen behauptet. Das Herz ist zwischen die Sinnenwelt (den *lip*) und Gott gestellt. Der Blick in das Innere des Menschen aber, wenn auch mit den Augen einer langen Überlieferung getan, die Antikes und Christliches gemeinsam umschließt, war eine echte lyrische Leistung; denn es gehört zum Wesen lyrischer Dichtung, daß sie seelische Zustände des Menschen erschließt.

Es geht im Minnesang um den Menschen; nicht allein um seine rechte Haltung und um seinen Seelenzustand, sondern um seine Stellung unter den anderen Menschen; um die Situation des ritterlichen Menschen im hohen Mittelalter. Es ist eine Lyrik, die eine weltliche Gemeinde voraussetzt und durch ihre Leistung mitschafft. Schon deswegen mußte ihr besonderes Anliegen sein, den Ort des ritterlichen Menschen in der Gesellschaft zu erkennen, die zum Träger der höfischen Kultur wurde. Die römische Antike suchte die Stellung des Menschen zu den anderen Menschen von der Freundschaft aus zu verstehen, von der Verbundenheit zwischen Mann und Mann her, die ihr der eigentliche Grundbezug des Menschen war. Das ritterliche Mittelalter hat zuerst an die Stelle das Verhältnis zwischen Mann und Frau gesetzt. Nicht der Mann, sondern die Frau wird zum Gegenüber, vor dem sich der Mensch auf seine Beziehung zum anderen Menschen besinnt. Dadurch erhält der Minnesang als Selbstbesinnung des Menschen einen besonderen

Rang in der Geschichte, und es ist wahrlich kein Zufall, daß bis heute die Formen des zwischenmenschlichen Umgangs wesentlich vom Rittertum des Mittelalters geprägt sind und daß das Wort „ritterlich" bis heute eine besondere Art des Verhaltens zum anderen Menschen bezeichnet. Wir leben immer noch, wenn wir uns zu edlem Menschentum erheben, in einem Erbe, das abendländische Ritter schufen. Darin muß also offenbar eine eigentümliche, schöpferische Leistung des Rittertums bestanden haben, daß es für den abendländischen Menschen die ihm gemäßen Formen edlen Umgangs fand. Sie waren so mächtig und für alle Zeit überzeugend, daß die Nachlebenden aller Zeiten sich ihnen fügten. Schon darum ist es geboten, den Minnesang ganz ernst zu nehmen, der an der Ausbildung dieser Formen einen entscheidenden Anteil hatte; er sprach vom Schicksal der Seele, die unter andere Menschen tritt.

Der andere aber stand dem Manne in der Frau gegenüber; sie zwang ihn, die bisherige Selbstverständlichkeit eines einfachen Da-Seins zu verlassen. Er traf auf einen Widerstand, den er noch nicht kannte; und von da an war er bemüht, sich neu zurechtzufinden, sich selbst besser und tiefer zu verstehen und auch den anderen Menschen zu begreifen und seinen eigenen Platz in der Welt. Er war vor eine doppelte Aufgabe gestellt: im Verhältnis zur Frau seine Grundbeziehung zum anderen Menschen zu erkennen, zugleich aber auch seine Stellung zur Gesellschaft zu klären, in die er mit der Frau nun einmal hineinversetzt war; denn Mann und Frau waren nicht für sich selbst alleine da, sondern waren darauf angewiesen, sich unter anderen, unter dem Zeugnis der Gesellschaft, einander zuzuwenden.

Die Freundschaft des Altertums war abgelöst von der Minne. In Ciceros Laelius überkam das Vermächtnis der

Antike dem Mittelalter, und es ist darum nicht sonderbar, daß mittelalterliche Selbstbesinnung auf den Laelius zurückgriff; so vernehmen wir Ciceros Worte in den Tegernseer Liebesbriefen. Der Freund des Altertums war zur ritterlichen Dame des Mittelalters geworden; sie konnte nun vernehmen, was dem Freunde zugedacht war. Die Sprache konnte diese Translatio erleichtern; denn *vriunt* umgreift ein dreifaches: den Freund, den Geliebten und den Verwandten, und oft spielen alle drei Möglichkeiten mit (etwa bei Hartmann).

Wenn wir im Minnesang die Situation des Menschen erkennen wollen, müssen wir darauf sehen, wie sich das Verhältnis zwischen Mann und Frau gestaltet und wie beide zum dritten, der Gesellschaft, stehen. Wir werden dann auf folgende Stufen stoßen: eine Minne vor der Gesellschaft, gegen die Gesellschaft, in der Gesellschaft und außerhalb der Gesellschaft; sie werden in einem zeitlichen Nacheinander durchlaufen.

Wie sie durchlaufen werden, hängt vom Grundbezug zwischen Ritter und Frau ab. Seine beiden Spielarten werden wir als Zugehörigkeit und Fremdheit voneinander unterscheiden. Beide treten wieder in manchen Abwandlungen auf. Eigentliche Fremdheit ist nicht die äußere Trennung, sondern eine Grundhaltung der Frau, die dem Manne einen unmittelbaren Zugang verwehrt, und zwar eine Haltung, die nicht aus Laune angenommen wird, sondern der Stellung der Frau unter den Menschen entspricht. Die Frau muß sich so geben, wie sie dem Manne erscheint, wenn sie ihrer Aufgabe gerecht werden will. Immer hat sie zu bedenken, daß sie nicht allein für den einen, sondern zugleich für die anderen da ist.

Zunächst ist eine Zugehörigkeit gesucht, die ein persönliches Miteinander der beiden Partner erstrebt, ohne Blick auf die anderen oder in trotziger Selbstbehauptung gegen sie. Dann aber taucht die Huote auf, mit der die Frau unter Zeugen gestellt wird. Sie ist das sichtbare Zeichen dafür, daß die Frau dem Manne in der Gesellschaft begegnet. Das Gefühl drängt auf unmittelbare Zugehörigkeit; der Wille zu überpersönlichen Werten aber, die in der Frau für alle gegeben und gültig sind, nötigt zur Anerkennung des Abstands, den eine Begegnung in der Gesellschaft bedingt. Wenn der Ritter die Werte bejaht, die in der Gesellschaft verwirklicht werden sollen, muß er im Grunde auch die neue Stellung der Frau in der Gesellschaft bejahen, die ihm als Fremdheit entgegentritt. Sein Minnesang will der Gesellschaft dienen; er kann sich darum nicht den Bedingungen entziehn, unter denen das Leben der Gesellschaft sich abspielt.

Zunächst strebt das Lied einer einfachen Zusammengehörigkeit zu, wie sie am schlichtesten eine Strophe des Kürenbergers ausdrückt (Nr. 7): *wip vil schoene, nu var du sam mir. lieb unde leide daz teile ich sant dir.* Zwei Personen sollen ihren Weg zusammen gehn. Noch Rucke läßt die Frau sich zum Manne als ihrem *vriunt* bekennen (Nr. 2), freilich weil er ihr zu dienen versteht. Stärker wird das Gefühl bewegt, wenn es sich in Abschied oder Trennung der entschwundenen Gemeinsamkeit oder ihrer Gefährdung bewußt wird (Dietmar Nr. 5 und 9, Kürenberger Nr. 9); denn für eine Haltung, die das einfache Zusammensein von Mann und Frau will, beginnt die Verwandluug, die das Lyrische auslöst, mit der Bedrohung der Gemeinsamkeit. Trennung ist die eigentliche Gefahr, die den Sinn solcher Minne aufhebt (Kürenberger Nr. 8): *vil lieber vriunt, scheiden daz ist schedelich.* Dritte greifen ein und treiben die Partner auseinander (Kürenberger Nr. 9). *vriunt, geselle, friedel* sind die Worte, mit denen sich der Ritter benennen läßt. Das

Wählen liegt beim Mann und das Schicksal der Verlassenheit darum bei der Frau, die ihre Arme in Sehnsucht nach dem Ritter ausstreckt. Ihr wird das Erlebnis der Fremdheit gegeben, die den Ersehnten von ihr fernhält. Wo sie Hingabe mit herrischem Verlangen vertauscht, wie in dem berühmten Wechsel des Kürenbergers (Nr. 4), stößt sie auf energische Abwehr. Sonst aber sind beide in Vertrauen einander zugewendet, und die Störung kann nur von außen kommen. Wohl nehmen sie in ihrem Verhalten Rücksicht darauf, daß andere da sind: sie treffen sich in verschwiegener Gemeinsamkeit (Dietmars Tagelied Nr. 9) oder verraten unter den anderen nicht, wie sie zueinander stehen (Kürenberger Nr. 10); aber es kommt ihnen nicht in den Sinn, das Dasein eines Dritten als einer berechtigten zwischenmenschlichen Macht anzuerkennen. Im Grunde kennen sie nur sich selbst als Partner in einem Lebensdialog.
Bald aber werden sie gezwungen, sich mit dem Dritten auseinanderzusetzen. Sie tun es vorerst noch aus dem alten schlichten Willen zu unbedingter Gemeinsamkeit, die vor allem anderen den Vorrang hat. Gerade im Zusammenstoß mit einem Dritten verstärkt sich ihr Zusammenhalt. Sie erfahren das Dasein der Gesellschaft, aber sie suchen sich gegen sie zu behaupten. Die Frau bekennt sich in leidenschaftlicher Entschiedenheit zum Mann und sichert so die Gemeinsamkeit der beiden Partner (Regensburg Nr. 4, Meinloh Nr. 8). Nachdem in einem Wechsel Rietenburgs die Frau erklärt hat (Nr. 2) *ich laze in durch ir niden niht,* kann der Mann, durch ihre Worte gesichert, sagen: *ich fürhte niht ir aller dro, sit si wil daz ich si fro.* In einem Wechsel Hausens, dem einzigen, den er gedichtet hat (Nr. 16), setzt die Frau, freilich, ohne daß der Mann ihr zuhören kann, gegen die Huote ihren Entschluß, sich niemals von ihm zu trennen.

Und in einem Wechsel Morungens (Nr. 18) wird das Motiv noch einmal abgewandelt, das Walther in seiner Auseinandersetzung mit Reimar (Walther Nr. 12) verwendet. Immer fällt das entscheidende Wort der Frau zu; denn von ihr hängt es ab, ob dem Manne die Fremdheit erspart bleibt, die durch das Eingreifen eines Dritten in das persönliche Miteinander droht. Die Entscheidung liegt bei ihr. Die Gemeinsamkeit, die auf der ersten Stufe selbstverständlich schien, muß auf dieser Stufe gegen die Gesellschaft behauptet und gesichert werden. Sie fällt den beiden Partnern nicht von selbst zu.

Wer in Minne lebt, sieht sich den Anfeindungen anderer ausgesetzt. Nirgends wird im deutschen Minnesang gesagt, daß sie vom Gatten ausgehen; Namenlose sind es, die eifersüchtig, neidisch und feindlich auf den Ritter schauen. Gemeinsamkeit mit der Frau ist mit Fremdheit gegenüber anderen verbunden. Veldeke läßt sich durch sie nicht beirren (Nr. 10, 11). Wer Huote schafft, trifft im Grunde nur sich selbst; denn er raubt sich selber die Freude (Nr. 15). Veldeke macht es Spaß, die Huote zu hintergehen (Nr. 9, 17). So redet natürlich nur der Mann.

Mit Hausen beginnt eine neue wichtige Stufe. Er fürchtet die Feindschaft der anderen nicht, sondern sehnt sie herbei; denn sie ist ein Zeichen dafür, daß ihm die Minne gelang (Nr. 2). Es ist eine Auszeichnung, dem *nit* der anderen ausgesetzt zu sein (Bligger Nr. 1): *er ist unwert, swer vor nide ist behuot.* Walther begrüßt *haz* und *nit*, weil sie gerade die Edlen suchen (Nr. 53).

Die tiefere Begründung hat Hausen schon in einem frühen Liede gefunden, das mit dem Sinn der Huote ringt (Nr. 3). Die schlichte Gemeinsamkeit der Frühzeit reicht nun nicht mehr aus, um die Stellung des Ritters unter den Menschen zu verstehen. Die ritterliche Kultur kann nicht allein auf die Zusammengehörigkeit von zwei Menschen aufgebaut werden; denn Ritter und Frau sind zugleich für die Gesellschaft und in der Gesellschaft da, die sie nicht aufheben können, ohne die gemeinsamen Grundlagen ihres kulturellen Daseins aufzuheben. Die Gesellschaft aber wird zusammengehalten durch verbindliche Formen und durch überpersönliche Werte. Das Ja zur Frau müßte zugleich auch ein Ja zur Gesellschaft sein. Das hat Hausen als erster erkannt. Er rechtfertigt die Huote, weil sie die Frau vor willkürlicher Annäherung bewahrt. Der Abstand, in den sie die Frau rückt, hält Männer fern, die sich zudringlich nähern wollen, und schützt den Mann vor Äußerungen eifersüchtigen Neides, die ihn bei der Frau verleumden könnten. So dient der gesellschaftliche Abstand beiden, der Frau und dem Mann.

Es ist eine bedingte, keine unbedingte Fremdheit, die so zwischen die Partner gelegt wird; denn sie kann den Mann nur in äußerer Ferne halten, aber nicht verhindern, daß er ihr im Geiste nahe bleibt. Sie trifft seine Augen, aber nicht sein Herz. Reimar sieht sich in seinem Falkenlied (Nr. 20) von der Erfahrung der Fremdheit getroffen: *miner ougen wunne lat mich nieman sehen.* Schmerzlich hat er darunter zu leiden, und doch spricht er sein Ja dazu. Lieber ist ihm, daß sie sich ihm entzieht und ihm dabei doch gewogen bleibt, als daß sie sich nicht nur ihm, sondern auch anderen gewährend zuneigt. So besitzt er sie allein für sich. Die Fremdheit hat also ähnlich wie bei Hausen den Auftrag, die Frau in Abstand zu halten; sie hebt aber die innere Richtung der Frau auf den Mann nicht auf. Darum kümmert er sich um den *nit* der anderen nicht.

Es geht um die unantastbare Hoheit der Frau; das zeigt Reimars Frauenpreis (Nr. 21). Er sieht sich in seinem

Inneren vor die Wahl gestellt, ob er zugeben soll, daß ihr Wert sich mindert, oder ob er ja dazu sagt, daß ihr Wert sich erhöht und sie ihm und allen Männern entrückt wird. Er kann sie als Person nicht wollen, ohne zugleich auch ihren überpersönlichen Wert zu bejahen, der sie ins Hohe und Ferne enthebt. Die Minne ist nicht mehr außerhalb der Gesellschaft zu denken, die von der Frau und von dem Liede ihre Freude empfängt. Immer ist die Frau darum zwischen Dritte gestellt.

Räumliche Ferne und Fremdheit sind nicht dasselbe. In der Freiheit des Geistes, der weite Räume überfliegt, gibt es keine Fremdheit, die von Äußerem abhängt (Hausen Nr. 7). In der Ferne lernt der Ritter aber die Fremdheit, die er in der Heimat erfuhr, richtig sehen (Hausen Nr. 11). Solange er noch daheim war, empfand er sein Verhältnis zur Frau als Ferne. Erst in Italien begreift er, daß er ihr in Wirklichkeit nahe war, und als Nähe würde er jetzt empfinden, was ihm früher Ferne war: *ich wande ir e vil verre sin, da ich nu vil nahe ware.* Wie Hausen den Begriff der Ferne, so entwertet Fenis den Begriff der Gegenwart (Nr. 3). In der Ferne tröstete ihn der Gedanke an die kommende Gegenwart *(„so ich bi ir bin“ des troestet sich min sin)*. Wenn er dann aber wirklich bei ihr ist und ihre Gegenwart erfährt, wird seine Sorge nur gesteigert; denn wie der Schmetterling verbrennt er an ihrem Licht.

Zunächst versucht der Dichter die Fremdheit allein vom Mann aus zu verstehen. Mit Reimar hebt das Bemühen an, die seelische und gesellschaftliche Lage der Frau zu begreifen. Sie erhält aufs neue das Wort. Ihre Stellung zwischen dem Mann und der Gesellschaft soll verstanden werden.

In einem Wechsel aus Reimars früher Schaffenszeit taucht zum ersten Male die Erfahrung des Mißverstehens auf (Nr. 7). Die Frau beginnt mit einem Bekenntnis zur Gesellschaft (*ich lebte ie nach der liute sage*), sowie am Anfang von Reimars Dichtung ein Bekenntnis zur bildenden Macht der Gesellschaft stand (Nr. 2): *ez wirt ein man der sinne hat vil lihte saelic unde wert, der mit den liuten umbe gat, des herze niht wan eren gert.* Nur unter den Bedingungen der Gesellschaft kann also Minne möglich sein. Sie trennt aber Mann und Frau und läßt den einen nicht in das Herz des anderen sehen. Die Frau weiß darum nicht, ob er es aufrichtig meint, und der Mann sieht sich nicht verstanden. Er erfährt nur, daß sie sich seinen Wünschen versagt, und vernimmt ihre Klage nicht, in der sie ihre Treue offenbart (Nr. 8).

Dann bleibt für eine lange Liederfolge allein der Dichter im Vordergrund, die Stimme der Frau scheint verstummt. Immer schärfer und schneidender wird die Fremdheit, auf die er zu stoßen meint, und das wahre Bild der Frau verhüllt sich. Wir erfahren nur, daß sie auf ihn nicht hört und ihm nicht glaubt (Nr. 11). Ein Zerrbild droht zu entstehen (Nr. 13): die Frauen lassen es sich gerne gefallen, daß man um sie wirbt, und haben doch ihre Freude daran, sich zu versagen. Seiner Liebe begegnet steinerne Fremdheit (Nr. 17). In Erinnerung an eine Wendung Hausens (Nr. 7) und des Fenis (Nr. 2) meint er die Lage mit dem Satz zu treffen (Nr. 17): *si ist mir liep, und dunket mich daz ich ir vollecliche gar unmaere si.* Und nachdem sie ihn ausdrücklich zurückgeworfen hat (Nr. 23), wiederholt er (Nr. 24): *sit si mich hazzet diech von herzen minne* (nach Fenis Nr. 2).

Bald aber dämmert die Ahnung, daß die wahre Gesinnung der Frau in ihrem äußeren Verhalten nicht zum Ausdruck kommt; denn noch in demselben Gedicht wagt er die Vermutung: *daz si mich alse unwerden habe, als sie mir vor gebaret, daz geloube ich niemer.* Und dann kommt die Frau zu Wort (Nr. 27); sie vertraut sich dem Boten des Mannes an. Sie ist ihm von Herzen zugetan (*ich bin im von herzen holt*); und wenn er in aufrichtiger Treue zu ihr steht, soll ihm nicht verwehrt sein, zu sagen, was ihre Ehre nicht berührt. Das Abenteuer der Minne aber, das er sucht, will sie nicht wagen, weil es ihr Leben in Gefahr bringen kann (*des er gert daz ist der tot*). Der Dichter vernimmt das Bekenntnis nicht und bleibt darum in die leidvolle Erfahrung der Fremdheit gebannt; ihre Abwehr kann er nicht begreifen. Als dann einmal die Mauer der Fremdheit fällt und er der Frau ohne Zeugen gegenübertreten kann, versagt er selbst (Nr. 32): Liebe überwältigt ihn so, daß er verstummt. Gerade weil er so tief bewegt war, vermochte er von sich aus nicht die Fremdheit zu durchbrechen. Ist sie also ein allgemein menschliches Schicksal? Gibt es wirklich keinen unmittelbaren Zugang zum anderen Menschen? Eine schwere und bedeutungsvolle Frage.

Noch einmal aber kommt die Frau mit seinem Boten ins Gespräch (Nr. 33). Aufrichtige Teilnahme spricht daraus; es bringt aber keine Aufhebung der Fremdheit, die mit der Stellung unter den Menschen gesetzt ist. Es ist durch seine Bereitschaft, nur auf ihren Wunsch zu dichten, nun in ihre Hand gelegt, ob sein Lied weiter die Freude der Gesellschaft erhöht. Sie sieht sich vor eine schwere Entscheidung gestellt; denn sie weiß ja, daß in jedem Liede aufs neue die Werbung um sie erklingen wird. Gestattet sie ihm nicht, sich weiter im Liede an sie zu wenden, dann nimmt sie sich selbst das Glück, durch seine rühmenden Worte erhöht zu werden, und die Menschen werden sie verdammen, weil sie ihnen die Quelle geselliger Freude raubt. Gibt sie ihm aber den Auftrag zu dichten, dann droht ihr selber Gefahr; denn die Männer begnügen sich nicht mit der Partnerschaft des Gesprächs, sie wollen mehr, und das Wagnis der Minne geht sie auch jetzt nicht ein. Trotzdem aber will sie sich von ihm nicht lösen, solange er von ihr nicht läßt. Immer näher rückt so der Schmerz auf sie zu, dem bisher allein der Mann verfallen schien.

Wir sehen in ein fühlendes Herz, das selber leidet (Nr. 37). Die äußere Fremdheit, die sie ihm zeigt, ist nicht die Sprache ihres Gefühls. Sie versagt sich ihm nicht aus innerer Fremdheit, sondern weil sie das Gebot ihrer Ehre zu erfüllen hat. Seine schmerzliche Antwort auf ihren scheinbaren Zorn hat sie tief bewegt. Niemand hat so vollendet und ergreifend zu Frauen gesprochen wie er. So mag er weiter zu ihr in unschädlichen Liedern reden. Das schwere Spiel der Minne aber wird sie nicht wagen, und sein Werben bleibt darum auch in Zukunft ohne Lohn. Fremdheit und Schmerz sind beiden auferlegt, und sie können sich so in einer neuen Gemeinsamkeit finden, der Gemeinsamkeit des Leides, die Reimars letztes Gedicht, ein Wechsel (Nr. 38), zum Ausdruck bringt. Vergeblich schauen beide nun nach einem Tag des Heiles aus. Die Fremdheit ist das gemeinsame Schicksal ihrer Seele. Ein dunkler Blick in die Lage des Menschen.

Außerordentliches wurde von einem Menschen verlangt, der in der Minne die Frau und zugleich die Gesellschaft suchte. Andere als Reimar sind schnelleren Schrittes durch die Erfahrung der Fremdheit hindurchgegangen. So hat Hartmann mit einem Frauenliede begonnen (Nr. 1), das auf Reimars Frauenlieder gewirkt haben mag. Die Frau sieht sich zwischen den Mann und ihr zugehörige Menschen *(vriunt)* gestellt. Sie will sich von den anderen nicht lösen, ihm aber in einer Minne zugetan sein, die volle Hingabe bedeutet. So nimmt Hartmann den Willen der Frühzeit zur Gemeinsamkeit in seine

Dichtung mit, und in deutlichem Anklang an Worte des Kürenbergers (Nr. 7) spricht er ihn aus (Nr. 4). Unter dem Einfluß Hausens durchläuft er die Erfahrung der Fremdheit, die für ihn zu einer Schule der Staete wird (Nr. 7—9). Schließlich aber wird er es müde, vor vornehmen Damen zu stehen, und wendet sich einfachen Frauen zu, die leichter erreichbar sind (Nr. 12). Der irdischen Minne, die nutzlos vertan ist, stellt er die wahre Minne gegenüber, die Liebe zu Gott, der die Liebe des Menschen erwidert (Nr. 15). Auch Hausen hatte schon Gott als den Helfenden und Lohnenden beschworen, trotzdem aber dem Frauendienst nicht entsagt (Nr. 6). Für Hartmann war die Fremdheit nur ein Mantel, den er vorübergehend trug und dann als lästig abwarf.

Ernster hat sich Walther mit der Fremdheit auseinandergesetzt. Als er beginnt, ist sie die Grundsituation des Menschen geworden. Der Glaube an den Wert rechter Minne steht am Anfang seines Dichtens (Nr. 5). Minne ist ein Schatz sittlicher Kräfte und einzige Quelle wahrer Freude (Nr. 6). Sie ist aber von der Falschheit der Männer bedroht. Die Frau ist ohne die unmittelbare Gewißheit des Vertrauens, weil sie der Täuschung zum Opfer fallen kann. Deutlicher noch als Reimar (Reimar Nr. 7) sieht er die Gefahr des Mißtrauens und des Mißverstehens: *wiste si den willen min, liebes unde guotes des wurd ich von ir gewert. wie möht aber daz nu sin, sit man valscher minne mit so süezen worten gert? daz ein wip niht wizzen mac, wer si meine, disiu not alleine tuot mir manegen swaeren tac* (Nr. 6). Im Widerspruch gegen Reimar erteilt er der Frau das Wort (Nr. 10—12). Ein Wechsel hebt die Fremdheit auf, die das Mißverstehen hervorruft (Nr. 11); beide wissen, daß der andere ihn in sein Herz aufgenommen hat. Wohl ist die Frau zwischen das Gebot der Ehre und den Willen des Herzens gestellt (Nr. 12); als Antwort auf Reimar aber genügt, daß sie ihm allein einen Platz in ihrem Herzen gegeben hat. Damit hebt sie den Dichter über die anderen empor.

Die Erfahrung einseitiger Minne bleibt auch Walther nicht erspart. Die Grundlagen der Gesellschaft scheinen bedroht (Nr. 13—15), die Menschen versagen. So redet der Dichter, als ihm das Leben die Sicherheit nimmt und ihn ins Ungewisse hinausstößt. Mit seiner Wanderschaft tritt er aber in einen neuen Umkreis: sein Blickfeld ist ins Abendländische erweitert. Er rühmt die deutschen Frauen vor allen Frauen der Welt (Nr. 18). Damit ist er in eine andere Lage versetzt: andere Frauen wissen seinem Ruhme zu danken, nur die eine, an die er sich wendet, versagt sich ihm. Ein Wechsel läßt in ihr Inneres sehen (Nr. 20). Sie mißtraut ihm, weil sein Lied auch anderen Frauen gilt. Wer zu ihr spricht, soll allein zu ihr reden; sie will ihn allein für sich haben. So bringt ihm seine eigene Leistung, der Ruhm aller Frauen, die Fremdheit der einen ein. Er wird zum Opfer seiner Größe. Die Frau aber bleibt hinter seiner Größe zurück und versagt (Nr. 21 und 23). Darum verstummt sein Lied, das man nicht mehr zu würdigen weiß. Er hat die Ehre der Frau erhöht, sie aber hat seine Ehre dafür herabgesetzt (Nr. 22). Er weiß, was sein Verstummen bedeutet (Nr. 24): ihre Ehre lebte von seinem Ruhm, und mit seinem Ruhme wird sie sterben.

Und wieder beginnt eine neue Stufe: Die Sonderung zwischen der einen Frau, die sein Rühmen nicht zu würdigen versteht, und den anderen Frauen besteht nicht mehr (Nr. 25). Eine neue Gemeinsamkeit mit allen Frauen scheint gewonnen. Wenn der Ritter um einer Frau willen so handelt, daß er den andern gefällt, dann werden ihm auch andere Frauen Freude schenken, wenn

sich ihm die eine versagt. Die Fremdheit, die zwischen ihm und der einen aufbrechen könnte, wird aufgewogen durch die Gemeinsamkeit mit der ganzen edlen Frauenwelt. Im Umgang mit edlen Frauen erhöht sich sein Wert, und im Aufschwung zu gemeinsamen Werten ist er mit ihnen verbunden. Die Gemeinschaft der Werte überhöht so eine persönliche Fremdheit, die vom einzelnen durchlitten werden muß. Den Wert der Frau macht aber nicht ihre äußere Schönheit aus, die ein verliehenes Gut ist, sondern die innere Schönheit und die Zuneigung des Herzens, die aus dem Inneren kommt. Damit ist eine neue Sicherheit gewonnen, und ein neuer Zugang zum Menschen öffnet sich. Nicht die äußeren Vorzüge, Schönheit und vornehme Abkunft, bestimmen über den Rang des Menschen, sondern sein einfaches Menschsein. Aber auch auf dieser Ebene begegnet dem Manne die Verweigerung (Nr. 26). In einem scherzhaften Gespräch, dessen ernster und doch leicht schwebender Ton sehr anders klingt als Reimars schwere und dunkle Worte, sagen sich Mann und Frau, was sie denken. Der Mann erwartet, daß die Frau der Gesellschaft ihren Anblick und die Gunst des freundlichen Wortes schenkt, ihm aber die Hingabe ihres ganzen Seins. Sie dagegen scheut die Hingabe *(herre, ich wil noch langer leben)* und bittet ihn, nur ihr Gesprächsgefährte zu sein.
Unbekümmert um Vorwürfe wendet er sich dem einfachen Mädchen zu, das menschlich echt und edel ist (Nr. 27, 28). Zweierlei gehört zu der neuen Minne: daß sie nicht nach dem Äußeren, sondern nach dem Inneren fragt, nach den Werten, die im Menschen wirklich liegen, ohne Rücksicht auf Schönheit und Stand; und daß sie ein schlichtes Miteinander sucht. Die Werte, die zur Gesellschaft gehören, bleiben gewahrt; ohne sie wäre auch jetzt nicht rechte Minne möglich, aber die Fremd-

heit soll überwunden werden in einem unmittelbaren Verhältnis von Person zu Person, das den ganzen Menschen einschließt. Walther findet dafür die schönen Worte (Nr. 28): *minne entouc niht eine, si sol sin gemeine, so gemeine daz si ge dur zwei herze und dur dekeinez me.* Sie fordert volle Gegenseitigkeit (Nr. 29): *minne ist zweier herzen wünne: teilent sie geliche, sost diu minne da.* Die Fremdheit, an der Reimar scheiterte, weil auf ihr kein Leben in Gemeinsamkeit aufgebaut werden kann, ist einem zwischenmenschlichen Verhältnis gewichen, das den ganzen Menschen fordert. Das Überpersönliche ist in den Menschen hineingenommen, von dem es erfüllt werden soll. Damit ist der schlichte Wille zur Gemeinsamkeit aus der Frühzeit nicht einfach übernommen, der noch selbstverständlich und ohne Frage war, weil er sich als die einzige Möglichkeit des Miteinander nahm. Walther ist inzwischen durch die Erfahrung der Gesellschaft und ihrer Fremdheit hindurchgegangen. Er gibt nicht preis, was sie dem Menschen gewonnen hatte, die Einsicht in die Notwendigkeit einer überpersönlichen Wertwelt, die das Handeln des Menschen bindet und sein Verlangen einschränkt. Aber er läßt die Fremdheit nicht mehr als letzte Zuordnung der Menschen gelten, weil sie die Einheit der Person gefährdet. An ihre Stelle setzt er ein menschliches Miteinander, das in die persönliche Zugehörigkeit auch die geltenden Werte mitnimmt.

Damit ist Walther frei geworden zu einer Reihe rein darstellender Lieder, die keine gedankliche Klärung suchen, sondern durch ihre Gestaltung reden. Sie reden die Sprache eines einfachen und doch werterhöhten Menschentums und zeugen für die Grundhaltung, zu der er sich durchgerungen hatte. Weit geht er hinein in das Reich der Natura (vor allem Nr. 33 und 35), sehr weit in der unbefangenen Verklärung natürlicher Schönheit und natürlicher Liebe (Nr. 34).

Dann aber beginnt eine neue Fremdheit, die tiefer greift als jede zuvor. Es geht nicht mehr um das Verhältnis zwischen Mann und Frau, das Symbol ist für das rechte Verhältnis zwischen zwei Menschen, sondern um die Stellung des Dichters in der ritterlichen Kultur, um seine Stellung in der Welt überhaupt. Am Hofe wird ein Dichten laut, das die Werte der ritterlichen Kultur verleugnet und den edlen Dichter in eine fremd gewordene Welt stellt (Nr. 48—50). Noch ist er zu einem Leben in der Gesellschaft und für die Gesellschaft bereit, aber nur wenn sie sich besinnt und zur rechten Haltung und zu den echten Werten zurückkehrt. Er steht unter Menschen, die die wahren Grundlagen der ritterlichen Kultur vergessen haben. So muß er zum Mahner werden, der zwischen Wert und Unwert unterscheidet und den Sinn für das Ethische wieder zu wecken versucht (Nr. 52). Nicht das persönliche Miteinander ist jetzt in Frage gestellt, sondern die Gemeinschaft der Werte. Walther wollte aber kein menschliches Miteinander, das nicht die überpersönlichen Werte bejahte und erfüllte. Vielleicht hat er empfunden, daß sein natürliches Dichten einem Leben ohne Ehre und Werte die Wege ebnen half. Zwischen niederer und hoher Minne sucht er beim Aufstieg zu neuer hoher Minne den ebenen Weg, den Maze, die Führerin zu einem Dasein in Werten, geleitet (Nr. 58).

Der Altersstil redet gern eine allegorische Sprache. Er lenkt zu den alten Voraussetzungen seines Dichtens zurück, zu denen auch die höfische Fremdheit gehört (Nr. 59). Seine Frau ist ihm leiblich entzogen *(verkluset)* und durch ihren Wert entrückt *(verheret)*. Die Huote kann ihm wohl die leibhafte Gegenwart der Frau nehmen, aber nicht ihren Wert und auch nicht seine Liebe. Es klingt wie Wiederholung aus früherer Zeit. Dann hören wir eine neue Formel für das rechte Verhältnis zwischen Mann und Frau (Nr. 61): er will ihr *friunt* und *geselle* sein, sie aber soll seine *friundin* und *frowe* werden. *friunt* und *friundin*, das bedeutet eine unmittelbare Zugehörigkeit von Person zu Person; im Wort *frowe* liegt die Anerkennung der höfischen Werte. Sie soll also für ihn menschlich ganz dasein und in ihrem Dasein die höfischen Werte für ihn verkörpern. Noch einmal geht der Blick in das Reich der Natur; nun ist sie aber vom edlen Menschentum überhöht (Nr. 64). Dann entgleitet dem Gealterten die Welt. Die letzte Enttäuschung führt ihn zur Lösung von irdischen Werten, um das ewige Heil der Seele nicht zu versäumen. Der Dienst an den Menschen ist beendet; es bleibt der Dienst an Gott. Nur die Liebe zu ihm hat Bestand. Voraufgegangen ist ihm ein Schaffen im Dienst des Menschen, auf das er selbst mit Stolz zurückblickt (Nr. 65).

Wolfram hat das Verhältnis zwischen Mann und Frau in Tageliedern durchgespielt. Abseits der Gesellschaft treffen sich die beiden zu verschwiegenem Zusammensein. Die Rolle der Huote fällt dem Wächter zu, und die Fremdheit bricht mit der bedrohenden Zeit in Gestalt des mächtig heraufziehenden Tages in ihre Gemeinsamkeit ein. Dies aber ist die eigentliche Aussage der Abschiedsstunde: was die beiden trennen sollte, drängt sie nur dichter zusammen. Am eindrucksvollsten bekundet das das 3. Tagelied (Nr. 4). *vriunt* und *vriundin* (so heißen sie hier) läßt der nahende Tag dichter zusammenrücken, und sie sagt zu ihm: *zwei herze und einen lip han wir*. So nahe kommen sie sich, daß kein Sonnenstrahl zwischen sie zu leuchten vermag (Nr. 5). Soll sich darin die Sinnlosigkeit der Fremdheit offenbaren, die, statt zu trennen, nur enger zusammenfügt, weil Menschen unter der Gefahr sich enger zusammenschließen? Ironisch setzt er sich mit der Fremdheit in einem anderen Liede auseinander (Nr. 6). Wie eine Eule sieht er (mit den Augen des Herzens) die Frau in finsterer Nacht, und er ist für die Frauen gefahrloser als ein Storch für die Saat. Die unmittelbare, persönliche Zugehörigkeit von Mann und Frau findet er in der ehelichen Liebe (Nr. 7).

Den verschiedenen Grundweisen des zwischenmenschlichen Verhaltens entsprechen verschiedene Grundformen des Liedes. Das Lied der Verbundenheit wächst aus einer gemeinschaftlichen Erfahrungswelt; das Lied der Fremdheit baut ein geistiges Reich, das unabhängig von der Erfahrung besteht. Beide Formen haben ihren eigenen Aufbau und ihre eigene Sprache. Wir wollen sie als Erfahrungsstil und Gedankenstil unterscheiden; wir deuten mit diesen Bezeichnungen die Bereiche an, aus denen sie ihre Kräfte holen, und die Satzformen, die sie verwenden.

Der Erfahrungsstil der Frühe hat aus dem Erbe ein lyrisches Gebilde eigenen Gepräges geschaffen, das noch im Schatten des reifen Minnesangs fortlebt und später wieder durchbricht. So zwingend war seine Gestalt, die ganz aus den gegebenen Voraussetzungen wuchs, daß sie selbst Dichter wie Reimar gelegentlich beeinflussen konnte. Sie bleibt eine dauernde Möglichkeit des Minnesangs. Zugeordnet ist sie einer bestimmten Situation des Menschen und einem eigengearteten Weltgefühl. Inneres und Äußeres sind in ihr ganz zur Deckung gekommen.

Der namenlose Mädchenreigen (Namenlose Nr. 1) ist noch kein abgelöstes lyrisches Gebilde, das ohne den begleitenden gemeinschaftlichen Vorgang des Reigens bestehen könnte. Er ist völlig an die Situation gebunden, in der er sich erfüllt. In dem namenlosen Falkenliede (Namenlose Nr. 3), das unter Dietmar überliefert ist und in eine frühe Zeit zurückgeht, ist die innere Form des Erfahrungsstiles rein verwirklicht. Ein gliedhaftes Welterleben spricht, in dem Mensch und Welt zusammengehören. Der Eingang stellt eine Frau in den Raum: einsam schaut sie von der Burg über die Heide hinaus. Ihre Haltung, das Ausschauen in die Weite, vergegenwärtigt die seelische Lage schon, bevor sie zu Wort kommt. Sie ist auf eine bestimmte Weise in der Welt da, und zwar in der Weise, die ihrer Stimmung entspricht. Die Hörer nehmen an ihrer Haltung teil und geraten so selbst in ihre Lage. Sie haben sich miteinander schon verbunden, ehe der Mund sich zum Sprechen öffnet, und so werden die Aufnehmenden von Anfang an zu Teilhabern einer Welt, zu der auch sie gehören. Die Gemeinsamkeit zwischen Gedicht und Hörer ist gesichert, und in ihr kann sich nun das Lyrische entfalten. Das stumme und doch beredte Warten wird gelöst durch den Eintritt eines fliegenden Falken in den Gesichtskreis. Die Frau grüßt den Falken wie einen Gefährten ihres Schicksals, und sie kann das tun, weil Menschen- und Tierwelt zusammengehören; zumal der Falke war jedem ritterlichen Menschen als Gefährte seiner Jagden vertraut. Wieder darf das Gedicht des teilnehmenden Mitgehens der Hörer sicher sein, die in den Worten und in der Sehweise der Frau ihre eigene Welt wiedererkennen. Und indem die Frau nun vom Falken spricht, redet sie bereits verhüllend von sich selbst. In seinem Schicksal spiegelt sich das Schicksal ihrer Seele. Sehnsüchtig folgt sie seinem freien Flug ins Weite, der sich seinen Ort in Unabhängigkeit wählen kann, wo er will. Aber gerade dadurch, daß sie ihm mit Augen und Gedanken folgt, wird sie auf sich selbst zurückgeworfen, und jetzt kann sie der Enthüllung ihres Schicksals nicht mehr entgehen. Die Hörer sind soweit mit ihr gegangen, daß sie auf das Verstehen vorbereitet und eingestimmt sind. Ausdrücklich setzt sie sich mit dem Falken in eins, dessen Erscheinen ihre persönliche Erinnerung weckt *(also han ouch ich getan)*. Sie kann nun berichten: auch ich habe einmal gewählt, aber die anderen Frauen gönnen mir den Mann nicht. Und doch hat sie einen einfachen Anspruch auf die Zusammengehörigkeit mit ihm, sowie sie die Zusammengehörigkeit bei anderen Frauen achtet. Erzählende Sätze entwarfen die Situation der Frau, so wie sie ein teilnehmender Beobachter sieht. In schlichten Erfahrungssätzen teilt die begrüßende Frau ihre Beobachtungen mit. Erinnernd und erzählend besinnt sie sich auf ihr eigenes Schicksal, und erst in den Schlußzeilen enthüllt sie ihr persönliches Betroffensein.

Der lyrische Weg ist in einer unumkehrbaren Folge zurückgelegt. Wir erkennen die innere Form solchen Gestaltens und ihren inneren Zwang. Sie ist ganz so, wie sie bei dieser menschlichen Situation und bei diesem gliedhaften Weltgefühl sein muß. Nur unter bestimmten Bedingungen wird das Gefühl zu lyrischer Aussprache frei.

Das Lied hebt mit einer Erfahrung an. Das kann wie im Falkenliede eine menschliche Situation sein, die der Sprechende entwirft, wie beim Kürenberger (Nr. 4 und 9) und bei Dietmar (Nr. 1 und 5). Wir sehen die Lebenslage, in die der Mensch versetzt ist: die Frau, die abends spät im Burghof die bezwingende Weise des Kürenbergers hört; oder eine Frau, die einsam in ihrem Hemd steht; den Ritter, der mit allen gemeinsam das Aufbrechen neuen Lebens im Frühling erfährt oder vom Vogellied an eine Stätte zurückgerufen wird, die für ihn eine Stunde seliger Liebesgemeinsamkeit aufbewahrt. Die beliebteste Art solcher Einführung ist der bekannte Natureingang. Er mag in seiner literarischen Formung Einflüsse aus romanischer und lateinischer Dichtung erfahren haben; im Grunde wird er eigenständig sein, weil er für die lyrische Form des Erfahrungsstiles und ihr Weltgefühl eine natürliche Weise des Liedeingangs war. Er setzt das gliedhafte Welterleben voraus, aus dem der Erfahrungsstil entwickelt wurde. Diese Gliedhaftigkeit kann noch in späteren Gedichten sehr ausgeprägt sein wie in einem Frühlingsliede Veldekes (Nr. 6) und Walthers (Nr. 33). Veldeke möchte sich einfügen in den Rhythmus alles Lebendigen, das im Frühling seinen Gefährten findet, und Walther möchte alles hineinreißen in den gemeinsamen Lebensschwung, der Menschen aller Schichten im Mai erfaßt hat. Mensch und Leben gehören zusammen. Episch wird von ihnen berichtet.

Am Eingang kann auch ein einfacher Erfahrungssatz stehen, der durch sich selbst überzeugt. Dichter und Hörer finden sich im Bekenntnis zu seiner Wahrheit zusammen. Es sind schlichte Sätze, denen jeder aus dem Zuhörerkreise zustimmen wird. So stiften sie eine Gemeinsamkeit, die das Mitgehen der Vernehmenden sichert und einen gemeinsamen Boden für den lyrischen Gang schafft. Es kann eine selbstbewußte Feststellung des Mannes sein (wohl mehr für Männerohren als für Frauenherzen bestimmt) wie: *wip unde vederspil diu werdent lihte zam: swer si ze rehte lucket, so suochent si den man* (Kürenberger Nr. 5); oder ein zarter Hinweis an die Frau, der ihren Blick zum Sternenhimmel richtet (Kürenberger Nr. 10): *der tunkel sterne sam der birget sich* (hier ist die Erfahrung schon durch die Vergleichsform unmittelbar mit dem Persönlichen verbunden).

So kann noch Walther eröffnen (Nr. 3): *sumer unde winter beide sint guotes mannes trost, der trostes gert.* Meist aber erhält der Erfahrungssatz ausdrücklich die Form eines Spruches, schon beim Kürenberger, vor allem aber bei Veldeke, der darin einer alten und bodenständigen Überlieferung folgt, die nicht aus fremdem Einfluß hergeleitet werden kann. Er hebt etwa an (Nr. 9): *we wale gedinen ende erbeiten mach, dem ergeit et wale te gude.* Bei ihm sind ganze Strophen spruchhaft geformt (Nr. 12 und 14). Hartmann beginnt ein Lied der Fremdheit (Nr. 6): *swes vröide an guoten wiben stat, der sol in sprechen wol und wesen ie undertan;* und er fügt hinzu: *daz ist min site und ist min rat.* Damit empfiehlt er dem Hörer, sich in seinem Verhalten nach dieser Regel zu richten, wie er das auch selber tut. Lebensweisheit, die für eine bestimmte Gemeinschaft gilt, redet durch den Mund des Dichters. Dichter und Hörer gehören als Glieder zu derselben Lebensordnung. So treten beide mit der Lebenserfahrung in einen gemeinsamen Kreis. Natürlich kann darin auch eigene Erfahrung liegen, die für die Hörer fruchtbar werden soll, wie bei Reimar (Nr. 25): *ein wiser man sol niht ze vil ein wip versuochen noch gezihen, dest min rat* (so redet Reimar, nachdem er selber *wise*, wissend, geworden ist). In drei Gedichten tritt Meinloh als Ratender unter die Hörer (Nr. 4, 9, 10).

Das Spruchhafte konnte sich im deutschen Minnesang so üppig entfalten, weil es ihm auf die rechte Haltung des Menschen ankam. Die sprachliche Form, die im Erbe bereit lag, konnte sich mit der einfachen Feststellung begnügen *(scheiden daz ist schedelich)*, die durch sich selbst überzeugte; sie konnte sich des verallgemeinernden Relativsatzes bedienen, der den einzelnen Fall ins Allgemeingültige erhebt, wie in unserem Beispiel aus Hartmann; und sie konnte durch den Aufforderungssatz (wie bei Reimar Nr. 25) ausdrücklich zu einem bestimmten Verhalten aufrufen. Wie die germanische Spruchdichtung lehrt, waren alle drei Spielarten schon in der Überlieferung da.

So beginnt das Lied des Erfahrungsstiles mit epischen und spruchhaften Formen, die es im dichterischen Erbe vorfand. Der lyrischen Entfaltung ging erzählende und spruchhafte Dichtung voraus. Das ist der Weg des einzelnen Liedes, und es wird auch der Weg der Gattung gewesen sein.

Den Schritt vom Gemeinsamen einer Situation oder einer Lebenserfahrung zum Persönlichen tut der Dichter, indem er sich in seinem Verhalten mit der vorausgegebenen Erfahrung ausdrücklich ineinssetzt. Die Frau des Falkenliedes geleitet zum persönlichen Schicksal mit einem Vergleich *(also han ouch ich getan)*. Der Kürenberger läßt (Nr. 5) dem Erfahrungssatz die Feststellung folgen: *als warb ein ritter schone umb eine frouwen guot*. Dietmar fügt sich der allgemeinen Erfahrung mit dem Bekenntnis ein (Nr. 1): *des selben troestet sich daz min (herze)*. Rietenburg leitet schon mit der neuen Form des Eventualsatzes über (Nr. 3): *taete ich selbe niht also, so wurde ervaeret mir der lip, der betwungen stat*. Nicht anders ist es, wenn am Anfang eine spruchhafte Wendung steht. Beim Kürenberger hat die Frau begonnen (Nr. 8): *swer sinen friunt behaltet, daz ist lobelich;* und sie fährt fort: *die site wil ich minnen*. Veldeke kommt zu sich selbst mit dem Satz (Nr. 9): *dar ane gedachte ich manegen dach*. Hartmann fuhr fort (Nr. 6): *daz ist min site*.

Hinter solcher Gestaltung steht ein verhaltener Mensch, der gerne die stärkere Gefühlsbewegung einer Frau überläßt. So kann er sagen, was ihn erfüllt, ohne dafür die

Verantwortung zu tragen. Es ist seine Bewegung, die durch die Frau zu Wort kommt. Das Bild der Frau wird nicht gefährdet für diese ritterlichen Menschen der Frühzeit, wenn sie sich zu ihren Gefühlen offen bekennt. Ihr kann die seelische Offenheit und Nachgiebigkeit zugetraut werden, die das Menschenbild der Zeit dem Manne versagt. Der Mann verschweigt und verhüllt. Er läßt sich nicht gerne unmittelbar in das Innere sehen und verrät nicht gerne, daß seine innere Sicherheit erschüttert und seine seelische Unabhängigkeit bedroht ist; denn das könnte als männliche Schwäche verstanden werden. Er gibt sich als Sieger über die Frau (Kürenberger Nr. 4): er überwältigt sie erst durch sein Lied und entzieht sich dann selbstbewußt ihrem herrischen Verlangen, um seine Unabhängigkeit zu wahren. Daß er innerlich durch die Begegnung mit der Frau getroffen wurde, bekundet er vornehmlich durch Worte der Frau, der sein eigener Lebenszustand unterlegt wird. So kann er von sich reden, ohne zu bekennen.

Das ist der Ritter, der die Form des Erfahrungsstiles schuf. Wir erkennen nun die Bedingungen besser, unter denen sie entstand. Als erste Voraussetzung fanden wir ein gliedhaftes Weltgefühl, in dem die Menschen aus ihrem Erfahrungskreis und aus ihrer gemeinschaftlichen Lebensordnung noch nicht herausgetreten sind. Als Glieder dieser Welt, die sie miteinander verbindet, fühlen sie sich gesichert; zwischen Dichter und Hörer besteht eine selbstverständliche und fraglose Zusammengehörigkeit, die ein teilnehmendes Verstehen verbürgt. In diesem Kreise darf man es wagen, den eigenen Lebenszustand zu enthüllen, wenn auch in einer verhüllenden Form. Aus ihm kommt der Mut zum lyrischen Gedicht; der Dichter weiß, daß er vor Verkennen geschützt ist. Die Welt, aus der heraus er spricht, steht darum am Anfang seines Liedes. Aber noch ein anderes verbindet sich damit. Es sind Menschen einer besonderen Art und einer zeitlichen Frühe, die im Erfahrungsstile reden. Es ist nicht selbstverständlich, daß sich die Seele im Lied enthüllt. Daneben gibt es bei allen Völkern die Form des Verhüllens, denn das Letzte ist ein Geheimnis, das nur dem Erlebenden selber gehört. Und es ist auch nicht selbstverständlich, daß das Lied zum Gefäß menschlicher Stimmungen wird, in das Seelisches ungehindert einströmt; denn oft wird das Lied zu einer Waffe, mit der sich der Mann im Widerstand gegen die seelischen Erschütterungen, die ihn treffen, behauptet. Der Skalde des Nordens, der sich in seiner Bildersprache und in seinem Satzstil eine eigentümliche Weise des Verhüllens schuf, wurde im Leben wieder fest und unnachgiebig, wenn er das Gedicht als Waffe ergriff. Menschen dieser Art sind auf das Verhüllen angewiesen, das nicht durch das bekennende Wort spricht, sondern sich hinter Gegenständlichem verbirgt. Wer sie sind und wie sie sind, das sagen sie durch die Art, wie sich das Gegenständliche darstellt. Sie sind mit ihrem Gefühl in den Dingen und Vorgängen darinnen; so gestalten sie eine beseelte Welt. So mag auch dem Dichter des Erfahrungsstiles das Lied eine Hilfe geworden sein gegen die Erschütterung, die von der Frau ausging. Und es ist wie eine seltsame Rache, daß er nun die Erschütternde als Erschütterte vorstellt, den Urheber seines seelischen Schicksals als Träger dieses Schicksals.

Mit dem Schwellensatz, der den Sprechenden mit der vorausgegebenen Lebenserfahrung ineinssetzt, ist der Schritt vom Unpersönlichen zum Persönlichen getan. In seiner Gliedhaftigkeit wurde das lyrische Sprechen dazu stark. Das Tor zum eigentlichen Bekennen ist aber damit noch nicht geöffnet. Oft geleitet erst die Erinnerung über die letzte Hemmung hinweg. Der Kürenberger spricht das ausdrücklich aus (Nr. 6). Vom erzählenden Satz *als warb ein ritter schone*, der noch ganz unpersönlich klingt, zum bekennenden Schluß führt die Wiederholung des Geschehenen in der Erinnerung: *als ich dar an gedenke, so stet wol hohe min muot.* Nicht anders ist es im frühen Falkenliede, wenn auch nicht ausdrücklich gesagt. Bei Dietmar gehen die Gedanken an die Stätte zurück, die ihm dauerndes Zeichen erfahrener Liebesgemeinsamkeit wurde (Nr. 5): *do huop sich aber daz herze min an eine stat, da'z e da was.* So vermittelt die Erinnerung zwischen Erfahrung und Gefühl. Sie ist die Schwelle, die man überschreiten muß, wenn man in das Reich der Seele eindringen will.

Im Schlusse erst deutet sich das Persönliche an, zunächst noch sehr sparsam und knapp. Selbst hier noch weicht das Verhüllen nicht. Wie von einem Ding kann die Frau beim Kürenberger reden (Nr. 3), und was sie bekennt, ist nur dies, daß das sehnsüchtig Verlangte und doch Unerreichbare die Gestalt von Menschen hat: *jone meine ich golt noch silber: ez ist den liuten gelich.* Oder das Bekennen wird in ganz allgemeine Sätze gelegt, die kein besonderes seelisches Schicksal auszudrücken scheinen: *des mohte mir min herze nie fro werden sit* (Kürenberger Nr. 1); *so stet wol hohe min muot* (Kürenberger Nr. 5). Und der bekennende Satz kann noch so gehalten sein, daß er sich als einen Wunsch gibt, den sich alle zueignen könnten (Kürenberger Nr. 2): *got sende si zesamene die gerne geliep wellen sin.* So redet wieder das gliedhafte Weltgefühl, in dem Dichter und Hörer sich verbinden. Was dem einen gehört, kommt auch dem anderen zu.

Der Schluß empfängt aber durch die innere Anlage des Gedichtes eine besondere Würde. Er ist der eigentliche

Gipfel; um seinetwillen ist das Gedicht überhaupt da. Er ist doppelt ausgezeichnet: durch das wenn auch verhüllte oder angedeutete Bekenntnis, das ihm allein anvertraut wird; und durch die rhythmische Form, die ihm eine besondere Schwere verleiht, indem sie ihn dehnt. So wie der Weg des Gedichtes in einer ständigen Steigerung verläuft, wird auch im Schluß die rhythmische Bewegung gesteigert, so daß in ihn ein stärkerer Nachdruck gelegt werden kann. Im frühen Falkenliede werden die Vierzeilerpaare am Ende von zwei Sechstaktern abgelöst, und dem klagenden *owe* werden dabei zwei volle Takte angewiesen. Der Kürenberger schließt seine Strophe mit einem vollen Viertakter, der zwei Hebungen unmittelbar aufeinander prallen und so die wesentlichen und gefühlsgeladenen Worte wuchtig hervortreten läßt: **dárbènde, trúrìgen.** Der Regensburger beendet eine Strophenform (Nr. 2 und 3), die aus Langzeilen aufgebaut ist, mit einem Sechstakterpaar. Meinloh läßt auf zwei Langzeilenpaare ein drittes folgen, das durch eine Waise (einen nicht mitreimenden Viertakter) erweitert ist. Die Steigerung zum Schluß hin gibt der Strophe überall das Gesicht.

Gebaut ist sie mit den schlichten Mitteln der Überlieferung, dem Reimpaar und der Langzeile, die sie besonders liebt, wohl weil sie eine besondere Tragfähigkeit hat, aber auch weil sie in der Landschaft lebte, in der die Lyrik des Erfahrungsstiles zu Hause war. Die rhythmische Kunst entfaltet sich nicht im Schaffen vielgestaltiger Bauglieder, im Abwandeln verschiedenartigster Zeilenformen, die zu wechselnden und mannigfaltigen Gebilden gefügt sind, sondern in der Mannigfaltigkeit der rhythmischen Bewegung selbst. Denn die Zeile hat keinen eindeutigen rhythmischen Wert, sie ist nur ein Rahmen für eine Fülle von Bewegungsarten.

Später wird die Zeile in ihrer Gangart festgelegt sein, und wenn sich dann ein Dichter für eine bestimmte Zeile entscheidet, hat er sich zugleich auch schon für einen bestimmten Rhythmus entschieden. Wer in der Frühzeit die Langzeile wählt, hat damit noch nicht den Rhythmus bestimmt, bestenfalls Möglichkeiten rhythmischer Bewegung. Es besteht im Bereich des Rhythmus keine vorgegebene Form. Das bedeutet aber, daß die rhythmische Bewegung Ausdruck der inneren werden kann. Was, oft unausgesprochen, hinter der verhüllenden Gestaltung an Seelischem verborgen ist, kann sich von Nu zu Nu im Rhythmus unmittelbar auswirken. Oft verrät er vom tieferen Geheimnis der Seele mehr als das Wort. Der Rhythmus kann also noch wie in germanischer Dichtung in Grenzen Ausdrucksgebärde sein. Rhythmus und seelische Enthüllung sind einen entgegengesetzten Weg gegangen. Der Rhythmus verliert im Laufe der Zeit mehr und mehr an Unmittelbarkeit, während das seelische Enthüllen allmählich offener und ungehemmter wird.

Die Langzeilenstrophe hat eine besondere Eigentümlichkeit: ihre Zeilen treten sprachlich und metrisch gerne als selbständige Glieder auf. Selbst eine stärker bewegte Strophe des Kürenbergers wie „Die Trennung" (Nr. 9) läßt die Zeilen als eigene Sätze aufeinander folgen, ohne ihre Beziehungen anzudeuten. Sie stellen einfach fest, und jeder hat seine Eigenständigkeit. Was zwischen ihnen liegt, wird verschwiegen. Mit keinem Worte wird angedeutet, daß die zweite Zeile für die erste die Begründung gibt. Jede kann für sich aufgenommen werden und wird in ihrer Geltung nicht von einer anderen her bestimmt. Noch ist in der Strophe kein Verhältnis von Herrschaft und Dienst gestiftet, das jedem Gliede einen besonderen Auftrag erteilt. Die Zeilen und Sätze sind gleichberechtigte Glieder eines gemeinsamen Dienens. Auch das entspricht dem gliedhaften Weltgefühl. Die Glieder sind in einem Ganzen geeint, das nicht ausdrücklich gesichert zu werden braucht. Die Sätze haben die einfache Geschlossenheit des Daseins. Sie sind da und rechtfertigen sich durch die Erfahrung, die sie in sich aufgenommen haben. Der Sinn des Gedichtes wird im Schluß erfüllt, der auch äußerlich eine besondere Form hat. Mit ihm wird das Lied zu einer wirklichen Ganzheit.

Die Grundform des Sprechens ist der Erfahrungssatz. Neben ihn können Wunsch und Aufforderung treten. Die Aufforderung sucht den Partner, im Wunsch meldet sich das Gefühl zu Wort. Es ist aber nun bezeichnend, daß das Gefühl als einfache, fast sachlich-unpersönliche Feststellung erscheinen kann: *mir wart nie wip also liep* (Kürenberger Nr. 6), *und gewinnet daz herze vil manigen trurigen muot* (Kürenberger Nr. 11). So kann auch noch Dietmar den Mann reden lassen. Wo er im Gespräch der Frau begegnet, begnügt er sich mit einfachen Erfahrungssätzen. Der schmerzlich bewegten Frau gibt er den Trost (Nr. 4): *genuoge jehent daz groziu staete si der beste frouwen trost.* Das ist ganz unpersönlich gesagt, als allgemeine Erfahrung gegeben und hat doch einen ganz persönlichen Auftrag. Sonst ist das Gefühl freilich schon persönlicher zu Wort gekommen.

Aus der Situation des Menschen und dem gliedhaften Weltgefühl ist die eigentümlich deutsche Form des Wechsels entsprungen, die zum Liede des Erfahrungsstiles gehört. Glücklich hat man ihn doppelseitiges Minnelied genannt. Wo er auftritt, haben Mann und Frau noch dasselbe Gewicht. Es ist noch selbstverständlich, daß sie in schlichter und frageloser Gemeinsamkeit miteinander verbunden und aufeinander gerichtet sind. Mann und Frau stehen für sich und doch in einer inneren Gemeinsamkeit, die keines äußeren Zeichens bedarf. Die Voraussetzungen des Wechsels sind andere als die des Gesprächs oder des einseitigen Minneliedes. Das einseitige Minnelied kann das Verhältnis nur vom Manne oder von der Frau aus beleuchten und bleibt darum bruchstückhaft, wenn es auf die Gemeinsamkeit von zwei Partnern ankommt. Es kann aber innerlich vollständig sein, wenn allein die Haltung des Mannes wichtig ist, der in der Minne seine Verwandlung sucht. Das Gespräch hat den Vorzug eines unmittelbaren Miteinander, aber dieser Vorzug ist mit der Beschränkung auf eine kurze Stunde erkauft. Im Ablauf eines Gespräches kann sich nur offenbaren, was bei einer einmaligen Begegnung zu Wort kommt. Es ist vollständig, soweit es diese eine Begegnung erschöpft (und wo wäre das möglich?). Und wo es lebendig geführt wird, spitzt es sich darum auch auf bestimmte Fragen zu, die in seinem Fortgang geklärt werden können; so schön und überzeugend in einem Gesprächsliede von Johansdorf (Nr. 15), das ganz auf die Schlußerkenntnis angelegt ist; oder auch in einem Dialoglied Walthers (Nr. 26), das ein Thema scherzhaft abschließt. Diese Gedichte sind aber doch nur Ausschnitte aus einer umfassenderen Lebensganzheit. Sie stellen nicht den gesamten Lebenszustand der beiden Partner dar. Dem Wechsel ist eine größere Reichweite eigen. Dem Mannes- oder Frauenliede gegenüber besitzt er die Möglichkeit doppelseitiger Beleuchtung; dem Gesprächsliede gegenüber die Möglichkeit, den dauernden Lebenszustand der beiden Partner darzustellen und nicht allein den Ausschnitt, den eine einmalige Begegnung bringt. Er kann die Ganzheit des Liebeszustandes offenbaren.

Es bedarf keiner äußeren Bedingungen, um die doppelseitige Rede zu erklären. Es genügt zu wissen, daß beide da sind, daß sie zueinander gehören und sich zueinander bekennen. Sie sind immer füreinander da und nicht nur zu einer flüchtigen Begegnung, wie sie das Gespräch ermöglicht. Sie werden nicht umstellt von einer „Szenerie", einem Außenraum, der vor ihnen und unabhängig von ihnen bestünde. Er würde ihre Aussage auf einen bestimmten Fall beschränken und ihr damit die eigentliche Gültigkeit nehmen. Die wirklichen Bedingungen, unter denen sie reden, sind belanglos vor dem seelischen Schicksal, das in ihnen und mit ihnen Gestalt wird.

Und wenn der Raum in einem Wechsel hineingenommen wird, geschieht es auf ganz andere Art. In einem Wechsel Dietmars, einem der schönsten des Minnesangs (Nr. 5), ruft der Vogelsang im Frühling bei Mann und Frau die Erinnerung an eine frühere Liebesgemeinsamkeit wach, die sie zwischen Blumen und unter dem Lied der Nachtigall zusammenführte. Das ist nicht der Raum, in dem sie als Erinnernde stehen; er liegt zeitlich und wohl auch tatsächlich außerhalb ihrer Sprechlage. Er ist einmal zum Schicksalsraum ihrer Liebe geworden, und nun besinnen sich beide darauf, freilich in sehr verschiedener Weise: für ihn ist im Raume das Vergangene unvergänglich geworden, und wenn die gleichen Zeichen reden, ist er für sein Bewußtsein wieder da; ihr ist die bestätigende Erinnerung versagt, und darum mißt ihr Schmerz allein die Zeit, die sie von der Gemeinsamkeit trennt, die sie einmal im Vergangenen erlebte. Oder wenn die herrische Frau beim Kürenberger sich des Mannes bemächtigen will, dann spricht sie nicht aus derselben Lage, die ihre Erinnerung aufsucht. Es kann wohl einen Schicksalsraum des Menschen geben, aber kein „Milieu", von dem er abhängig ist.

Im Wechsel sprechen Mann und Frau nicht wie im Dialog aus derselben Situation. Beide sind äußerlich in ihrem Sprechen unabhängig voneinander; unabhängig sind sie ursprünglich auch von einer bestimmten Gelegenheit, die sie zum Reden bringen könnte. Sie sind äußerlich ganz für sich, aber sie sind innerlich nur bei sich, soweit sie dem anderen zugewandt sind. Sie werden nicht einmal zur Begegnung zusammengeführt, sondern leben in einer dauernden Liebesgemeinschaft. Sie sind dauernd seelisch aufeinander gestimmt. Es gehört zu ihrer Gliedhaftigkeit, daß jede Aussage über ihr eigenes Innere zu einer Aussage über den anderen wird. Der Dichtung genügt das dauernde gliedhafte Aufeinandergestimmtsein, um sie in der doppelseitigen Form des Wechsels zum Sprechen zu bringen. Ihre innere Gemeinsamkeit, die in der Form des Wechsels zum Ausdruck kommt, braucht nicht durch äußere Bedingungen gesichert zu werden.

Es liegt im Wesen des Wechsels, daß er überall erscheinen kann, wo die innere Gemeinsamkeit der beiden Partner besteht. Ein Gedicht des Kürenbergers (Nr. 4) prägt die innere Form rein aus. Zwischen der herrischen Äußerung der Frau und der entschiedenen Abwehr des Mannes vermittelt kein Zwischenglied, obwohl wir annehmen müssen, daß der Wille der Frau durch einen Boten dem Manne zu Ohren kommt. Diese rein monologische Grundform, die keine Vermittler nennt und kennt, wird weitgehend durchgehalten (Kürenberger Nr. 8; Dietmar Nr. 5, 6, 8; Veldeke Nr. 12; Rietenburg Nr. 2; Hausen Nr. 16; Reimar Nr. 1, 3, 5, 7, 8, 38; Morungen Nr. 1, 18; Johansdorf Nr. 13; Walther Nr. 10, 11, 13); die zweistrophige Anlage wird aber schon mehrfach durch Entwicklung eines mehrstrophigen Gebildes gestört.

Bald genügt das innere Zugewandtsein nicht mehr; dem Sprechenden wird im Boten ein Gegenüber gegeben, das als Hörer und als Vermittler dient (Kürenberger Nr. 8; Dietmar Nr. 2; Reimar Nr. 6). Im frühen Wechsel des Kürenbergers prallen wie im germanischen Heldenlied zwei Willen aufeinander; die innere Form entspricht genau der Zweiteiligkeit des Heldenliedes, das in den beiden Stufen „Entscheidung für das Schicksal" (hier das Schicksal der Liebe) und „Entscheidung durch das Schicksal" (hier durch die Ablehnung des Mannes) abläuft. Die innere Anlage ist danach eher vom Heldenlied als von der Lyrik her zu verstehen.

Die übrigen monologischen Wechsel aber dienen dazu, die Liebe des Mannes durch die Äußerung der Frau zu sichern. Dabei ist es nicht von Bedeutung, ob die Frau eröffnet oder beschließt. Es kann sein, daß der Mann beginnt und unsicher über die Haltung der Frau ist und daß dann die Erklärung der Frau Gewißheit über die Zusammengehörigkeit gibt (Dietmar Nr. 6; Hausen Nr. 16; Reimar Nr. 5). Oder an den Anfang tritt ein Bekenntnis der Frau, das über die Zusammengehörigkeit der beiden keinen Zweifel läßt (Veldeke Nr. 12; Rietenburg Nr. 2; Reimar Nr. 3). Dabei werden die Partner durch ihre Lage, ohne daß sie gekennzeichnet ist, auseinandergehalten und drängen dann durch ihre Worte aufeinander zu. Sie schließen so über die Grenzen des Raumes hinweg aufs neue ihr inneres Bündnis.

Einige Wechsel verlassen die zeitlose Dauer und deuten einen inneren Vorgang an. Wo das geschieht, gilt die einfache Gemeinsamkeit der frühen Haltung nicht mehr. Entweder werden die Liebenden aus der Trennung zu kurzem Miteinander im Gespräch zusammengeführt, das die Fremdheit doch nicht überwindet, und fallen dann wieder in hoffnungslose Fremdheit und Einsamkeit zurück (Dietmar Nr. 4); oder das Bekenntnis der Frau nimmt den Mann aus seiner wartenden Fremdheit heraus und in eine neue Gemeinsamkeit, die in ihm einen inneren Wandel zur Bändigung seiner Leidenschaften hervorruft (Dietmar Nr. 8). Dort ist die alte Gemeinsamkeit schon von der neuen Situation der Fremdheit abgelöst, und hier wird die Begegnung mit der Frau für den Mann zu einem Bildungsvorgang. Bei Hartmann enthüllt ein Gespräch der Frau mit dem Boten einen Wandel in der Haltung der Frau, dem der Mann seinen Willen zu unabänderlicher Treue entgegensetzt (Hartmann Nr. 5). Bei Walther hat sich mit der Zeitlage, in der die Menschen stehen, auch die Haltung der Partner verändert (Nr. 13).

Reimar stellt den Wechsel, der die Liebenden ja äußerlich voneinander trennt, in den Dienst der Aufgabe, das Schicksal der Fremdheit darzustellen (Nr. 7, 8, 38). Eine Gipfelleistung der Gattung ist Morungen gelungen in dem Versuch, die Gattung des Tageliedes, die schon bei Dietmar angedeutet war (Nr. 9), mit den Mitteln des Wechsels zu gestalten (Nr. 17). Alles Äußere ist da belanglos geworden vor der inneren Gleichgestimmtheit. Der nahende Morgen beschwört noch einmal das ganze Glück der gemeinsamen Nacht.

Mit Hausen beginnt der eigentliche Gedankenstil als eine neue Form der lyrischen Rede. Die Situation des Menschen hat sich verändert und das Weltgefühl, aus dem der Dichter spricht. Die beiden Partner gehören nicht sich allein, sondern zugleich der Gesellschaft, in der sie sich begegnen. Damit sind sie in die Lage der Fremdheit versetzt, die sie auseinanderhält. Die Welt, in der sie stehen, ist nicht einfach gegeben und da, so daß sie sich zu ihr nur zu bekennen brauchten, sondern ihnen aufgegeben, da sie erst durch die Haltung des

Menschen zustande kommt. Der Dichter ist nicht durch eine gemeinschaftliche Erfahrung gesichert, an die er sich nur anzuschließen braucht, sondern immer wieder von neuem auf sich selber gestellt. Die Haltung, zu der sich die Menschen der Gesellschaft vereinen sollen, bietet sich ihnen im Liede des Dichters dar, das dadurch eine besondere Bedeutung für sie erhält. Er stiftet das Gemeinsame, nämlich die Haltung, aus der gelebt werden soll, durch sein Beispiel. Das noch Ungreifbare und Zukünftige, weil Aufgegebene, tritt mit ihm vor die Hörer hin. Das macht ihn für die Gesellschaft unentbehrlich, so daß sie ohne ihn nicht bestehen kann. Der Dichter knüpft nicht mehr an einen Erfahrungssatz, sondern an ein literarisches Beispiel an, an Tristan, Salomo und Eneas (Veldeke Nr. 1 und 22; Hausen Nr. 13; Bernger Nr. 1).
Der Einklang mit der Welt, in dem sich der Erfahrungsstil geborgen fühlte, ist zerbrochen. Das Ganze wird aufgespalten, und das Sondernde droht stärker als das Verbindende zu werden. Der Raum, bei Dietmar (Nr. 5) noch das Vereinende, ist zum Trennenden geworden (Hausen Nr. 5, 7, 11—14, 16, 17; Bernger Nr. 4; Hartmann Nr. 3 und 6). Dadurch fallen das Sichtbare, das die Augen wahrzunehmen vermögen, und das Unsichtbare, das im Herzen lebt, Innen- und Außenwelt, auseinander. Das leibhafte Dasein, das im *lip* seinen Sitz hat, sondert sich vom Herzen, in dem das geistig-seelische Dasein verkörpert wird. So wird durch die Spaltung von Innen- und Außenwelt die Einheit der Persönlichkeit getroffen, die in zwei selbständig handelnde Bereiche zerlegt scheint. Der geistig betrachtende Mensch schaut den sondernden Vorgängen in seinem Inneren zu (Hausen Nr. 12; Reimar Nr. 17 und 18). Die räumliche Trennung dringt in den inneren Kern des Menschen ein, der im Leibhaften an den Raum gebun-

den und im Geistigen von ihm unabhängig ist. Der Gegensatz zwischen Nähe und Ferne, zwischen Heimat und Fremde wird durchlebt (Hausen Nr. 7 und 11).
Wie der Zusammenhang im Raume als einem Bergenden und Verbindenden aufgehoben wird, so verliert auch die Zeit ihre Stetigkeit. Ihre geradlinig verlaufende Strecke wird gebogen oder durchschnitten: sie tritt in Vergangenheit und Gegenwart auseinander, in besseres Einst und schlimmeres Jetzt. Die Gegenwart versagt, was die Vergangenheit gewährte. So vergleicht der wünschende Mensch, den die Wirklichkeit enttäuscht. Die Zeit ist nicht das Dauernde und Bleibende, sondern das Veränderliche, launisch und wandelbar. Ihr Ablauf ist nicht vorauszusehen und richtet sich nicht nach den Wünschen des Menschen. Erfahrung ist nicht eine sichernde Gemeinsamkeit, sondern die Enttäuschung, die das Ersehnte vorenthält. Saelde waltet, wo das Leben gewährt; dem Dichter kehrt sie den Rükken (Walther Nr. 17). Als Wünschender naht der lyrische Dichter dem Leben, um in der Enttäuschung zu erfahren, daß es sich ihm verweigert. Die Stunde, in der der Dichter lebt, vermag er nicht zu bejahen; so bleibt ihm das Ruhen in einer bestätigenden Gegenwart, in einem erfüllten Sein versagt. Da, wo er jeweils steht, möchte er nicht sein, und wo er sein möchte, kann er nicht stehn. Er ist ein Mensch ohne Gegenwart, eigentümlich in der Schwebe gehalten zwischen Vergangenheit und Zukunft, zwischen Klage und Sehnsucht. Er kommt aus einer unruhigen Bewegung, die ins Vergangene oder Kommende flüchten möchte, nicht zur Ruhe, ein Heimatloser in Raum und Zeit.
Die Aufspaltung wird verschärft durch ausdrückliche Feindschaft der Frau. Er wird vom Äußeren ganz auf das Innere zurückgeworfen. Er wird durch sein Erleben

auch von der Umwelt gesondert. Er kann so mit sich beschäftigt sein, daß er die anderen Menschen nicht wahrnimmt. Er weiß, daß er sein Erleben mit ihnen nicht teilt und nicht teilen kann. Damit wird sein Verhältnis zu den Hörern fragwürdig, das im Erfahrungsstile gesichert schien. Besonders Reimar hat die Sonderung von den Zuhörern unterstrichen und doch immer wieder die Verbindung mit der Gesellschaft gesucht. Er hatte sich mit kritischen Stimmen auseinanderzusetzen wie auch Walther; ein Zeichen dafür, daß die Gemeinsamkeit mit den Hörern immer wieder neu zu erringen war, die Walther noch in einem späten Liede die Grundlage seines dichterischen Daseins nannte (Nr. 52). Er sagt es mit den Worten des Apostels Paulus: *durch die liute bin ich fro, durch die liute wil ich sorgen* (Röm. 12, 15 *gaudere cum gaudentibus, flere cum flentibus)*.
Als Ungesicherter und Suchender tritt der Dichter nun vor uns hin. Er hat die einfache Geschlossenheit des Seins, in der er ruhen könnte, verloren und ist damit in ewige Unruhe versetzt, die nie am Ziel ist. Er lebt nicht mit der Erfahrung, sondern gegen sie, weil sich ihm die Wirklichkeit versagt. Aber gerade weil er sich zurückgeworfen sieht, wird die Freiheit des Geistes entbunden, der im Möglichen findet, was das Wirkliche verweigert. Getrieben wird er von den Wünschen des Menschen, die die Grenzen des Raumes überfliegen möchten. So sinnt Hausen fern von der Frau darüber nach, was er ihr sagen würde, wenn er bei ihr wäre (Nr. 7). Oder er überlegt im fernen Italien, wie seine seelische Verfassung sein würde, wenn er in der Heimat die geliebte Frau sehen könnte (Nr. 11). Er schafft sich in Freiheit ein Reich des Geistes, das überall sein kann, weil es unabhängig von aller Erfahrung ist. Dem Wirklichen wirft sich das Mögliche entgegen.

Die Sprache erhält einen neuen Auftrag: sie hat das neue Reich des Geistes zu begründen. Ihre Grundform ist der Eventualsatz, beispielhaft im Beginne des 11. Hausenliedes: *gelebte ich noch die lieben zit, daz ich daz lant solt aber schouwen, dar inne al min fröide lit nu lange an einer schoenen frowen, so gesaehe minen lip niemer weder man noch wip getruren noch gewinnen rouwen.* Er setzt Voraussetzungen, die in der Wirklichkeit nicht gegeben sind. Ausdrücklich wird das zum Schlusse des Gedichtes hervorgehoben: *waere ich iender umb den Rin, so friesche ich lihte ein ander mare, des ich doch leider nie vernam, sit daz ich über die berge quam.* Es können Bedingungen sein, die unmöglich sind (Nr. 7): *het ich so hoher minne mich nie underwunden, min möhte werden rat.* So spricht ein Mensch, der aus seiner seelischen Bedrängnis einen Ausweg sucht.

Er führt eine bedingte Existenz und deckt die Bedingungen seiner Lage auf. Dabei stößt er auf die Fragwürdigkeiten und Widersprüche seines Daseins. Reimar sieht sich zwischen einer versäumten Möglichkeit, die nicht mehr einzuholen ist (und bei seiner Grundhaltung auch nicht zu erreichen wäre), und einer drohenden Wirklichkeit, der er sich entziehen möchte, ohne daß er das doch vermag (Nr. 12): *kaeme ich nu von dirre not, ich enbegundes niemer me. volge ichs lange, ez ist min tot. ja waene ich michs gelouben wil: ez tuot ze we. owe leider, ich enmac.* Auch die Frau steht zwischen gefährlichen Möglichkeiten (Nr. 33): soll sie den Mann zum Dichten auffordern oder nicht? *gebiute ichz nu, daz mac ze schaden komen. Ist ab daz ichs niene gebiute, so verliuse ich mine saelde an ime und verfluochent mich die liute.* Der Mensch scheint ins Ausweglose gedrängt und sucht im Geiste auszubrechen, um sich dann selber zu sagen, daß ihm der Ausweg verlegt ist, und zwar nicht nur von außen her, sondern durch seine eigene Haltung. Er weiß genau, daß seine Möglichkeiten keine Wirklichkeiten sind. So konnte Bernger sein hinreißendes Lügenlied dichten (Nr. 3), das sich ins Erträumte erhebt, um dann immer wieder ins Wirkliche zurückzusinken. Bligger, der von Gottfried Gefeierte, baut ein ganzes Lied auf dem Eventualsatz auf (Nr. 2). Die Strophen beginnen: *er fünde — erfünde ich — ich fünde.* Sie könnten nicht ohne den Geist bestehen, der Mögliches entwirft.

Die Möglichkeiten, zu denen der Gedankenstil geleitet, können vom Geist ersonnene Fälle sein, die im gedanklichen Erwägen bleiben; sie können aber auch der schöpferischen Phantasie entstammen, die immer reicher als die Wirklichkeit ist, und aus ihrem Überschuß hervorgehen. Das ist besonders Morungens Art. Selbst dem Unmöglichen kann er den Schein des Gegenwärtigen verleihn. Er eilt sehend in eine ferne Zukunft (Nr. 7): *man sol schriben kleine rehte uf dem steine der min grap bevat, wie liep si mir were und ich ir unmere.* Für ihn ist die Frau Idee und Gestalt, so daß sich bei ihm Vorstellungen und Gefühle zu Bildern verdichten. Sie täuschen mit der beschwörenden und versinnlichenden Kraft der Phantasie eine Gegenwart vor, die nicht besteht. Er greift nach Bildern, die nicht von draußen zu ihm kommen, sondern allein von seinem Geiste geschaffen und gerufen sind. Das erkennt er in einem Spätliede selbst (Nr. 31): *mirst geschen als einem kindeline daz sin schonez bilde in eime glase ersach unde greif dar nach sin selbes schine so vil, biz daz ez den spiegel gar zerbrach.* Es ergeht ihm wie Faust, der nach dem Bilde Helenas greift, das er aus dem Reich der Mütter holte, und dadurch das Bild zerstört. Die Frau, die Morungen verehrend anschaut, ist nur ein Geschöpf seiner Phantasie und wie alles Schöne vergänglich. Nur als scheinhaftes

Gebilde ist sie da und vergeht, wenn der Dichter sie nicht in ihrer scheinhaften Gegenwart läßt, sondern leibhaft besitzen möchte. Mit dieser Erkenntnis bestätigt er die Einsicht Berngers. Das Mögliche, bei anderen eine erdachte Lage, wird bei ihm zur bildhaften Gestalt.

Der Aufbau des Gedichtes mußte sich im Gedankenstil verändern. Das Lied des Erfahrungsstiles steigt von einer gemeinsamen Erfahrung zur persönlichen Enthüllung im Schluß. Es hat einen geradlinigen Fortschritt und eine innere Steigerung, die am Ende ihr Ziel erreicht. Der Gedankenstil kann diesen Weg nicht gehen. Die persönliche Lage steht am Anfang; denn der Sprechende ist auf eine ganz persönliche Art betroffen und sucht sich in seiner neuen Lage zurechtzufinden. Das Lied des Erfahrungsstiles hat mit der Enthüllung im Schluß seine Aufgabe erfüllt. Im Gedankenstil kommt es darauf an, die seelische Lage zu ergründen und zu begreifen. Im Geiste ist dem Menschen die Kraft verliehen, mit seinem seelischen Schicksal fertig zu werden. So hebt mit dem Gedicht eine Bewegung des Geistes an.

Hausens 7. Lied verkörpert eine der möglichen Bauweisen, die damit gegeben waren. Der Geist nimmt den Kampf mit der Erfahrung der Fremdheit auf. Im Eingang rüstet er sich zum Widerstand: über die Grenzen des Raumes hinweg eilen die Gedanken zur fernen Frau. Im Schluß hat er sich der Unabhängigkeit von allen äußeren Bedingungen vergewissert. So bilden Anfang und Ende einen festen Rahmen: sie prägen die Haltung eines Menschen aus, der aus der Kraft des Geistes lebt. Die Binnenstrophen versenken sich ergründend in die Fragwürdigkeiten seiner seelischen Lage; sie decken ihre Ursachen und ihre Widersprüche auf. Der Kampf gegen die Wirklichkeit, den das Lied begann, endet mit sieghafter Erhebung. Der Geist als Herr aller Lagen behauptet sich gegen alle Widerstände. Das Gedicht wird zu einer Waffe gegen die seelischen Erschütterungen, die den Menschen bedrohen. Die lyrische Bewegung verläuft als ein Kreislauf oder besser als eine Spiralbewegung, die auf höherer Ebene zum Anfang zurücklenkt. Es entsteht eine zyklische Form. Sie hat zwei Merkmale: das Wesentliche, die Enthüllung der seelischen Lage, wird nicht dem Schluß anvertraut, sondern dem inneren Kern des Gedichtes, und Anfang und Ende sind miteinander verbunden. Das Gedicht scheint um eine innere Mitte angeordnet.

Diese Bauweise ist nicht allein bei Hausen beliebt (Nr. 2, 3, 13), sondern tritt sogar bei Veldeke auf, der im 10. Liede zu seiner Lage geleitet, um sie dann im Schluß gegen andere zu verteidigen (damit wird die Grundform des Erfahrungsstiles abgewandelt). Hausen ist wie sonst Bernger gefolgt (Nr. 2). Reimar hat besonders gerne seine Lieder um eine innere Mitte angeordnet (Nr. 13, 17, 21, 23, 32). Auch Walther kennt das Verfahren (Nr. 1, 27, 45); im ganzen freilich eignet ihm mehr eine Bauweise, die zu einer Schlußpointe führt.

Reimar kann beides miteinander verbinden (Nr. 17, 20). Er versetzt in die Mitte die polare Situation, die ihn zu einer Entscheidung zwingt, und öffnet am Ende den Ausblick auf eine scherzhaft vorgetragene Möglichkeit. Sie ist scherzhaft, spielerisch vorgetragen, weil der Dichter zwar ins Mögliche (daß er der Frau einen Kuß rauben kann) vordringen kann, aber weiß, daß es im Ernste nie geschehen wird. Ein wirkliches Gewicht wie im Erfahrungsstil kann der Schluß so nicht erhalten. Aber er wird in ähnlicher Weise immer auftreten können, weil dem Geiste nicht verwehrt werden kann, in tröstliche Möglichkeiten zu entweichen (vgl. auch Reimar Nr. 24).

Die Hoffnung als *spes contra spem* trägt in eine Zukunft, die doch ganz ungewiß oder gar unwahrscheinlich ist. Mit ihr hebt sich der Dichter über die Fremdheit hinweg. Er hält zäh und unbeirrbar an der Erwartung einer günstigen Lösung fest, auch wenn die Erfahrung ihn täglich eines anderen belehrt. Der Schluß ist kein Ende, nach dem das Lied hoffnungslos verstummen müßte, sondern ein Ausblick oder doch das unerschütterliche Bekenntnis zu seiner Bestimmung, der Frau zu leben (schon Nr. 7). Das letzte Wort kann nur der Wille zur Fortsetzung seines Dienstes sein. Der Schluß ist also entweder die Eröffnung einer immer noch erhofften Möglichkeit oder die Unterwerfung unter die überpersönlichen Werte, die seine Haltung bestimmen.

Walther hat es verstanden, die Bauweisen des Erfahrungsstiles und des Gedankenstiles miteinander zu versöhnen. In seinem 52. Liede stellt er in die Mitte eine Strophe, die die Wende in seiner Haltung gegenüber den Frauen ausspricht. Der Schluß aber mündet in eine gültige Einsicht: *wip* und nicht *frowe* ist das Wort, das die Frauen krönt. Reimar, der ein beispielhaftes Dasein vorlebt und insofern zu einer neuen Gemeinsamkeit beiträgt, die nur die Gemeinsamkeit einer neuen Haltung sein kann, vermag immer nur vom Persönlichen her, von seiner Sonderlage aus, zum Schluß zu kommen. Walther sucht schon von seinen Anfängen an im einzelnen das für alle Gültige zu finden. Die Gemeinsamkeit, zu der seine Gedichte leiten, ist eine Gemeinsamkeit der Werte, die alle Menschen gleicher Gesinnung anerkennen. Diese aber ist nicht selbstverständlich gegeben, so daß das Gedicht von ihr einen gesicherten Ausgang nehmen könnte wie im Erfahrungsstil, sondern den Menschen erst aufgegeben: das Gedicht führt den Hörer erst zu ihr hin. In Liedern, die unter solcher Voraussetzung entstehen, scheint die Bauweise des Erfahrungsstiles umgekehrt: der Weg geht nicht vom Überpersönlichen zum Persönlichen, sondern vom Persönlichen zum Überpersönlichen hin. So beginnt das 25. Lied mit einer persönlichen Sprechweise, um in die überpersönliche Rede des Spruches einzumünden und mit der für alle gültigen Erkenntnis zu schließen: *swer guotes wibes minne hat, der schamt sich aller missetat.* Oder er läßt die Hörer an seiner Entscheidung Anteil nehmen und sie so zu ihrer eigenen machen (Nr. 64). Das Gedicht endet nicht mit seiner persönlichen Entscheidung für die edle Frau, die aller Schönheit des Lebens als Krone der Menschenwelt überlegen ist, sondern führt die Hörer zu gemeinsamer Wahl. Sie sollen sich von seinem Recht überzeugen und es damit anerkennen. Damit stiftet er zwischen sich und ihnen eine neue Gemeinsamkeit. Er findet dahin, von wo der Erfahrungsstil ausging.

Das Lied erhält seine Einheit nicht aus einer vorgegebenen Gemeinsamkeit, der es sich gliedhaft einfügen könnte, sondern aus dem Geiste, der seine Lage zu verstehen und sich so in der Welt neu zu fassen sucht. Damit verlieren die Glieder die Selbständigkeit, die sie im Erfahrungsstil noch besitzen konnten. Das gemeinsame Dienen ist dem neuen Verhältnis von Herrschaft und Dienst gewichen. Herrscher ist der Geist geworden, der die Glieder in ein Ganzes einordnet, das erst von ihm als solches erdacht ist. Unabhängig von ihm sind sie nicht da; sie sind seinem Willen unterworfen, der die Einheit des Ganzen mit den Mitteln der Sprache und des Klanges sichert.

Der Geist setzt ein Thema, das er durch alle Abwandlungen festhält. So verfuhr schon Veldeke, als er rechte Minne rühmte (Nr. 14). In vierzehn Zeilen läßt er dreizehnmal den Wortstamm *minne* erklingen und prägt damit den Leitbegriff des Gedichtes nachdrücklich ein. Es ist ein Verfahren, das lateinische und romanische Dichtung des Mittelalters nach dem Muster der Rhetorik übte. Ein Begriff überdauert so den Fortgang des Sprechens und erhebt sich in einen überpersönlichen Bereich, in dem er jenseits des Veränderlichen überdauert. Es ist eine sprachliche Form des Transzendierens. Auch mehrere Leitmotive können sich zu einem kunstvollen Gewebe verbinden wie in Berngers Meisterstück (Nr. 6): im Raum von sieben Zeilen wandelt er je viermal die thematischen Begriffe *singen* und *twingen* ab.

Damit kann sich ein anderes verbinden: die Einheit wird hörbar in der Sphäre des Reimes. Veldeke und Hausen und nach ihnen die Liedkunst des staufischen Kreises übernehmen die Neigung romanischer und lateinischer Lyrik, die Reime zunächst in der Strophe durchzuführen, so daß sie eine Einheit des Klanges wird. Die Glieder und Gruppen der Strophe verschwinden so in einem einheitlichen Richtungszug, der das Übergeordnete vernehmlicher macht als das einzelne. Sie verschmelzen für das Ohr, dem nun ein ganz anderes Wahrnehmungsvermögen zugetraut wird als im Erfahrungsstil. Was die Dichtung an wirklicher Erfahrung verlor, gewann sie an Kunst. So entfesselt Walther auf dem Hintergrunde der Fremdheit ein übermütiges Spiel der Reime (Nr. 28a *ich minne, sinne*). Die reine Form muß helfen, die Einheit des Ganzen zu sichern. Sie ist schwerelos wie das Schweben des Geistes, das mit dem Gedankenstil begann. Wie der Eventualsatz dem Gedicht eine neue Ebene des Da-Seins gab, auf der es von der Erfahrung unabhängig wurde, so stellt die Form das Lied auf sich selbst und verleiht ihm eine Existenz, die nicht von außen verbürgt zu werden braucht. Das Ästhetische wird mächtig und mit ihm auch die Gefahr des beziehungslosen Spieles, dem die Erben verfielen. Zunächst steht es noch ganz im Dienst eines ethischen Wollens. Die Strophen werden durch dieselben Reime verknüpft, die grammatisch abgewandelt werden können oder auch thematische Worte wiederholen. Beides ist schon in Hausens 3. Liede geschehen. Reime der ersten Strophe sind in der letzten grammatisch variiert: *güete: gemüete: hüete — huote: muote: guoten;* in der umgekehrten Folge spiegelt sich noch die Spiralbewegung des Gedichtes. Das 13. Lied verwendet dreimal (in jeder Strophe) den Reim *lip: wip* und gibt dabei jedesmal dem Wort *lip* einen anderen Sinn. An dieser Weise des Verknüpfens hatte Morungen eine besondere Freude, bei dem das Ästhetische am üppigsten entfaltet wurde. In seinem 28. Lied beginnt er mit einem sechsfachen Reim *(verwunt: grunt: kunt: munt: stunt: gesunt)* und wandelt ihn dann zu einem vierfachen grammatischen Reim ab *(munde: stunde: gesunde: grunde)*. Selbst Reimar, der sonst sehr enthaltsam ist, hat sich diesen Künsten nicht entzogen (Nr. 38).

Die alte Langzeile und ihre rhythmischen Bewegungsfreiheiten sind zurückgetreten. Die Langzeile entsprach mehr einem monumentalen Stil und nicht der Anmut, um die sich das Lied nun bemüht. Sie hatte eine große Tragfähigkeit und gab den Zeilen genügend Raum für die Aufnahme selbständiger Sätze. Sie wird von kürzeren Zeilenformen abgelöst (soweit sich nicht der romanische Zehnsilber durchsetzt), die für einen selbständigen Satz nicht genügend Atem haben und schon darum zum Weiterlaufen der syntaktischen Bewegung einladen müssen. Sie folgen so aufeinander, daß der Sprechende in seinem Gang nicht aufgehalten wird. Es gehört zum Geiste, daß er ins Weite drängt und sich nicht in den

Raum einer Zeile einfügt wie ein knapper Erfahrungssatz. Es kommt ja nun auf die Beziehungen an, die die Glieder miteinander verknüpfen. Schon Hausen kann Sätze entwerfen, die fast den Raum einer ganzen Strophe füllen (Nr. 3 IV; Nr. 11 I). Was in der Sphäre des Reimes als Wille zur größeren Einheit erkennbar wird, das erscheint auch in der weitausgreifenden Bewegung der Sätze.

Die Zeilen sind nicht mehr ein Rahmen für verschiedene rhythmische Bewegungsarten, sondern in ihrem rhythmischen Wert nunmehr eindeutig festgelegt. Wer sich für eine Zeilenform entscheidet, hat sich auch schon für einen bestimmten Rhythmus entschieden. Das bedeutet aber, daß die Sprache nicht mehr unmittelbar im Rhythmus zum Ausdruck kommt und der Vers nicht mehr eigentlich Ausdrucksbewegung sein kann. Er ist nunmehr ein Bestandteil der festen Form. Damit drohte die Gefahr der Eintönigkeit. Aber auf andere Weise wird die Möglichkeit zur Abwechslung zurückgewonnen, die früher dem Verse als solchem eigen war: immer neue Versformen treten auf. Als weiträumige Zeilenform erscheint nach romanischem Vorbild der Zehnsilber, der noch verschiedener rhythmischer Werte fähig sein kann (vgl. Fenis und Gutenburg), bis er auf gleichmäßigen (steigenden oder fallenden) Rhythmus mit zweisilbigen Takten oder auf bewegten Rhythmus mit dreisilbigen Takten festgelegt wird. Der Viertakter wird zu längeren Zeilenformen gedehnt oder in kürzere Zeilenformen aufgeteilt. Unruhig wird das metrische Bild, wenn sie miteinander wechseln wie vor allem bei Morungen, der die Mannigfaltigkeit besonders liebt. Zwei-, Vier- und Sechstakter können in einem dreizeiligen Stollen sich ablösen (Morungen Nr. 5). Selbst verschiedene Gangarten können sich zu einem vielfältigen rhythmischen

Gebilde verbinden und so mit metrischen Mitteln die seelische Unruhe zum Ausdruck bringen, die den Dichter befiel (Morungen Nr. 26). Was früher die Zeile selber durch ihre rhythmische Vieldeutigkeit leisten konnte, wird nun durch den Einsatz verschiedener metrischer Mittel erreicht.

Wir geben unserem Geleit zuletzt einen Ausblick mit auf die Rolle der Landschaften, die an dem dichterischen Geschehen auf verschiedene Weise beteiligt waren. Der Erfahrungsstil hat im deutschen Südosten seine eigentliche Heimat. Hier ist der Kürenberger zu Hause und nicht weit von ihm Dietmar von Eist. Sie gestalten noch aus einem gliedhaften Weltgefühl, das sich erst bei Dietmar zu lockern beginnt. Sie suchen das selbstverständliche Miteinander von zwei Partnern, die sich in der eigentümlich deutschen Form des Wechsels zueinander wenden können, weil sie ihrer wechselseitigen Zugehörigkeit gewiß sind. Sie prägen die innere Form des frühen Liedes aus und lieben die Langzeile als bodenständige Form. Aber der Erfahrungsstil muß eine gesamtdeutsche Möglichkeit gewesen sein. Wir treffen ihn auch bei den Schwaben an (Rucke, Hartmann); selbst bei Hausen bricht er in den späten Liedern durch, nachdem ihm in der Fremde der Wert der Heimat aufgegangen war, und sogar im alten lotharingischen Raum, dem Veldeke entstammt, in größter Nähe romanischer Lyrik, muß er da gewesen sein. Der Wechsel, die kennzeichnende Gattung des Erfahrungsstiles, taucht je einmal bei Veldeke und Hausen, den Bahnbrechern der neuen Lyrik, auf.

Um so wichtiger und folgenreicher war es, daß sich dann das Lied mit Hausen zu einem neuen Stil entschied. Bei ihm bekunden sich das neue Weltgefühl und die neue Situation des Menschen zuerst überzeugend. Er durchlebt in allen Lagen die Fremdheit, die mit der Stellung des Menschen in der Gesellschaft gegeben ist, und entdeckt die Freiheit des Geistes, der sich in Unabhängigkeit von aller Erfahrung über die Grenzen von Raum und Zeit hinwegsetzen kann. Er begründet eine neue Sprache, die auf alle Nachfolger eingewirkt hat, und (in vielem gemeinsam mit Veldeke) eine neue Formkunst, die dem Gedicht mit den Mitteln der Form ein eigenes Dasein verleiht. Was er denkt und dichtet, hält engste Fühlung mit der benachbarten romanischen Lyrik, die ihm auf seinen Reisen vertraut werden mußte. Zeuge dafür ist im äußersten Südwesten Fenis, der provenzalische Lieder einzudeutschen versucht und in allem Haltung und Stil von Hausen teilt. Beide aber zeugen gemeinsam dafür, daß die Grenzen der Völker für das abendländische Rittertum keine Schranken waren. Wohl waren beide als Dichter des Westens dem Romanischen am nächsten gerückt, aber sie nahmen nur auf, was einem eigenen Antrieb entsprach. Auf der Ebene des Dichtens, auf der sie stehen, haben die nationalen Unterschiede viel von ihrer Bedeutung verloren. In Morungen haben sie einen Gefährten, der dem Provenzalischen wahlverwandter war als irgendein Deutscher der Zeit. Die Gesellschaft des Rittertums, die zum Träger einer eigenen weltlichen Kultur wurde, ist eine Erscheinung des ganzen Abendlandes. Ihrem Wesen nach entsprach sie mehr der Anlage des französischen als des deutschen Menschen. Sie wollte die eigentliche Darstellung des Menschen sein. Der Franzose konnte sich in ihrem Grundverhalten, das den anderen in sicherndem Abstand hielt, vollendet ausgedrückt finden, und die größten Zeiten der französischen Dichtung sind darum Zeiten der Gesellschaft gewesen. Der Deutsche aber konnte sie nur mit Vorbehalt anerkennen. Nachdem sie bei Reimar, der aus dem Westen (Elsaß) nach dem Südosten als Bote herüberkam, zur Grundlage einer Lyrik geworden war, die in ihrem strengen Willen zur Grenze und zum Verzicht auf die Fülle des Lebens und der Form doch eine deutsche Liedkunst wurde, machte sich bei Walther als dem Sprecher des Südostens der deutsche Vorbehalt geltend. Er ging durch die Fremdheit und den Gedankenstil hindurch und vermochte dann die Gewinne des neuen Stiles mit dem Erbe des Erfahrungsstiles zu versöhnen. Er bedeutet nach dem Vorspiel im Südosten und dem Zwischenspiel des Westens einen vorläufigen Abschluß der lyrischen Entfaltung. In seiner Leistung sind beide enthalten und zugleich überwunden. Darum schließt mit ihm und Wolfram unsere Sammlung der frühen Liebeslyrik ab.

NAMENLOSE

1. *Mädchenreigen*

59,1 „Swaz hie gat umbe
daz sint alle megede,
die wellent an man
alle disen sumer gan.“

2. *Mahnung*

37,18 „So wol dir, sumerwunne!
daz vogelsanc ist geswunden;
37,20 als ist der linden ir loup.
jarlanc truobent mir ouch
miniu wol stenden ougen.
min trut, du solt dih gelouben
anderre wibe;
25 wan, helt, die solt du miden.
do du mich erst sahe
do duhte ich dich zeware
so rehte minneclich getan:
des mane ich dich, lieber man.“

3. *Der Falke*

37,4 Ez stuont ein frouwe alleine
und warte uber heide
und warte ir liebes;

37,7 so gesach si valken fliegen.
„so wol dir, valke, daz du bist!
du fliugest swar dir liep ist:
37,10 du erkiusest dir in dem walde
einen boum der dir gevalle.
also han ouch ich getan:
ich erkos mir selbe einen man,
den erwelton miniu ougen.
37,15 daz nident schoene frouwen.
owe, wan lant si mir min liep?
Joch engerte ich ir dekeiner trutes niet.“

DER VON KÜRENBERG

1. Schmerzlicher Rückblick der Frau

7,[19] „Leit machet sorge vil liebe wünne.
eines hübschen ritters gewan ich künde.
daz mir den benomen hant die merker und ir nit,
[25]/[26] des mohte mir min herze nie fro werden sit."

2. Falkenlied

8,[33] „Ich zoch mir einen valken mere danne ein jar.
do ich in gezamete, als ich in wolte han,
9,[1]/[2] und ich im sin gevidere mit golde wol bewant,
er huop sich uf vil hohe und floug in anderiu lant."

[5]/[6] „Sit sach ich den valken schone fliegen:
er fuorte an sinem fuoze sidine riemen,
und was im sin gevidere alrot guldin.
got sende si zesamene die gerne geliep wellen sin!"

3. Unerreichbar

8,[25] „Ez hat mir an dem herzen vil dicke we getan
daz mich des geluste des ich niht mohte han
noch niemer mac gewinnen. daz ist schedelich.
jone meine ich golt noch silber: ez ist den liuten gelich."

4. Verlangen und Abwehr

8,1 „Ich stuont mir nehtint spate   an einer zinnen.
do horte ich einen ritter   vil wol singen
in Kürenberges wise   al uz der menigin.
er muoz mir rumen diu lant,   ald ich geniete mich sin."

9,29 Nu brinc mir her vil balde   min ros, min isengewant,
wan ich muoz einer frouwen   rumen diu lant.
diu wil mich des betwingen   daz ich ir holt si.
si muoz der miner minne   iemer darbende sin.

5. Gezähmte Frau

10,17 Wip unde vederspil   diu werdent lihte zam:
swer si ze rehte lucket,   so suochent si den man.
als warb ein ritter schone   umb eine frouwen guot.
als ich dar an gedenke,   so stet wol hohe min muot.

6. Zartes Werben

10,9 Aller wibe wünne   diu get noch megetin.
als ich an si gesende   den lieben boten min,
jo wurbe ichz gerne selbe,   waer ez ir schade niet.
in weiz wiez ir gevalle: mir wart nie wip also liep.

7. Lebensgemeinschaft

9,21 Wip vil schoene,   nu var du sam mir.
lieb unde leide   daz teile ich sant dir.
die wile unz ich daz leben han,   so bist du mir vil liep.
wan minnestu einen boesen,   des engan ich dir niet.

8. *Kein Scheiden*

7,[1] „Vil lieber friunt, scheiden daz ist schedelich;
swer sinen friunt behaltet, daz ist lobelich.
die site wil ich minnen.
bit in daz er mir holt si, als er hie bi vor was,
und man in waz wir redeten, do ich in ze jungeste sach.“

[10] Wes manest du mich leides, min vil liebe liep?
unser zweier scheiden müez ich geleben niet.
verliuse ich dine minne,
so laze ich die liute harte wol entstan,
daz min fröide ist der minnist under allen anderen man.

9. *Trennung*

9,[13] „Ez gat mir vonme herzen daz ich geweine.
ich und min geselle müezen uns scheiden.
daz machent lügenaere. got der gebe in leit!
der uns zwei versuonde, vil wol des waere ich gemeit.“

10. *Warnung*

10,[1] Der tunkel sterne sam der birget sich,
als tuo du, frouwe schoene, so du sehest mich.
so la du diniu ougen gen an einen andern man.
son weiz doch lützel ieman wiez undr uns zwein ist getan.

11. *Die einsame Frau*

8,[17] „Swenne ich stan aleine in minem hemede,
und ich an dich gedenke, riter edele,
so erblüet sich min varwe als der rose an dorne tuot,
und gewinnet daz herze vil manigen trurigen muot.“

MEINLOH VON SEVELINGEN

1. Erste Begegnung: Der Ruhm der Frau

11,1 Do ich dich loben horte, do hete ich dich gerne erkant.
durch dine tugende manige fuor ich ie welnde, unz ich dich vant.
11,5/6 daz ich dich nu gesehen han, daz enwirret dir niet.
er ist vil wol getiuret, den du wilt, frouwe, haben liep.
9/10 du bist der besten eine, des muoz man dir von schulden jehen.
so wol den dinen ougen!
diu kunnen swen si wellen an vil güetlichen sehen.

2. Preis und Unterwerfung

15,1 Vil schoene unde biderbe, dar zuo edel unde guot,
so weiz ich eine frouwen: der zimet wol allez daz si tuot.
ich rede ez umbe daz niht, daz mir got die saelde habe gegeben,
deich ie mit ir geredete oder ir nahe si gelegen;
9/10 wan daz min ougen sahen rehte die warheit.
si ist edel unde ist schoene, in rehter maze gemeit.
ich gesach nie eine frouwen diu ir lip schoner künde han.
15 durch daz wil ich mich flizen,
swaz sie gebiutet, daz daz allez si getan.

3. Botenauftrag: Die Verwandlung

11,14 Dir enbiutet sinen dienest dem du bist, frouwe, als der lip.
er heizet dir sagen zeware, du habest im elliu andriu wip
benomen uz sinem muote, daz er gedanke ir niene hat.
20/21 nu tuoz durch dine tugende und enbiut mir etes-lichen rat.
du hast im vil nach bekeret beidiu sin unde leben:
er hat dur dinen willen
25/26 eine ganze fröide gar umbe ein truren gegeben.

4. Erster Rat: Dienst an edlen Frauen

12,1 Swer werden wiben dienet, der solde saeleclichen varn,
ob er sich wol ze rehte gegen in künne bewarn.
5/6 so muoz er under wilen seneliche swaere tragen
verholne in dem herzen; er sol ez niemanne sagen.
9/10 swer biderber dienet wiben, diu gebent alsus getanen solt.
ich waene, unkiuschez herze
wirt mit ganzen triuwen werden wiben niemer holt.

5. Selbstgefühl: Abhängigkeit von der Frau

12,27 Ich lebe stolzliche, in der werlte ist niemanne baz.
ich trure mit gedanken: niemen kan erwenden daz,
ez tuo ein edeliu frouwe, diu mir ist als der lip.
ich gesach mit minen ougen nie baz gebaren ein wip.
35/36 des ist si guot ze lobenne: an ir ist anders wandels niht.
den tac den wil ich eren
iemer durch ir willen, so si min ouge ane siht.

6. Bekenntnis zur Frau: Ihr Wert

13,1 Ich bin holt einer frouwen: ich weiz vil wol umbe waz.
sit ich ir begunde dienen, sie geviel mir ie baz und ie baz.
5/6 ie lieber und ie lieber so ist si zallen ziten mir,
ie schoener und ie schoener: vil wil gevallet si mir.
9/10 si ist saelic zallen eren, der besten tugende pfliget ir lip.
sturbe ich nach ir minne
und wurde ich danne lebende, so wurbe ich aber umb daz wip.

7. Bekenntnis der Frau

13,27/28 „Mir erwelten miniu ougen einen kindeschen man.
daz nident ander frouwen: ich han in anders niht getan,
wan obe ich han gedienet daz ich diu liebeste bin.
dar an wil ich keren min herze und allen den sin.
35/36 swelhiu sinen willen hie bevor hat getan,
verlos si in von schulden,
der wil ich nu niht wizen, sihe ichs unfroelichen stan.“

8. Die Frau spricht: Gegen die „Merker“

13,14/15 „So we den merkaeren! die habent min übele gedaht:
si habent mich ane schulde in eine groze rede braht.
si waenent mir in leiden, so si so runent under in.
20/21 nu wizzen algeliche daz ich sin friundinne bin;
ane nahe bi gelegen: des han ich weizgot niht getan.
staechens uz ir ougen,
25/26 mir ratent mine sinne an deheinen andern man.“

9. Zweiter Rat: Wert der Verschwiegenheit

14,[14] Dri tugende sint in dem lande; swer der eine kan began,
der sol stille swigen und sol die merkaere lan
reden swaz in gevalle: so ist er guot frouwen trut;
20/21 so mac er vil wol triuten sweder er wil stille oder lut.
der da wol helen kan, der hat der tugende aller meist.
24/25 er ist unnütze lebende, der allez gesagen wil daz er weiz.

10. Dritter Rat: Schnelle Liebe

12,[14] Ez mac niht heizen minne, der lange wirbet umbe ein wip.
die liute werdents inne, und wirt zerfüeret dur nit,
unde staeter friuntschaft machetz wankelen muot.
20/21 wan sol ze liebe gahen! deist für die merkaere guot;
daz es iemen werde inne, e ir wille si ergan.
so sol man si triegen.
da ist gnuogen ane gelungen, die daz selbe hant getan.

11. Klage der Frau

4,[1] ,,Diu linde ist an dem ende nu jarlanc lieht unde bloz.
mich vehet min geselle: nu engilte ich des ich nie genoz.
5/6 vil ist unstaeter wibe: die benement im den sin.
got wizze wol die warheit, daz i'm diu holdeste bin.
9/10 si enkunnen niewan triegen vil menegen kindeschen man.
owe mir siner jugende! diu muoz mir al ze sorgen ergan.'

12. Nach der Trennung: Sommerbotschaft des Mannes

14,1 Ich sach boten des sumeres: daz waren bluomen also rot.
weistu, schoene frouwe, waz dir ein ritter enbot?
5/6 verholne sinen dienest. im wart liebers nie niet.
im truret sin herze, sit er nu jungest von dir schiet.
9/10 nu hoehe im sin gemüete gegen dirre sumerzit!
fro enwirt er niemer,
e er an dinem arme so rehte güetliche gelit.

13. Nach der Rückkehr: Bereitschaft der Frau

14,26 „Ich han vernomen ein maere, min muot sol aber hohe stan:
wan er ist komen ze lande, von dem min truren sol
30/31 mines herzen leide si ein urlop gegeben. zergan
mich heizent sine tugende, daz ich vil staeter minne pflege.
34/35 ich gelege mir in wol nahe, den selben kindeschen man.
so wol mich sines komenes! wie wol er frouwen dienen kan!“

DER BURGGRAF VON REGENSBURG

1. Treubekenntnis der Frau

16,1/2 ,,Ich bin mit rehter staete einem guoten riter undertan.
wie sanfte daz mim herzen tuot, swenn ich in umbevangen han!
16,5 der sich mit manegen tugenden guot
gemachet al der werlde liep, der mac wol hohe tragen den muot.“

2. Einsam

6,15/16 Ich lac den winter eine. wol troste mich ein wip.
vür si mir fröide gunden die bluomen und diu sumerzit.
daz niden merkaere! mir ist min herze wunt.
ezn heile mir ein frowe mit ir minne, ez enwirdet niemer me gesunt.

3. Trennung

;,23/24 ,,Nu heizent si mich miden einen ritter; ine mac.
7,1/2 swenn ich dar an gedenke daz ich so guotlichen lac
verholne an sinem arme, daz tuot mir senewe.
von im ist ein alse unsanftez scheiden; des mac sich min herze wol entsten.“

4. Trotzdem

,8/9 ,,Sine mugen alle mir benemen den ich mir lange han erwelt
ze rehter staete in minem muote, der mich vil maneges liebes went.
und laegen si vor leide tot,
ich wil im iemer wesen holt. si sint betwungen ane not.“

DIETMAR VON EIST

1. Im Frühling

33,15/16 Ahi, nu kumet uns diu zit, der kleinen vogelline sanc.
ez gruonet wol diu linde breit, zergangen ist der winter lanc.
nu siht man bluomen wol getan: an der heide üebent sie ir schin.
des wirt vil manic herze fro; des selben troestet sich daz min.

23/24 Ich bin dir lange holt gewesen, frouwe biderbe unde guot.
wie wol ich daz bestatet han! du hast getiuret mir den muot.
swaz ich din bezzer worden si, ze heile muoz ez mir ergan.
29/30 machestu daz ende guot, so hast duz allez wol getan.

2. Botschaft an die Frau und ihre Antwort

32,13/14 Seneder friundinne bote, sage nu dem schoenen wibe:
daz tuot mir ane maze we daz ich si so lange mide.
lieber hete i'ir minne
dan al der vogele singen.
nu muoz ich von ir gescheiden sin;
32,20 truric ist mir al daz herze min.

„Nu sage dem ritter edele, daz er sich vil wol behüete,
3,1/2 und bite in schone wesen gemeit und lazen allez ungemüete.
ich muoz ofte engelten sin.
vil dicke erkumt daz herze min.
33,5 ane sehendes leides han ich vil,
daz ich im selbe gerne klagen wil.“

3. *Rechtfertigung der Frau*

33,7/8 Ez getet nie wip so wol an dekeiner slahte dinge,
daz al die werlt diuhte guot. des bin ich wol worden inne.
11 swer sin liep dar umbe lat,
daz kumt von swaches herzen rat.
dem wil ich den sumer und allez guot
widerteilen durch sin unstaeten muot.

4. *Trennung*

32,1 „Waz ist für daz truren guot, daz wip nach lieben manne hat?
gerne daz min herze erkande, wan ez so betwungen stat.“
3a also redete ein frouwe schoene.
3b „wie wol ichs an ein ende kaeme, wan diu huote.
selten sin vergezzen wirt in minem muote.“

32,5 „Genuoge jehent daz groziu staete si der beste frouwen trost.“
„des enmag ich niht gelouben, sit min herze ist unerlost.“
7a also redeten zwei geliebe,
7b do si von ein ander schieden: „owe minne,
der din ane möhte sin, daz waeren sinne“.

32,[9] „So al diu werlt ruowe hat, so mag ich eine entslafen niet.
daz kumt von einer frouwen schoene, der ich gerne
11a an der al min fröide stat. waere liep.
11b wie sol des iemer werden rat? joch waene ich sterben.
wes lie si got mir armen man ze kale werden?“

5. Erinnerung

34,[3]/[4] Uf der linden obene da sanc ein kleinez vogellin.
vor dem walde wart ez lut. do huop sich aber daz herze min
an eine stat, da'z e da was. ich sach da rosebluomen stan.
die manent mich der gedanke vil die ich hin zeiner frouwen han.

[11]/[12] „Ez dunket mich wol tusent jar, daz ich an liebes arme lac.
sunder ane mine schulde fremedet er mich manigen tac.
[15]/[16] sit ich bluomen niht ensach noch horte kleiner vogele sanc,
sit was al min fröide kurz und ouch der jamer alzelanc.“

6. Im Herbst: Bitte und Versicherung

37,[30]/[31] Sich hat verwandelt diu zit, des bin ich wol worden inne:
geswigen sint die nahtegal, si hant gelan ir süezez
und valwet obene der walt. singen,
38,[1] ienoch stet daz herze min in ir gewalt,
der ich den sumer gedienet han.
diu ist min fröide und al min liep; ich wil irs niemer abe gegan.

,23/24 Der al die werlt geschaffen hat, der gebe der lieben
noch die sinne,
daz si mich mit armen umbeva und mich von rehtem
27 mich dunkent anders frouwen guot: [herzen minne.
ich gewinne von ir dekeiner niemer hohen muot,
sin welle genade enzit began,
diu sich da sündet an mir, und ich ir vil gedienet han.

5/6 „Ich muoz von rehten schulden ho daz herze tragen
und al die sinne,
sit mich der aller beste man verholne in sime herzen
er tuot mir grozer sorgen rat. minne.
10 wie selten mich diu sicherheit geruwen hat!
ich wil im iemer staete sin.
er kan wol grozer arebeit gelonen nach dem willen min.“

7. Botenlied

8,14/15 Ich bin ein bote her gesant, frowe, uf mange dine güete.
ein ritter hat dich erwelt uz al der werlte in sin ge-
18 er hiez dir klagen sin ungemach, müete.
daz er ein senedez herze treit, sit er dich sach.
im tuot sin langez beiten we.
nu reden wirz an ein ende enzit, e im sin fröide gar
zerge.

8. Am Ziel

39,11 Wie möht min herze werden iemer rehte fruot,
daz mir ein edeliu frouwe so vil ze leide tuot!
der ich vil gedienet han,
als ir wille was getan.
39,15 nu wil si niht gedenken der mangen sorgen min.
so hoh owi!
sol ich ir lange fremede sin?

39,4 „Ja hoere ich vil der tugende sagen von eime ritter guot.
der ist mir ane maze komen in minen staeten muot,
daz ich sin ze keiner zit
mac vergezzen", redte ein wip.
„nu muoz ich al der werlte haben dur sinen willen rat.
so hoh owi!
39,10 wie schone er daz gedienet hat!

38,32 Nu ist ez an ein ende komen, dar nach min herze ie ranc,
daz mich ein edeliu frouwe hat genomen in ir getwanc.
der bin ich worden undertan
35 als daz schif dem stiurman,
39,1 swanne der wac sin ünde so gar gelazen hat.
so hoh owi!
si benimt mir mange wilde tat.

9. Tagelied

39,18 „Slafest du, friedel ziere?
man wecket uns leider schiere.
20 ein vogellin so wol getan,
daz ist der linden an daz zwi gegan."

„Ich was vil sanfte entslafen:
nu rüefest du, kint, wafen.
liep ane leit mac niht gesin.
25 swaz du gebiutest, daz leiste ich, friundin min."

Diu frouwe begunde weinen.
„du ritest und last mich eine.
wenne wilt du wider her zuo mir?
29 owe, du füerest min fröide sament dir!"

HEINRICH VON VELDEKE

1. Tristan-Liebe

58,[35] Tristrant muste ane sinen danc
stade sin der koninginnen,
59,[1] want poisun hem dar tu dwanc
mere dan di cracht der minnen.
des sal mich di gude danc
weten dat ich nine gedranc
5 sulic piment ende ich si minne
bat dan he, ende mach dat sin.
7/8 wale gedane, valsches ane,
la mich wesen din
10 ende wis du min.

Sint di sunne heren lichten schin
tut den kalden hevet geneiget
ende di cleine vogelin
heres sanges sin gesweiget,
15 trurech is dat herte min,
want et wele nu winter sin,
de uns sine cracht erzeiget
ane den blumen, di men sit
19/20 lichter varwe erbliken garwe;
dar ave mich geschit
leit ende lives nit.

2. Wünsche

58,[11] We mich scade ane miner vrouwen
deme wunsche ich des dorres rises

da di dive ane nemen ende.
we min dar ane scone in trouwen,
15 dem wunsche ich des paradises
ende valde heme mine hende.
vrage iman we si si,
de kenne si da bi:
het is di wale gedane.
20 genade, vrouwe, mich.
der sunnen an ich dich,
so schine mich der mane.

58,23 Wie min not gevuger ware,
so gewunne ich lif na leide
25 ende vroude manechvalde,
want ich weit vele live mare:
blumen springen ane der heiden,
vogele singen in den walde.
da wilen lach der sne,
30 da steit nu grune cle,
et douwet ane den morgen.
we wele de vrouwe sich.
niman ne node's mich:
ich bin unledech sorgen.

3. Froh und frei

57,10 „Ich bin vro, sint uns di dage
lichten ende werden lanc",
sprac ein vrouwe al sunder clage
vrilike ende ane al gedwanc.
„des segg ich minen gelucke danc,
15 dat ich ein sulic herte drage,
dat ich dore negeinen bosen dranc
ane miner blitscap nine verzage."

4. Verrat des Herzens

56,1 Het is gude nouwe mare
dat di vogele openbare
singen da men blumen sit.
tut den tiden in den jare
5 stunde't dat men blide ware;
leider des ne bin ich nit:
min dumbe herte mich verrit,
dat ich mut unsachte ende sware
dragen leit dat mich geschit.

10 Di sconeste ende di beste vrouwe
tuschen Roden ende Souwen
gaf mich blitscap hi bevoren.
dat is mich komen al te rouwen
dore dumpheit, niwet van untrouwen,
15 dat ich here hulde hebbe verloren
di ich ter bester hadde erkoren
ofte iman mocht ter werelt schouwen.
noch dan vorchte ich heren toren.

Al te hoge gerende minne
20 brachte mich al ut den sinne:
du ich here ougen ende munt
sach so wale stan ende her kinne,
du wart mich dat herte binnen
van so suter dumpheit wunt,
25 dat mich wisheit wart unkunt.
des bin ich wale worden inne
bit scaden sint te maneger stunt.

57,1 Dat quade wort het si verwaten
dat ich nine kunde laten,
du mich bedrouch min dumbe wan.

der ich was gerende uter maten,
5 ich bat here in der caritaten,
dat si mich muste al umbevan.
so vele ne hadde ich nit gedan,
dat si ein wenich uter straten
dore mich te unrechte wolde stan.

5. Abbruch des Spieles

57,18 „Mich hadde wilen te einen stunden
gedinet also wale ein man,
20 dat ich heme vele gudes unde;
des ich heme nu niwet an,
sint dat he den mut gewan,
dater eischen mich begunde
dat ich heme bat entseggen kan
25 dan he't ane mich gewerven kunde.

34 Ich wande dat'er hovesch ware:
des was ich heme van herten holt.
dat segge ich uch al openbare:
58,1 he isch mich al te riken solt,
57,37 — des is'er van mich ane scolt, —
58,2 des ich vele wale van heme entbare.
57,38 des drage ich mich ein gut gedolt:
39 mich is sin scade vele unmare.

58,3 He isch mich al te lose minne,
di ne vant'er ane mich nit.
5 dat quam van sinen cranken sinne,
want et heme sin dumpheit rit.
wat of heme scade dar ave geschit?
des brenge ich heme vele wale in inne,
dat he sin spil te unrechte ersit:
10 het breket ere he't gewinne."

6. Im April

62,25 In den aprillen so di blumen springen,
so louven di linden ende grunen di buken,
so hebben here willen di vogele ende singen,
sint si minne vinden, al da si si suken
33 an heren genot,
33/34 want here blitscap is grot, der mich nine verdrot,
35 want si swegen al den winter stille.

Du si ane den risen di blumen gesagen
38 bi den bladen springen, du waren si rike
63,2 here manechvalder wisen der si wilen plagen:
si huven here singen lude ende vrolike,
6 nedere ende ho.
6/7 min mut steit also dat ich wille wesen vro.
8 recht is dat ich min gelucke prise.

9 Mochte ich erwerven miner vrouwen hulde!
kunde ich di gesuken als't here getame!
ich sal noch verderven al van miner schulden,
si ne wolde geruken dat si van mich name
17 bute ane dot
17/18 up genade ende dore not, want et got nine gebot
19 dat negein man gerne solde sterven.

7. Das Kind und die Rute

63,20 God sende here te mude
dat si et meine te gude,
want ich vele gerne behude,
dat ich here spreke it te leide
ende immer van here gescheide.

25 mich binden so vaste di eide,
minne ende trouwe di beide:
des vorchte ich si also dat kint di rude.

8. *Zuversicht im Winter*

64,26 Het hebben di kalde nechte gedan
dat di louvere ane der linden
winterlike vale stan.
der minnen hadde ich guden wan
30 ende weit es nu ein live ende:
dat't mich ten besten sal ergan
da ich di minne gude vinde
ende ich mich here alda underwinde.

9. *Guter Dienst und eine Freude*

67,33 We wale gedinen ende erbeiten mach,
dem ergeit et wale te gude.
dar ane gedachte ich manegen dach.
68,1 got weit, sint ich si aller erst gesach,
ich dinde here mit suliken mude
dat ich twivels nine geplach.
lonet michs di gude,
5 wir twe bedrigen unse hude.

Ware ich unvro, sint dat et mich also steit,
dat ware unrecht ende wunder,
want al min leit te live ergeit.
di minne is di min herte al umbeveit.
10 da ne is nit dorperlikes under,
mare blitscap di den rouwe sleit.
des bin ich di gesunder:
rouwe is mich i lanc unkunder.

10. Erfüllung

59,23 In den tiden van den jare
dat di dage werden lanc
25 ende dat weder weder clare,
so ernouwen openbare
merelare heren sanc,
di uns brengen live mare.
gode machs her weten danc
30 de hevet rechte minne
sunder rouwe ende ane wanc.

Ich wil vro sin dore here ere
di mich hevet dat gedan
dat ich van den rouwen kere,
35 de mich wilen irde sere.
dat is mich nu also ergan:
ich bin rike ende grote here
60,1 sint ich muste al umbevan
di mich gaf rechte minne
sunder wic ende ane wan.

Di mich drumbe willen niden
5 dat mich lives it geschit,
dat mach ich vele sachte liden;
mine blitscap nit vermiden
wille ich drumbe ende nit
na gevolgen den unbliden,
10 sint dat si mich gerne sit
di mich dore rechte minne
lange pine dolen lit.

11. Gegen Mißgunst

61,9 Des bin ich getrost te mere
dat di nidegen mich niden.

nit ende alle bose lere
mute hen in dat herte sniden
dat si sterven des di ere.
ich wille leven bit den bliden,
15 di here tit vrolike liden.

12. Freude in Ehren

60,13 „De blitscap sunder rouwe entfeit
bit eren, he is rike.
dat herte da der rouwe in steit,
dat levet jamerlike.
he is edel ende vrut:
18/19 we bit eren kan gemeren
sine blitscap, dat is gut.“

21 Di scone di mich singen dut,
si sal mich spreken leren.
dar ave ne kan ich minen mut
noch wille ich hen gekeren.
si is edel ende vrut:
26/27 we bit eren kan gemeren
sine blitscap, dat is gut.

13. Sommergruß

65,28 Alse di vogele blidelike
den somer singende entfan
ende der walt is louves rike
ende di blumen scone stan,
so is der winter al vergan.
min recht is dat ich here wike
der min herte stadelike
35 van minnen i was underdan.

14. *Reine Minne*

61,[33] So we der minnen is so vrut
dat he der minnen dinen kan,
ende he dore minne pine dut,
wale heme, de is ein salech man.
62,[1] van minnen komet uns al gut,
di minne maket reinen mut:
wat solde ich ane minne dan?

Di scone minne ich ane wanc;
5 ich weit wale here minne is clar.
of mine minne is valsch ende cranc,
so ne wirt ouch nimmer minne war.
ich segge here miner minnen danc,
bi here minnen steit min sanc.
10 he is dump deme minne dunket swar.

15. *Der Wächter schlägt sich selbst*

65,[21] So we den vrouwen settet hude,
de dut dat dicke ovele steit.
vele manech man de dreget di rude
da he sich selven mede sleit.
25 so we ten bosen seden veit,
de geit vele dicke unvro bit irren mude.
des ne pleget nit der wise ende vrude.

16. *Erlöse uns von den Bösen!*

60,[29] In den tiden dat di rosen
erzeigen manech scone blat,
so vluket men den vroudelosen

di wrugere sin an maneger stat,
want si der minnen sin gehat
ende di minne gerne nosen.
35 van den bosen mute got uns losen!

17. *Der Hase und der Windhund*

64,1 Si dede mich, du si michs unde,
vele te live ende ouch te gude,
dat ich noch te maneger stunden
singe also michs wirt te mude.
5 sint ich sach dat si di hude
also bedrigen kunde
als der hase dut den wint,
so ne gesorget nimmer sint
umbe mich des sunes dochterkint.

18. *Ein Schrein von Gold*

64,10 Gerne hedde ich bit here gemeine
dusent marke, war si wolde,
ende einen scrin van golde,
dan ich van here wesen solde
verre siec ende arm ende eine.
15 des sal si van mich sin gewis
dat dat di warheit ane mich is.

19. *Birnen auf Buchen*

65,5 Men darf den bosen niwet vluken:
hen wirt dicke unsachte we,
want si warden ende luken

alse de sprenket in den sne.
des sin si vele di mere ve.
doch ne darf es niman ruken,
11/12 want si suken peren op den buken.

20. Verfall der Minne

61,18 Du men der rechten minnen plach,
du plach men ouch der eren.
nu mach men beide nacht ende dach
di bose seden leren.
we dit nu sit ende dat du sach,
owe wat de nu clagen mach!
doget wele sich verkeren.

25 Di man ne sin nu niwet vrut,
want si di vrouwen schelden.
doch sin si dar integen gut,
dat si 't hen nit vergelden.
so we si schildet, de misdut
30 da he sich bi generen mut;
de pruvet selve melden.

21. Dank

67,25 Di wilen horden minen sanc,
ich wille dat si michs weten danc
stadelike ende ane wanc.
di i geminden ofte noch minnen,
di sin vro in manegen sinnen.
30 des di dumbe nine beginnen,
want si di minne nine noch dwanc
noch here herte ne rachte binnen.

22. *Salomo*

66,[16] Di minne di dwanc Salomone,
de was der aller wiste man
de i gedruc koninges crone.
wi mochte ich mich erweren dan
20 si ne dwunge ouch mich geweldechlike,
sint dat si suliken man verwan
de was so wise ende ouch so rike?
den solt hebbe ich van here te lone.

23. *Mond und Sonne*

64,[34] Di noch nine sin verwunnen
van minnen also ich nu bin,
di ne mogen noch ne kunnen
65,[1] nit wale gemerken minen sin.
ich hebbe minne al da begunnen
da mine minne schinet min
dan der mane schine bi der sunnen.

24. *Der sterbende Schwan*

66,[9] Di minne bidde ich ende mane
di mich hevet verwunnen al,
dat si di scone da tu spane
dat si mere min geval.
want geschit mich alse den swanen
de singet alse'r sterven sal,
15 so verluset si te vele dar ane.

25. *Schöne Worte aus trübem Gemüt*

66,[24] Scone wort bit suten sange
di trosten dicke swaren mut.

di mach men gerne halden lange,
want si sin uns altos gut.
ich singe bit vele druven mude
der sconen vrouwen ende guden.
30 up heren trost ich wilen sanc:
si hevet mich mistrost, des is te lanc.

Here stunde bat dat si mich troste
dan ich dore si gelage dot;
want si mich wilen ere erloste
35 ut maneger angestliker not.
67,1 als si't gebutet, ich erdode,
mare idoch so sterve ich node.
‹hebbe ich an here noch guden trost,
ich sal van allen sorgen sin erlost.›

26. Fern vom Rhein

64,17 Het dun di vogele schin
dat si di boume sin geblut.
19a here sanc de maket mich den mut
19b/20 so gut, dat ich bin vro
noch trurech nine kan sin.
got ere si di mich dat dut
also verre over Rin,
dat si der sorgen mich gebut
25 alda min lif ellenden mut.

27. Herbstliche Welt

65,13 Di tit di is erclaret wale,
des ne is idoch di werelt nit,
want si druve is ende vale,
de te rechte si besit.

di here volgen di ergin
dat si bose i lanc so mere;
want si der minnen avetin
20 di here dinden wilen ere.

28. Sittenlose Welt

61,1 Di werelt is der lichtecheide
al te rumelike balt,
harde cranc is here geleide,
dat der minnen dut gewalt.
5 di losheit di men wilen scalt,
di is unversumet,
ende wege manechvalt
sin here wale gerumet.

29. Neues Zinn statt altem Gold

62,11/12 Men seget vorwar nu manech jar,
di wif di haten grawe har.
dat is mich vele swar
15 ende is here mispris
di liver hevet heren amis
dump dan wis.

18/19 Des mere noch min dat ich gra bin, —
20 ich hate ane wiven cranken sin,
dat si nouwe tin
nemen vor alt golt.
si gin si sin den jungen holt
dore ungedolt.

FRIEDRICH VON HAUSEN

1. Schmerz und Treue

Erste Variation

49,37 Ich sihe wol daz got wunder kan
von schoene würken uz wibe.
50,1 daz ist an ir wol schin getan,
wan er vergaz niht an ir libe.
den kumber den ich des lide,
den wil ich iemer gerne han,
5 zediu daz ich mit ir belibe
und al min wille süle ergan.
min frowe sehe waz si des tuo:
da stat dehein scheiden zuo.

Si gedenke niht deich si der man,
10 der si ze kurzen wilen minne.
ich han von kinde an si verlan
daz herze min und al die sinne.
ich wart an ir nie valsches inne,
sit ich si so liep gewan.
15 min herze ist ir ingesinde
und wil ouch staete an ir bestan.
min frowe sehe waz si des tuo:
da stat dehein scheiden zuo.

2. Umwertung

43,28 An der genade al min fröide stat,
da enmac mir gewerren noch huote noch nit.
30 mich enhilfet min dienest noch friunde rat

und daz si mir ist liep sam min selbes lip.
mir erwendet ir hulde nieman wan si selbe;
si tuot mir alleine deich kumber muoz tragen.
warumb sold ich dan von den merkaeren klagen,
43,35 nu ich ir huote also lützel engelde?

Manigen herzen von huote ist we
unde jent, ez si in ein angstlichiu not;
so engerte daz mine aller richheit niht me
wan müese ez si liden unz an minen tot.
44,1 wer möhte han groze fröide ane kumber?
nach solher swaere rang ich alle zit:
done mahte ich leider niht komen in nit.
des hat gelücke getan an mir wunder.

5 Einer swaere muoz ich leider aenic sin,
die doch erfürhtet vil manc saelic man:
unbetwungen von huote ist daz herze min;
mir ist leit daz ich von ir den fride ie gewan,
wande ich wolde die not iemer güetliche liden,
10 hete ich von schulden verdienet den haz.
nit umbe ir minne daz taete mir baz,
danne ich si beide sus muoz lan beliben.

3. Vom Sinn der Huote

50,19 Ich lobe got der siner güete,
daz er mir ie verlech die sinne,
daz ich si nam in min gemüete,
wan si ist wol wert, daz man si minne.
noch bezzer ist daz man ir hüete,
dan iegelicher sinen willen
25 spraeche, daz si ungerne horte
und mir die fröide gar zerstorte.

Doch bezzer ist daz ich si mide,
dan si ane huote waere
und ir deheiner mir ze nide
0,30 spraeche, des ich gerne enbaere.
ich hans erkorn uz allen wiben;
si enlaze ich niht durch die merkaere.
frömed ich si mit den ougen,
si minnet doch min herze tougen.

35 Min lip was ie unbetwungen
und doch gemuot von allen wiben;
alrerste han ich rehte befunden
waz man nach liebem wibe lide.
51,1 daz ich muoz ze manigen stunden
der besten frowen eine miden,
des ist min herze dicke swaere,
als ez mit fröiden gerne waere.

5 Swie dicke so ich lobe die huote,
deswar ez wart doch nie min wille,
daz ich in iemer in dem muote
wurde holt, die dar die sinne
gewendet hant, daz si der guoten
10 entpfrömden wellent staete minne.
deswar, tuon ich in niht mere,
doch friesche ich gerne al ir unere.

4. Die Liebeswunde

9,13 Mir ist daz herze wunt
und siech gewesen nu vil lange
15 — deis reht, wan ez ist tump —,
sitz eine frowen erst bekande.

der keiser ist in allen landen,
kust er si zeiner stunt
an ir vil roten munt,
49,20 er jaehe, ez waere im wol ergangen.

Sit ich daz herze han
verlazen an der besten eine,
des sol ich lon enpfan
von der selben diech da meine.
25 swie selten ich ez ir bescheine,
so bin ichz doch der man,
der ir baz heiles gan,
dan in der werlte lebe deheine.

Wer möhte mir den muot
30 getroesten wan ein schoene frowe,
diu minem herzen tuot
leit diu nieman kan beschouwen?
dur not so lide ich den rouwen,
wan sichz ze hohe huop.
35 wirt mir diu Minne unguot,
so sol ir niemer man voltrouwen.

5. Schmerz und Treue

Zweite Variation

51,13 Sich möhte unwiser man verwüeten
von sorgen der ich manige han.
swie ich mich noch da vor behüete,
15 so hat got wol ze mir getan,
sit er mich niht wolte erlan,
ich naeme si in min gemüete.
joch engilte ich alze sere ir güete

20 und ouch der schoene die si hat.
lit ich daz si an mir begat
durch got, der sele wurde rat.

Mich kunde nieman des erwenden,
in welle ir wesen undertan.
25 den willen bringe ich an min ende,
swie si habe ze mir getan.
sit ich des boten niht enhan,
so wil ich ir diu lieder senden.
vert der lip in ellende,
30 min herze belibet da.
daz suoche nieman anderswa;
ez kunde ir niemer komen ze na.

6. Frauendienst und Gottesdienst

45,37 Si darf mich des zihen niet,
ichn hete si von herzen liep.
46,1 des mohte si die warheit an mir sen,
und wil sis jen.
ich quam dicke in so groze not,
daz ich den liuten guoten morgen bot
5 engegen der naht.
ich was so verre an si verdaht,
daz ich mich underwilent niht versan
swer mich gruozte; ich sin niht verstan.

Min herze unsanfte sinen strit
10 lat den ez nu manige zit
behabet wider daz aller beste wip,
der ie min lip
muoz dienen, swar ich iemer var.
ich bin ir holt: swenn ich vor gote getar,

15 so gedenke ich ir.
daz ruoche ouch er vergeben mir:
wan ob ich des sünde süle han,
wie geschuof er si so rehte wol getan?

Mit grozen sorgen hat min lip
20 gerungen alle sine zit.
ich hate liep daz mir vil nahe gie;
dazn liez mich nie
an wisheit keren minen muot.
daz was diu Minne diu noch manigen tuot
25 daz selbe klagen.
nu wil ich mich an got gehaben;
der kan den liuten helfen uz der not.
nieman weiz wie nahe im ist der tot.

Einer frowen was ich undertan,
30 diu ane lon min dienest nam.
von der enspriche ich niht wan allez guot,
wan daz ir muot
wider mich zunmilte ist gewesen.
vor aller not so wande ich sin genesen,
35 do sich verlie
min herze uf genade an sie,
der ich da leider funden niene han.
nu wil ich dienen dem der lonen kan.

Ich quam von minne in kumber groz,
40 des ich doch selten ie genoz.
47,1 swaz schaden ich da von gewunnen han,
so friesch nie man
daz ich ir iht spraeche wan guot,
noch min munt von frowen niemer getuot.
5 doch klage ich daz

daz ich so lange gotes vergaz;
den wil ich iemer vor in allen haben
und in da nach ein holdez herze tragen.

7. *Auf fernem Ritt*

51,33 Ich denke under wilen,
ob ich ir naher waere,
waz ich ir wolte sagen.
daz kürzet mir die milen,
52,1 swenn ich ir mine swaere
so mit gedanken klage.
mich sehent manige tage
die liute in der gebaere,
5 als ich niht sorgen habe,
wan ichs also vertrage.

Het ich so hoher minne
mich nie underwunden,
min möhte werden rat.
10 ich tet ez ane sinne:
des lide ich zallen stunden
not diu mir nahe gat.
min staete mir nu hat
daz herze also gebunden,
15 daz siz niht scheiden lat
von ir, als ez nu stat.

Ez ist ein groze wunder:
diech aller serest minne,
diu was mir ie geve.
20 nu müeze solhen kumber
niemer man gewinnen,

der also nahe ge.
erkennen wande i'n e,
nu kan i'n baz bevinden:
25 mir was da heime we
und hie wol dristunt me.

Swie kleine ez mich vervahe,
so vröuwe ich mich doch sere
daz mir nieman kan
30 erwern, ichn denke ir nahe,
swar ich landes kere.
den trost sol si mir lan.
wil siz für guot enpfan,
des vröuwe ich mich ie mere,
35 wan ich für alle man
ir ie was undertan.

8. *Zwischen Rühmen und Klagen*

44,13 Diu süezen wort hant mir getan
diu ir die besten algemeine
15 sprechent, daz ich niene kan
gedenken wan an si aleine.
min ander angest ist kleine
wan der den ich von ir han.
got weiz wol daz ich nie gewan
20 in al der werlt so liebe enkeine.
des sol si mich geniezen lan.

Swes got an güete und an getat
noch ie dekeiner frowen gunde,
des gihe ich ime daz er daz hat
25 an ir geworht, als er wol kunde.

waz danne, und arne i'z under stunden?
min herze es dicke hohe stat.
noch möhte es alles werden rat,
wolden si die grozen wunden
30 erbarmen dies an mir begat.

Swaz got an fröiden alle tage,
dazn kan mir nieman gemeren,
wan alse ich ir min angest sage,
daz kan si leider wol verkeren.
35 ein hartez herze kan siz leren,
dazs also lihte mac vertragen
so grozez wüefen unde klagen,
daz ich lide umbe ir hulde sere,
daz ich niemer mac getragen.

9. Alarm

52,37 Wafen, wie hat mich diu Minne gelazen!
diu mich betwanc, daz ich lie min gemüete
53,1 an solhen wan der mich wol mac verwazen,
ez ensi daz ich müeze geniezen ir güete
von der ich bin also dicke ane sin.
4/5 mich duhte ein gewin, und wolte diu guote
wizzen die not diu mir wont in dem muote.

15 Waz mac daz sin daz diu werlt heizet minne,
unde ez mir tuot also we zaller stunde
unde ez mir nimt also vil miner sinne?
in wande niht daz ez iemen erfunde.
getorste ich es jen daz ichz hete gesen
20/21 da von mir ist geschen also vil herzesere,
so wolte ich gelouben daran iemer mere.

53,7 Wafen, waz habe ich getan so zuneren,
daz mir diu guote niht gruozes engunde?
sus kan si mir wol daz herze verkeren.
10 deich in der werlt bezzer wip iender funde,
seht, dest min wan. da für so wil ichz han
12/13 und dienen, so ich kan, mit triuwen der guoten,
diu mich da bliuwet vil sere ane ruoten.

23 [Minne, got müeze mich an dir gerechen!
wie vil minem herzen der fröiden du wendest!
25 und möhte ich dir din krumbez ouge uz gestechen,
des hete ich reht, wan du vil lützel endest
an mir solhe not, so ir lip mir gebot.
und waerest du tot, so duhte ich mich riche;
30 sus muoz ich von dir leben betwungenliche.]

10. Die Ungläubige

45,19 Ich sage ir nu vil lange zit,
wie sere si min herze twinget.
als ungeloubic ist ir lip,
daz si der zwivel dar uf bringet,
daz si hat alselhen nit
den ze rehte ein saelic wip
25 niemer mere volbringet,
daz si dem ungelonet lat,
der si vor al der werlte hat.

Nieman sol mir das verslan,
sine möhte mich vor eime jare
30 von sorgen wol erloeset han,
ob ez der schoenen wille ware.
ouch half mir dicke ein lieber wan:
swanne si min ougen san,

daz was ein fröide für die sware;
35 alleine wil sis glouben nit
daz si min ouge gerne sit.

11. Heimweh

45,1 Gelebte ich noch die lieben zit,
daz ich daz lant solt aber schouwen,
dar inne al min fröide lit
nu lange an einer schoenen frowen,
5 so gesaehe minen lip
niemer weder man noch wip
getruren noch gewinnen rouwen.
mich duhte nu vil manigez guot,
da von e swaere was min muot.

10 Ich wande ir e vil verre sin,
da ich nu vil nahe ware.
alrerste hat daz herze min,
von der frömde groze sware.
ez tuot wol sine triuwe schin.
15 waere ich iender umb den Rin,
so friesche ich lihte ein ander mare,
des ich doch leider nie vernam,
sit daz ich über die berge quam.

12. Abschied vom Herzen

47,9 Min herze und min lip diu welnt nu scheiden,
diu mit ein ander waren manige zit.
der lip wil gerne vehten an die heiden:
so hat iedoch daz herze erwelt ein wip

vor al der werlt. daz müet mich iemer sit
daz si ein ander niht volgent beide.
15 mir habent diu ougen vil getan ze leide.
got eine müeze scheiden noch den strit.

Ich wande ledic sin von solher swaere,
do ich daz kriuze in gotes ere nam.
ez waere ouch reht deiz herze bi mir waere,
20 wan daz min staetekeit mir sin verban.
ich solte sin ze rehte ein lebendic man,
ob ez den tumben willen sin verbaere.
nu sihe ich wol daz im ist gar unmaere,
wiez an dem ende mir süle ergan.

25 Sit ich dich, herze, niht mac wol erwenden,
dun wellest mich vil trureclichen lan,
so bite ich got daz er dich geruoche senden
an eine stat, da man dich wol enpfa.
owe, wie sol ez armen dir ergan!
30 wie getorstest eine an solhe not ernenden?
wer sol dir dine sorge helfen enden
mit triuwen, als ich dir han getan?

[Nieman darf mir wenden daz ze unstaete,
ob ich die hazze diech da minnet e.
35 swie vil ich si geflehet oder gebaete,
so tuot si rehte, als ob sis niht verste.
mich dunket, wie ir wort geliche ge
rehte als ez der sumer von Triere taete.
48,1 ich waere ein gouch, ob ich ir tumpheit haete
für guot; ez engeschiht mir niemer me.]

13. Eine vor allem

42,[1] Ich muoz von schulden sin unfro,
sit si jach, do ich bi ir was,
ich möhte heizen Eneas
und solte ab des wol sicher sin, si wurde niemer min
[6] wie sprach si so? [Tido.
aleine frömdet mich ir lip,
si hat iedoch des herzen mich beroubet gar für elliu
[wip.

[10] Mit gedanken muoz ich die zit
vertriben, als ich beste kan,
und lernen, des ich nie began:
truren unde sorgen pflegen; des was vil ungewent min
[15] durch elliu wip [lip.
wande ich niemer sin bekomen
in so rehte kumberliche not, als ich von einer han ge-
[nomen.

Min herze muoz ir kluse sin;
[20] al die wile ich habe den lip,
so müezen niemer andriu wip
vil ungedrungen drinne wesen, swie lihte si sich troeste
nu werde schin, [min.
[25] ob rehtiu staete iht müge gefromen.
der wil ich iemer gegen ir pflegen; diu ist mir von ir
[güete komen.

14. In der Ferne

43,[1] Mich müet deich bin so verre dan
der lieben komen. des muoz ich wunt
beliben; dest mir ungesunt.
ouch solte mich wol helfen daz daz ich ir ie was under-
[6] sit ichs began, [tan.
so enkunde ich nie den staeten muot
gewenden rehte gar von ir, wan si daz beste gerne tuot.

10 Ez waere ein wünneclichiu zit,
der nu bi friunden möhte sin;
ich waen, an mir wol werde schin
daz ich von der gescheiden bin die ich erkos für elliu
15 ir schoener lip, [wip.
der wart ze sorgen mir geborn.
den ougen min muoz dicke schaden daz si so rehte
[habent erkorn.

Waer si mir in der maze liep,
20 so wurde es umb daz scheiden rat;
wan ez mir also niht enstat
daz ich mich ir getroesten müge; ouch sol si min ver-
wan do ich schiet [gezzen niet.
25 von ir und ich si jungest sach,
ze fröiden muose ich urlop nemen; daz mir da vor e
[nie geschach.

15. Traum und Erwachen

48,23 In minem troume ich sach ein harte schoene wip
die naht unz an den tach; do erwachete min lip.
27 do wart si leider mir benomen,
daz ich enweiz, was si si, von der mir fröide solte komen.
30/31 daz taten mir diu ougen min; der wolte ich ane sin.

16. Abwehr der Huote

48,32 Do ich von der guoten schiet
und ich ir niht ensprach,
als si mir waere liep,
35 des lide ich ungemach
durch die valschen diet.
von der mir nie geschach
49,1 deheines liebes iet,
wan der die helle brach.
der füege ir we und ach!

„Si waenent hüeten min,
5 diu si doch niht bestat,
6 und tuon ir niden schin!
daz wenic si vervat.
si möhten e den Rin
gekeren in den Pfat,
10 e ich mich iemer sin
getroste, swiez ergat,
der mir gedienet hat.“

17. Warnung an die Frauen

48,3 Min herze den gelouben hat,
solt iemer man beliben sin
5 durch liebe od durch der Minnen rat,
so waere ich noch alumbe den Rin;
wan mir daz scheiden nahe gat
daz ich von lieben friunden min
han getan. swiez drumb ergat,
10 herre got, uf die genade din
so wil ich dir bevelhen die
die ich durch dinen willen lie.

Ich gunde es guoten frowen niet,
daz iemer mere quaeme der tac
15 dazs ir deheinen heten liep,
16 wan ez waere ir eren slac.
17 wie kunde in der gedienen iet
18 der gotes verte also erschrac?
19 dar zuo send ich in disiu liet
20 und warnes, als ich beste mac.
gesaes min ouge niemer me,
mir taete iedoch ir laster we.

18. Warnung an die Ritter

53,31
Si welnt dem tode entrunnen sin,
die gote erliegent sine vart.
deswar est der geloube min
daz si sich übel hant bewart.
35 swerz kriuze nam und niender vert,
dem wirt doch got ze jungest schin,
swann er die porte im vor verspert,
die er tuot uf den liuten sin.

KAISER HEINRICH

1. Bekenntnis

(Zweistimmig)

7/18 Wol hoeher dannez riche bin ich al die zit,
so also güetliche diu guote bi mir lit.
21 si hat mich mit ir tugende
gemachet leides fri.
3/24 ich kom ir nie so verre sit ir jugende,
irn waer min staetez herze ie nahe bi.

6/27 „Ich han den lip gewendet an einen ritter guot.
daz ist also verendet, daz ich bin wol gemuot.
30 daz nident ander vrouwen
unde habent des haz
2/33 und sprechent mir ze leide in wellen schouwen.
mir geviel in al der welte nieman baz.“

2. Abschied

„Ritest du nu hinnen, der aller liebste man?
'-5,1 du bist in minen sinnen für al deich ie gewan.
,2/3 kumest du mir niht schiere, so vliuse ich minen lip:
den möhte in al der welte
5,5 got niemer mir vergelten“
sprach daz minnecliche wip.

7/8 Wol dir, geselle guote, deich ie bi dir gelac!
du wonest mir in dem muote die naht und ouch den tac.

11/12 du zierest mine sinne und bist mir dar zuo holt.
nu merkent, wiech daz meine:
als edelez gesteine,
15 swa man daz leit in daz golt.

3. Krone und Liebe

16 Ich grüeze mit gesange die süezen,
die ich vermiden niht wil noch enmac.
deich si von munde rehte mohte grüezen,
ach leides, des ist manic tac.
20 swer disiu liet nu singe vor ir,
der ich gar unsenfteclichen enbir,
ez si wip oder man, der habe si gegrüezet von mir.

Mir sint diu riche und diu lant undertan,
swenn ich bi der minneclichen bin;
25 unde swenne ich von ir gescheide von dan,
sost mir al min gewalt und min richtuom da hin,
wan senden kumber zel ich mir ze habe:
sus kan ich an vröuden uf stigen joch abe
und bringe, als ich waen, den wehsel durch ir liebe ze [grabe.

30 Sit deich si so herzeclichen minne
und si ane wenken alzit trage
beide in dem herzen und ouch in dem sinne
underwilent mit vil maniger klage,
waz git mir dar umbe diu liebe ze lone?
35 da biutet si ez mir so rehte schone:
e ich mich ir verzige, ich verzige mich e der krone.

37 Er sündet swer mir des niht geloubet:
ich möhte geleben manigen lieben tac,
ob joch niemer krone kaeme uf min houbet;
6,1 des ich mich an si vermezzen niht mac.
verlür ich si, waz hette ich armer danne?
da töhte ich ze vröuden noch wiben noch manne
und waere min bester trost beidiu zahte und ze
[banne.

DER BURGGRAF VON RIETENBURG

1. Hoffnung im Herbst

18,17 Diu nahtegal ist gesweiget,
19 die ich e wol horte singen,
18 und ir hoher sanc geneiget.
20 doch tuot mir sanfte guot gedinge
den ich von einer frowen han.
ich wil ir niemer abe gegan
und biute ir staeten dienest min.
als ir ist liep, als wil ich iemer mere sin.

2. Bekenntnis

18,1 „Nu endarf mir nieman wizen,
ob ich in iemer gerne saehe;
des wil ich mich vlizen.
waz drumbe, ob ich von zorne jaehe,
5 daz mir si niemen alse liep?
ich laze in durch ir niden niet,
sie verliesent alle ir arebeit:
er kan mir niemer werden leit.“

Mir gestuont min gemüete
10 nie also ho von rehter schulde,
sit ich han in güete
so wol gedienet ir hulde.

ich fürhte niht ir aller dro,
sit si wil daz ich si fro.
15 wan diu guote ist fröiden rich,
des wil ich iemer fröwen mich.

3. Neues Lied

19,7 Sit sich verwandelt hat diu zit,
des vil manic herze ist fro,
10 taete ich selbe niht also,
9 so wurde ervaeret mir der lip,
11 der betwungen stat.
ienoch ist min rat
daz ich niuwe minen sanc.
ez ist leider alze lanc
15 daz die bluomen rot
begunden liden not.

4. Trost

18,25 Ich horte wilent sagen ein maere,
daz ist min aller bester trost,
wie minne ein saelikeit waere
und anders schaden nie erkos.
19,1 des möhte ich werden sorgen los,
ob si erbarmen wil min swaere.
got weiz wol daz ich e verbaere
iemer mere alliu wip
5 e ir vil minneclichen lip.
den willen han ich lange zit.

5. Läuterung

19,17 Sit si wil versuochen mich,
daz nime ich für allez guot,
so wirde ich golde gelich,
20 daz man da brüevet in der gluot
und versuochet baz.
bezzer wirt ez umbe daz,
luter, schoener unde clar.
swaz ich singe, daz ist war.
25 gluote si ez iemer me,
ez wurde bezzer vil dan e.

6. Lieber tot als unerhört

19,27 Sit si wil deich von ir scheide,
dem si dicke tuot gelich,
ir schoene unde ir güete beide
30 die laze si, so kere ich mich.
swar ich danne landes var,
ir lip der hoehste got bewar.
min herze erkos mir dise not.
senfter waere mir der tot,
danne deich ir diene vil
und si des niht wizzen wil.

ULRICH VON GUTENBURG

1. Ohne Waffe verwundet

77,36 Ich horte wol ein merlikin singen,
mich duhte der sumer wolte enstan.
ich waene ez al der werlt fröide sol bringen
wan mir einen, mich 'n triege min wan.
78,1 swie min frouwe wil, so solz ergan,
der ich bin zallen ziten undertan.
ich wande ieman so hete missetan,
suochte er genade, er solte si vinden:
5 daz muoz leider an mir einen zergan.

Wie sol ich minen dienest so lazen,
den ich han lange mit triuwen getan?
ich bin leider sere wunt ane wafen:
daz hant mir ir schoeniu ougen getan,
10 daz ich niemer me geheilen kan,
ez enwelle si der ich bin undertan.
we waz sol ein so verdorben man?
ich waene an ir ist genade entslafen,
daz ich ir leider erwecken niht kan.

2. Beharrlichkeit

78,15 Ich wil iemer me wesen holt minem muote
daz er ie so nach ir minne geranc.
hete ich funden deheine so guote,

da nach kert ich gerne minen gedanc.
si schuof daz ich mich fröiden underwant,
20 die ich mir han zeiner frouwen erkant.
ich was wilde, swie vil ich gesanc:
ir schoeniu ougen daz waren die ruote
da mite si mich von erste betwanc.

24 Ich wil mit genaden iemer beliben,
sin müeze an mir sünde ane schulde began;
si kan anders mich niemer von ir vertriben,
ichn welle haben gedingen und wan,
daz diu triuwe hoher solte gan
dan unstaete, der ich guotes verban.
30 swa man weste einen valschaften man,
den solten alliu wip gerne vermiden:
so möhte man in an ir prise gestan.

Ich wil niemer durch minen kumber vermiden,
ichn singe es alleine swiez mir ergat,
35 unde wil gern solhe not iemer liden,
diu von minnen mir als nahe gat,
79,1 sit min lip nu an dem zwivel stat,
daz min leider niemer kan werden rat
ane diu so betwungen mich hat.
sol nu min fröide von ir schult beliben,
5 daz ist ir sünde unde groz missetat.

3. Tränen

79,7 Von dem herzen daz wazzer mir gat
6 uz zuo den ougen; daz ist ein wunder.
12 alse ich gedenke daz mich niht vervat
13 al min dienest, so lide ich den kumber

14 den ie dehein man gewan oder hat.
8 des muoz ich sin von der werlte besunder,
9 sit mich ir güete also sere hat
10 betwungen daz si mine sele niht lat
11 von ir scheiden, alse ez nu stat.

BERNGER VON HORHEIM

1. Liebe ohne Liebestrank

112,1 Nu enbeiz ich doch des trankes nie
da von Tristran in kumber kam;
noch herzeclicher minne ich sie
danne er Isalden, deist min wan.
5 daz habent diu ougen min getan.
si leiten mich, daz ich dar gie
da mich diu Minne alrerste vie,
der ich deheine maze han.
so kumberliche gelebte ich nie.

10 Ein wunder ist deich niht verzage,
so lange ich ungetroestet bin.
als ich ir minen kumber klage,
daz gat ir leider lützel in.
daz hat mir mine vröide hin.
15 doch flize ich mich des alle tage
deich ir ein staetez herze trage.
got wise mich an solhen sin
deich noch getuo daz ir behage.

Swer in deheiner vröide stat,
20 des vingerzeige muoz ich sin.
swes herze guot gebite hat,
des selben vorhte die sint min.
daz si mir tuon ir niden schin!
doch singe ich, swiez darumbe ergat,

25 und klage daz si mich truren lat.
herze, die schulde waren din:
du gaebe mir an si den rat.

2. *Das Lied als Bote: Schmerz und Hoffnung*

113,33 Mir ist von liebe vil leide geschehen.
lieze ichz darumbe, so waere ich ze kranc.
35 durch daz send ich disiu lieder durch spehen
an eine stat dar daz herze mich twanc.
sit ich ir leider niht wol mac gesehen,
so sol si merken durch got minen sanc.
wil mir diu schoene der warheite jehen,
114,1 so was siz nach der min herze ie ranc
unde iemer muoz, doch mir niene gelanc.

Mich hat daz herze und sin unwiser rat
ze verre verleitet an tumplichen muot,
5 da doch min dienest vil kleine vervat.
der kumber hat mich vil dicke gemuot.
minne vil süeze beginnunge hat
und dünket wol an dem anvange guot,
da doch daz ende vil riuwic gestat,
10 als ez mir armen vil lihte getuot.
wie solt ich von der not mich haben behuot!

Si darf niht gedenken daz ich minen muot
iemer bekere an dehein ander wip.
des selben han ich mich her wol behuot,
15 sit ich ir gap beidiu herze unde lip
uf ir genade. swie we si mir tuot,
doch wil ich noch langer behaben den strit.
ich hoffe des daz min reht si so guot,

daz si schiere ein liebez ende mir git
der grozen swaere, so sis dünket zit.

3. *Illusion und Wirklichkeit*

113,[1] Mir ist alle zit, als ich vliegende var
ob al der werlte und diu min alliu si.
swar ich gedenke, vil wol sprunge ich dar.
swie verre ez ist, wil ich, sost mirz nahe bi.
5 starc unde snel, beidiu riche unde fri
ist mir der muot: dur daz loufe ich so balde:
mirn mac entrinnen kein tier in dem walde —
daz ist gar gelogen: ich bin swaere als ein bli.

Ich mac von vröiden ertoben ane strit:
10 mir ist von minne so liebe geschehen.
swa waere ein walt beidiu lanc unde wit,
mit schoenen bluomen, den wolte ich erspehen;
da möhte man mich doch springende sehen.
min reht ist daz ich an vröiden mich twinge. —
15 wes liuge ich gouch? ich enweiz waz ich singe.
mir wart nie wirs, wil der warheit ich jehen.

Ich mache den merkaeren truoben den muot.
ich han verdienet ir nit und ir haz,
sit daz min vrouwe ist so riche unde guot.
20 e was mir we; nust mir sanfte unde baz:
ein herzeleit des ich niene vergaz
daz han ich verlazen und ist gar verswunden.
min vröide hat mich von sorgen enbunden:
mir wart nie baz — unde liuge ich iu daz.

4. *Auf Heerfahrt nach Italien*

114,[21] Wie solt ich armer der swaere getruwen
daz mir ze leide der künc waere tot?

des muoz ich von ir daz ellende buwen;
des werdent da nach miniu ougen vil rot.
25 der mir ze Pülle die hervart gebot,
der wil mich scheiden von liebe in die not
der ich gewinne vil michelen ruwen.

Ich wil bevelhen ir lip und ir ere
gote und da nach allen engelen sin.
30 si sol wol wizzen, swar ich landes kere,
daz ich ir bin unde muoz iemer sin.
alse ich e was, do mich ir ougen schin
brahte alse verre uz dem sinne min,
do was mir we unde nu michels mere.

35 Nu muoz ich varn und doch bi ir beliben,
von der ich niemer gescheiden enmac.
si sol mir sin vor al anderen wiben
in minem herzen die naht und den tac.
als ich gedenke wiech ir wilent pflac
115,1 — owe daz Pülle so verre ie gelac! —,
daz wil mich leider von vröiden vertriben.

5. Verstummen im Schmerz und Bekenntnis zur Frau

115,3 Si fragent mich, war si mir komen
min sanc des ich e wilent pflac.
5 si müejent sich: est unvernomen,
war umbe ich nu niht singen mac.
noch waere mir ein kunst bereit,
wan daz mich ein sendez herzeleit
twinget daz ich swigen muoz,
10 des mir unsanfte wirdet buoz.

Kunde ich klagen min herzeleit
geliche als ez mir nahe gat,

so wolde ich sagen uf minen eit
daz nieman groezern kumber hat.
15 noch niene wart so truric man.
daz verswige ab ich als ich wol kan
und klage ez den gedanken min;
die laze ich mit unmüezic sin.

Zer werlte ist wip ein vröide groz:
20 bi den so muoz man hie genesen.
jochs minen lip noch nie verdroz;
min herze deist in bi gewesen.
ich hete ie zuo der werlte muot
und min munt in iemer sprichet guot.
25 die triuwe lat nu werden schin:
belibe ich, so gedenket min!

6. Variationen über ein Thema:
Sang — Zwang — gut

27 Nu lange ich mit sange die zit han gekündet:
swann si mich vie, al zergie daz ich sanc.
ich hange an getwange. daz git diu sich sündet;
30 wan si michs ie niht erlie, si getwanc
nach ir mich diu mir so betwinget den muot.
ich singe unde sunge, betwunge ich die guoten,
daz mir noch baz taet ir güete. sist guot!

BLIGGER VON STEINACH

1. Erneute Klage

18,1 Min alte swaere die klage ich für niuwe,
wan si getwanc mich so harte nie me.
ich weiz wol durch waz si mir tuot so we:
daz mich sin verdrieze und diu not mich geriuwe
5 die ich ie hate uf trostlichen wan.
nein, ich enmac noch enlat mich min triuwe.
swie schiere uns diu sumerzit aber zerge,
des wurde rat, mües ich ir hulde han.
die naeme ich gerne für loup und für kle.

10 Ich getar niht vor den liuten gebaren,
als ez mir stat. duhtez ir einen guot,
da bi sint vier den min leit sanfte tuot.
boese unde guote gescheiden ie waren:
der site müez lange staete ouch sin.
15 ir beider willen kan niemen gevaren;
wan er ist unwert, swer vor nide ist behuot.
si haben in daz ir unde lan mir daz min
und swem da gelinge, der si wol gemuot.

2. Freudlose Zeit

8,19 Er fünde guoten kouf an minen jaren,
der ane vröide wolte werden alt,
wan si mir leider ie unnütze waren.

umb einez daz waere alse ein trost gestalt
gaeb ich ir driu; so vürhte ich den gewalt.
des get mir not. wie sol ein man gebaren
25 der ane reht ie siner staete engalt?

Erfünde ich noch waz für die grozen swaere,
die ich nu lange an minem herzen han,
119,1 bezzer danne ein staeter dienest waere,
des wurde ein michel teil von mir getan.
hulf ez mich iht, so waere daz min wan:
swer alliu wip durch eine gar verbaere,
5 daz man in des geniezen solte lan.

Ich fünde noch die schoenen bi dem Rine,
von der mir ist daz herze sere wunt
michels harter danne ez an mir schine,
<waere ich da heime. ich wurde noch gesunt,>
10 wurde ir min groze swaere kunt,
diu mir ist alse Domas Saladine
und lieber mohte sin wol tusent stunt.

HEINRICH VON RUCKE

1. Sommersehnsucht

108,14 Ich horte gerne ein vogellin
daz hüebe wunneclichen sanc.
der winter kan niht anders sin
wan swaere und ane maze lanc.
mir waere liep, wolt er zergan.
waz vröide ich uf den sumer han!
20 dar stuont nie hoher mir der muot.
daz ist ein zit diu mir vil sanfte tuot.

2. Die Frau spricht

103,27 „Vil wunneclichen hohe stat
min herze uf manige vröide guot.
mir tuot ein ritter sorgen rat
30 an den ich allen minen muot
ze guote gar gewendet han.
daz ist uns beiden guot gewin,
daz er mir wol gedienen kan
und ich sin friunt dar umbe bin.“

3. Sommers Ankunft

108,6 Ich gerte ie wunneclicher tage.
uns wil ein schoener sumer komen.
al deste senfter ist min klage.

der vogele han ich vil vernomen;
10 der grüene walt mit loube stat.
ein wip mich des getroestet hat
daz ich mich gehabe wol,
wan ich der schoenen zit geniezen sol.

4. Abschied

107,35 Ich tuon ein scheiden, daz mir nie
von deheinen dingen wart so we.
vil guote vriunde laze ich hie.
108,1 nu wil ich truren iemerme
die wile ich si vermiden muoz
von der mir sanfter taete ein gruoz
an dem staeten herzen min,
danne ich ze Rome keiser solte sin.

5. Schönheit und innerer Wert der Frau

107,27 Nach vrouwen schoene nieman sol
ze vil gevragen. sint si guot,
so lazes ime gevallen wol
30 und wizze daz er rehte tuot.
waz obe ein varwe wandel hat,
der doch der muot vil hohe stat?
er ist ein ungevüege man,
der daz an wibe niht erkennen kan.

6. Ehre der Frau

101,7 Mir ist noch lieber daz si müeze leben
nach eren, als ich ir wol gan,

dan min diu werelt waere sunder streben:
10 so waere ich doch ein richer man.
in kunde an ir erkennen nie
dehein daz dinc daz si begie
daz wandelbaere möhte sin.
ir güete get mir an daz herze min.

7. Zu sehr an Minne verloren

1,15 Got hat mir armen ze leide getan
daz er ein wip ie geschuof also guote.
solt ich in erbarmen, so hete erz gelan.
sist mir vor liebe ze verre in dem muote.
daz tuot diu Minne: diu nimt mir die sinne,
20 wande ich mich kere an ir lere ze vil,
diu mich der not niht erlazen enwil,
sit ich niht maze begunde nochn kunde.

Kunde ich die maze, so lieze ich den strit
der mich da müeget und lützel vervahet,
25 der mich hat verlazen ze vaste in den nit.
swer sich vor liebe ze verre vergahet,
der wirt gebunden von stunden ze stunden
alse ich vil arme. nu erbarme ich si niet,
diu mich nu lange also trurigen siet,
30 sit ich ir dienen begunde als ich kunde.

Mir hat verraten daz herze den lip.
des was ie vlizic der muot und die sinne,
daz si mich baten ze verre umb ein wip,
diu mir nu zeiget daz leit für ir minne.
35 daz ist besunder, an mir gar ein wunder

deich han mich verlan uf den wan der mich
unde mir ie vil freislichen louc, [trouc
sit ich ir dienen begunde als ich kunde.

8. *Gelöst vom Band der Minne*

102,[1] Ich was vil ungewon des ich nu wonen muoz,
daz mich der minne bant von sorgen lieze iht fri.
5 nu scheidet mich da von ein ungemacher gruoz.
der was mir unbekant; nu ist er mir als bi;
vil gerne waere ichs fri.
10 mirn wart diu sele noch der lip
deswar nie lieber danne mir ie was ein wip
diu eteswenne sprach, daz selbe waere ich ir.
nu hat siz gar verkeret her ze mir.

9. *Zeitklage*

108,[22] Diu werlt wil mit grimme zergan nu vil schiere.
ez ist an den liuten groz wunder geschehen:
fröuwent sich zwene, so spottent ir viere.
25 waeren si wise, si möhten wol sehen
daz ich dur jamer die fröide verbir.
nu sprechent genuoge war umbe ich niht singe
den fröide geswichet noch e danne mir.

30 Diu werlt hat sich also von fröiden gescheiden
daz ir der vierde niht rehte nu tuot.
juden unde cristen, in weiz umbe heiden,
die denkent alle ze verre an daz guot,
wie sis vil gewinnen. doch wil ich in sagen
35 ez muoz hie beliben. daz nieman den wiben
nu dienet ze rehte, daz hoere ich si klagen.

9,1 Swer nu den wiben ir reht wil verswachen,
dem wil ich verteilen ir minne und ir gruoz.
in wil ir leides von herzen niht lachen;
swer nu so welle, der laze oder tuoz.
5 wan ist ir einiu niht rehte gemuot,
da bi vund ich schiere wol dri oder viere
die zallen ziten sint höfsch unde guot.

RUDOLF VON FENIS-NEUENBURG

1. Verlorenes Spiel

80,1 Gewan ich ze Minnen ie guoten wan,
nu han ich von ir weder trost noch gedingen,
wan ich enweiz, wie mir süle gelingen,
sit ich si mac weder lazen noch han.
5 mir ist als dem der uf den boum da stiget
und niht hoher mac und da mitten belibet
und ouch mit nihte wider komen kan
und so die zit mit sorgen hin vertribet.

Mir ist als deme der da hat gewant
10 sinen muot an ein spil und da mite verliuset,
unz erz verswert; ze spate erz verkiuset.
also han ich mich ze spate erkant
der grozen list die Minne wider mich hate.
mit schoenen gebaerden si mich zuo ir brahte
15 und leitet mich als boeser geltaere tuot,
der wol geheizet und nie gelts gedahte.

Min vrowe sol mir nu lan den gewin
daz ich ir diene; ich enmac ez niht miden.
doch bitte ich si daz siz geruoche liden,
20 so wirt mir diu not die ich lidende bin.
wil aber si mich von ir vertriben,
ir schoener gruoz scheide e sich von ir libe.
noch dannoch fürhte ich mere daz si
von allen minen freuden mich vertribe.

2. *Unbelohnter Dienst*

80,[25] Minne gebiutet mir daz ich singe
unde wil niht daz michs iemer verdrieze
— nu han ich von ir weder trost noch gedingen —
81,[1] und daz ich mines sanges iht genieze.
si wil deich iemer diene an solhe stat,
da noch min dienest ie vil kleine wac
und al min staete niht gehelfen mac.
5 nu waere min reht, möhte ich, daz ich ez lieze.

Ez stet mir niht so — ich enmac ez niht lazen —,
daz ich daz herze von ir iemer kere.
ez ist ein not, daz ich mich niht kan mazen:
ich minne si diu mich da hazzet sere
10 und iemer tuon, swiez doch dar umbe ergat.
min groziu staete mich des niht erlat,
unde ez mich leider kleine vervat.
ist ez ir leit, doch diene ich ir ie mere.

Ie mere wil ich ir dienen mit staete
15 und weiz doch deich sin niemer lon gewinne.
ez waere an mir ein sin, ob ich da baete
da ich lones mich versaehe von der Minne.
lones han ich noch vil kleinen wan.
ich diene ie dar daz mich kan kleine vervan.
20 nu lieze ich ez gerne, möhte ich ez lan,
ez wellent durch daz niht von ir mine sinne.

Mine sinne welnt durch daz niht von ir scheiden,
swie si mich bi ir niht wil lan beliben.
si enkan mir doch daz niemer geleiden,
25 in diene ir gerne und durch si allen wiben.
lide ich dar under not, daz ist an mir niht schin.

diu not was ie diu meiste wunne min.
si sol ir zorn dar umbe lazen sin,
wan si enkan mich niemer von ir vertriben.

3. *Verbrannter Schmetterling*

81,30 Mit sange wande ich mine sorge krenken;
dar umbe sanc ich deich si wolte lan.
so ich ie me singe und ir ie baz gedenke,
so mugens mit sange leider niht zergan,
wan Minne hat mich braht in solhen wan
35 dem ich so lihte niht enmac entwenken,
wan ich im lange her gevolget han.

Sit daz diu Minne mich wolte alsus eren,
daz si mich hiez in minem herzen tragen
diu mir wol mac min leit ze vröiden keren,
82,1 ich waere ein gouch, wolte ich mich der entsagen.
ich wil ouch Minnen minen kumber klagen,
wan diu mir kunde daz herze also verseren,
diu mac mich wol ze vröiden hus geladen.

5 Mich wundert des wie mich min vrowe twinge
so sere; swenne ich verre von ir bin,
so gedenke ich mir und ist min gedinge:
mües ich si sehen, min sorge waere hin.
„so ich bi ir bin", des troestet sich min sin
10 und waene daz mir lihte wol gelinge:
alrerste meret sich min ungewin.

So ich bi ir bin, min sorge ist deste mere,
als der sich nahe biutet zuo der gluot:

der brennet sich von rehte harte sere;
15 ir groziu güete mir daz selbe tuot.
swenne ich bir ir bin, daz toetet mir den muot,
und stirbe ab rehte, swenne ich von ir kere,
wan mich daz sehen dunket also guot.

Ir schoenen lip han ich da vor erkennet:
20 er tuot mir als der fiurstelin daz lieht;
diu fliuget dran, unz si sich gar verbrennet;
ir groziu güete mich also verriet.
min tumbez herze daz enlie mich niet,
ich enhabe mich so verre an si verwennet,
daz mir ze jungest rehte alsam geschiet.

4. *Selbstverschuldetes Leid*

83,11 Ich han mir selber gemachet die swaere,
daz ich der ger diu sich mir wil entsagen.
diu mir vil lihte zerwerbenne waere,
die fliuh ich, wan si mir niht kan behagen.
15 ich minne die, diu mirs niht wil vertragen;
mich minnent ouch die mir sint doch bormaere:
sus kan ich wol beidiu vliehen und jagen.

Owe, daz ich niht erkande die minne,
e ich mich an si hette verlan!
20 so het ich von ir gewendet die sinne,
wan ich ir nach minem willen niht han.
sus streb ich uf einen vil tumben wan.
des fürhte ich vil groze not noch gewinnen.
den kumber han ich mir selber getan.

5. *Winterliche Hoffnung*

82,26 Ich kiuse an dem walde, sin loup ist geneiget,
— der stuont noch hiure vil froelichen e —,
nu rifet ez balde; des sint gar gesweiget
die vogel ir sanges; daz machet der sne;
30 der tuot in beiden unsanfte unde we.
des muoz durch not mich verdriezen der zit,
unze ich ersihe, ob der winter zerge,
da von diu heide betwungen nu lit.

Lip unde sinne die gap ich für eigen
35 ir uf genade; der hat si gewalt.
ist daz diu Minne ir güete wil zeigen,
so ist al min kumber ze vröiden gestalt.
sus mac ich jungen, alsus wirde ich alt;
wan daz ein maere noch sanfter mir tuot,
83,1 daz si zer besten ist vor uz gezalt,
diu mich sol machen vro vroelich gemuot.

Wolte si eine, wie schiere al min swaere
wurde geringet, swie we si mir tuot;
5 ir lip ist so reine, daz nieman enwaere
richer an vröuden noch hoher gemuot.
ist daz diu schoene ir genade an mir tuot,
so ist mir gelungen noch baz danne wol,
wan diu vil guote ist noch bezzer dan guot,
10 von der min herze niht scheiden ensol.

6. *Winterliches Leid*

83,25 Daz ich den sumer also maezlichen klage
— walt unde bluomen die sint gar betwungen —,
daz ist da von daz sin zit
mir noch her hat gefrumt harte kleine umbe ein wip.
vil lihte gefröuwent si die liehten tage,
30 den da vor ist nach ir willen gelungen.

mac mir der winter den strit
noch gescheiden hin zir der ie gerte min lip,
so ist daz min reht daz ich in iemer ere,
wan miner swaere enwart noch nie mere.
35 owe, wie nu lat mich verderben diu here!

7. Im Frühling: Vergebliches Warten

83,[36] Diu heide, der walt noch der vogele sanc
kan ane ir trost mir niht vröude bringen,
84,[1] diu mir daz herze und den lip hat betwungen,
daz ich ir niht vergezzen enmac.
swie vil si gesingent, mich dunket ze lanc
daz biten. verzage ich an guoten gedingen,
84,[5] da muoz ich durch not von sin ungesungen,
wan mir wip nie so nahe gelac.
swenne si wil, so bin ich leides ane:
min lachen stat so bi sunnen der mane.
doch was her genuoc groz min vröude von wane.

8. Barmherzige Macht und geduldiges Warten

84,[10] Nun ist niht mere min gedinge,
wan daz si ist gewaltic min.
bi gewalte sol genade sin;
uf den trost ich ie noch singe.
genade diu sol überkomen
15 grozen gewalt durch miltekeit;
genade zimt wol bi richeit.
ir tugende sint so vollekomen,
daz durch reht mir ir gewalt sol fromen.

Swer so staeten dienest kunde,
84,20 des ich mich doch troesten sol,
dem gelunge lihte wol.
ze jungest er mit überwunde
daz sende leit daz nahen gat:
daz wirt lachen unde spil;
25 sin truren gat ze vröuden vil;
in einer stunt so wirt es rat
daz man zehen jar gedienet hat.

Swer so langez biten schildet,
der hat sichs niht wol bedaht:
30 nach riuwe hat ez wunne braht.
truren sich mit vröuden gildet
dem der wol gebiten kan,
daz er mit zühten mac vertragen
sin leit und nach genaden klagen:
35 der wirt vil lihte ein saelic man.
daz ist der trost den ich noch han.

HARTWIC VON RUTE

1. Gebundenheit und Aufschwung

117,1/2 Ich bin gebunden zallen stunden
als ein man, der niht enkan
5 gebaren nach dem willen sin.
daz mac si gebüezen,
6/7 diu mich des twinget, daz min munt singet
8/9 mangen swaéren tac; wan ich enmac
10 geruowen, ich enkome ir bi,
so daz ich ir müeze
11 gesagen waz min wille si.
12 daz eine mac mir sorge wenden:
13 si kan mit leide anevan
und mit fröiden enden.
14/15 Ich wil versuochen, ob si geruoche,
daz ich sinne nach ir minne,
18 als ich lange han getan.
enpfahet siz ze guote,
19/20 so stigt min fröide unde wirt mir so wol ze muote
21 gegen der wünneclicher zit, daz ez wol wunder waere,
ob min herze daz verbaere,
daz ez von fröiden niet zen himelen ensprunge
und von so süezer handelunge
25 ein hohez niuwez liet in süezer wise sunge.

2. *Auf dem Sprunge*

117,26 Als ich sihe daz aller beste wip,
wie kume ich daz verbir,
daz ich niht umbevahe ir reinen lip
und twinge si ze mir.
30 ich stan dicke ze sprunge, als ich welle dar,
so si also suoze vor mir gestet;
unde naeme sin al diu werlt war,
so mich der minnende unsin an get,
ich möhte sin niht verlan,
35 der sprunc enwurde getan,
trute ich bi ir einer hulde
durch disen unsin bestan.

3. *Treu auch in Todesnähe*

116,1 Mir tuot ein sorge we in minem muote
die ich hin hein ze lieben friunden han:
ob si da iender gedenken min ze guote,
als ich ir hie mit triuwen han getan.
5 si solte mich durch got geniezen lan,
daz ich ie bin gewesen in grozer huote,
dazs iemer valsche kunne an mir verstan.

Swer waenet daz min truren habe ein ende,
dern weiz niht waz mir an dem herzen lit:
10 ein kumber den mir niemen kan erwenden,
ez taete danne ir minneclicher lip.
die sorge han ich leider ane strit,
si enwelle mir ze troste ir boten senden,
dem ich verwartet han vor manger zit.

116,15 Swie mir der tot vast uf dem rugge waere
und dar zuo manic ander ungemach,
so wart min wille nie deich si verbaere,
swie nahen ich den tot bi mir gesach.
da manic man der sünden sin verjach,
20 do was daz ie min aller meistiu swaere,
daz mir genade nie von ir geschach.

4. Zwischen Kaiser und Frauen

116,22 Ich sihe wol daz dem keiser und den wiben
mit ein ander niemen gedienen mac.
des wil ich in mit saelden lan beliben:
25 er hat mich zin versumet manigen tac.

HARTMANN VON AUE

1. Die Wahl der Frau

216,1 Swes fröide hin zen bluomen stat,
der muoz vil schiere truren gegen der swaeren zit.
iedoch wirt eines wibes rat
diu die langen naht bi liebem manne lit.
5 sus wil ouch ich den winter lanc
mir kürzen ane vogelsanc.
sol ich des enbern, dest ane minen danc.

Die friunt die habent mir ein spil
geteilet vor, daz beiden halben ist verlorn.
10 ob ich ir einez nemen wil,
ane guote wal so waere ez baz verborn.
si jehent, welle ich minne pflegen,
so müeze ich mich ir bewegen;
doch so raetet mir der muot ze beiden wegen.

15 Waere ez miner friunde rat,
ja herre, wes solt er mir danne wizzen danc?
sit erz wol gedienet hat,
da von so dunket mich min biten alze lanc:
wande ich wagen wil durch in
20 den lip die ere und al den sin;
so muoz mir gelingen, obe ich saelic bin.

Er ist alles des wol wert,
obe ich mine triuwe an im behalten wil,

des ein man ze wibe gert:
25 deswar dekeiner eren ist im niht ze vil.
er ist ein so bescheiden man,
ob ichs an im behalten kan,
minne ich in, da missegat mir niemer an.

2. Selige Stunde

215,14 Ich muoz von rehte den tac iemer minnen
do ich die werden von erest erkande,
in süezer zühte, mit wiplichen sinnen.
wol mich daz ich den muot ie dar bewande!
daz schat ir niht und ist mir iemer guot,
wande ich ze gote und zer werlte den muot
20 al deste baz dur ir willen bekere:
sus ding ich daz sich min fröide noch mere.

Ich schiet von ir daz ich ir niht enkunde
bescheiden, wie sere ich si meinde in dem muote.
sit fuogte mir ein vil saeligiu stunde
25 daz ich si vant mir ze heile ane huote.
do ich die werden mit fuoge gesach
unde ich ir gar mines willen verjach,
daz enpfie si daz irs got iemer lone.
si was von kinde und muoz me sin min krone.

30 Sich mac min lip von der guoten wol scheiden,
min herze min wille muoz bi ir beliben.
si mac mir leben und fröide wol leiden
und da bi al mine swaere vertriben;
an ir lit beide min liep und min leit.
35 swaz si min wil, deist ir iemer bereit:
wart ich ie vro, daz schuof niht wan ir güete.
got si der ir lip und ere behüete!

3. Erwartung vor der Heimkehr

212,13 Richer got, in welher maze wirt ir gruoz,
swenn ich si sihe die ich da mide manegen tac,
15 sit der friunt da heime wankes fürhten muoz,
der doch sin liep ze rehter zit gegrüezen mac!
da wil ich geniezen ir bescheidenheit
und daz si vil wol wesse war umb ich si meit.
so tuot si wol und lit min trost vil gar dar an,
20 daz staete herze an staetem friunde wenken niene kan.

Niemen lebt der sinen friunt so dicke siht,
ern müeze an in gedenken sunder sinen dank.
daz erzeiget herzeclicher liebe niht:
so ist unser sumelicher beiten alze lanc,
25 daz ein wip ir staete an uns erzeigen mac.
gedenke ein vrowe daz unstaete si ein slac.
gewinne ich nach der langen vremde schoenen gruoz,
wie sere ich daz mit dienste iemer me besorgen muoz.

Ist ez war, als ich genuoge hoere jehen,
30 daz losen hin zen wiben si der beste rat,
we waz heiles mac dan einem man geschehen
der daz und allen valsch durch sine triuwe lat?
da si eht er vil staete an sinem reinen site:
ja erwirbet er ein staetez heil da mite,
35 so des vil gahe losen gaehez heil zergat,
daz er an der vil gahe losen gaehes funden hat.

4. Seltener Anblick und stete Bereitschaft

213,29 Ez ist mir ein ringiu klage,
daz ich si so selten sihe,
der ich alle mine tage
guotes jach und iemer gihe.
mir ist niender anderswa wirs dan da.

35 mime libe gat ze na,
ich enmöhte erwerben daz
deich si also saehe,
daz si min ze friund verjaehe:
mir tuot ir fremden anders baz.

214,1 Guoter wibe saelekeit
fröite noch daz herze min;
niemen ist in baz gereit:
daz sol lange staete sin.
5/6 ich wil ir liep mit liebe tragen ze minen tagen
unde ihr leit mit leide klagen.
niemen sol ir lobs gedagen.
swaz wir rehtes werben
10 und daz wir man noch nien verderben,
des suln wir in genade sagen.

5. Werbung — Abwehr — Bekenntnis

14,34 Dir hat enboten, frowe guot,
sin dienest der dir heiles gan:
ein ritter der vil gerne tuot
daz beste daz sin herze kan.
der wil dur dinen willen disen sumer sin
215,1 vil hohes muotes verre uf die genade din.
daz solt du minnecliche enpfan, daz ich mit guoten
so bin ich willekomen dar. [maeren var;

5 ,,Du solt im, bote, min dienest sagen:
swaz im ze liebe müg geschehen,
daz möhte niemen baz behagen,
der in so selten habe gesehen;

und bite in daz er wende sinen stolzen lip
10 da man im lone; ich bin ein vil vremdez wip
zenpfahen sus getane rede. swes er ouch ander eren
13 daz tuon ich, wan des ist er wert.“ [gert,

W. 217,[1] Min erste rede die si vernam
die enpfienc si deiz mich duhte guot,
unz si mich nahen zir gewan:
zehant bestuonts ein ander muot.
5 swie gerne ich wolte, ich enmac von ir niht komen.
diu groze liebe hat so vaste zuo genomen,
daz si mich niht enlazet fri: ich muoz ir eigen iemer sin.
nu enruoche, est doch der wille min.

6. Botschaft aus der Ferne:
Ihr allein will ich leben!

206,[19] Swes vröide an guoten wiben stat,
der sol in sprechen wol
und wesen ie undertan.
daz ist min site und ist min rat,
als ez mit triuwen sol.
daz kan mich niht vervan
25 an einer stat
dar ich noch ie genaden bat.
swaz si mir tuot, ich han mich ir gegeben
und wil ir einer leben.

Möht ich der schoenen minen muot
30 nach minem willen sagen,
so lieze ich minen sanc.
nu ist min saelde niht so guot:
da von muoz ich ir klagen
mit sange daz mich twanc.

35 swie verre ich si,
so sende ich ir den boten bi
den si wol hoeret unde eine siht:
dern meldet min da niht.

207,1 Ez ist ein klage und niht ein sanc
da ich der guoten mite
erniuwe miniu leit.
die swaeren tage sint alze lanc
5 diech si genaden bite
und si mir doch verseit.
swer selhen strit,
der kumber ane fröide git,
verlazen kunde, des ich niene kan,
10 der waere ein saelic man.

7. Widerruf und neues Treubekenntnis

207,11 Ich sprach, ich wolte ir einer leben,
und lie des wite maere komen.
min herze hete ich ir gegeben
und han daz nu von ir genomen.
15 swer tumben antheiz trage,
der laze in e der tage,
e in der strit
beroube der jare gar,
als si mich hat getan.
20 ir si der kriec verlan;
von dirre zit
so wil ich dienen anderswar.

35 Ich was untriuwen ie gehaz:
nu wolte ich ungetriuwe sin!
mir taete untriuwe verre baz

danne daz mich diu triuwe min
von ir niht scheiden liez,
208,1 diu mich ir dienen hiez.
nu tuot mir we:
si wil mir ungelonet lan.
ich spriche ir niuwan guot:
5 e ich beswaere ir muot,
so wil ich e
die schulde zuo dem schaden han.

Waz solte ich arges von ir sagen,
der ich ie wol gesprochen han?
10 ich mac wol minen kumber klagen
und si drumb ungevelschet lan.
si nimt von mir für war
min dienest manic jar.
ich han gegert
15 ir minne unde vinde ir haz.
daz mir da nie gelanc,
des habe ich selbe undanc:
duhte ich sis wert,
si hete mir gelonet baz.

207,23 Sit ich ir lones muoz enbern,
der ich manc jar gedienet han,
25 so geruoche mich got eines wern:
daz ez der schoenen müeze ergan
nach eren unde wol.
sit ich mich rechen sol,
deswar daz si,
30 und doch niht anders wan also
daz ich ir heiles gan
baz danne ein ander man,
und bin da bi
ir leide gram, ir liebes fro.

208,[20] Mir sint diu jar vil unverlorn,
diu ich an si gewendet han:
hat mich ir minne lon verborn,
doch troestet mich ein lieber wan.
ichn gerte nihtes me
25 wan müese ich ir als e
ze vrowen jehen.
manc man der nimt sin ende also
daz ime nie liep geschiht,
wan daz er sich versiht
30 deiz sül geschehen,
und tuot in der gedinge fro.

208,[32] Der ich da her gedienet han,
dur die wil ich mit fröiden sin,
doch ez mich wenic hat vervan.
35 ich weiz wol daz diu frowe min
niwan nach eren lebt.
swer von der siner strebt,
der habe im daz!
in betraget siner jare vil.
209,[1] swer also minnen kan,
der ist ein valscher man.
min muot stat baz:
von ir ich niemer komen wil.

8. Mit Winters Wappen

205,[1] Sit ich den sumer truoc riuw unde klage,
so ist min trost ze fröiden niht so guot,
min sanc ensül des winters wapen tragen:
daz selbe tuot ouch mir min sender muot.
5 wie lützel mir min staete liebes tuot!

wan ich vil gar an ir versumet han
die zit, den dienst, dar zuo den langen wan.
ich wil ir anders ungefluochet lan
wan so, si hat niht wol ze mir getan.

205,10 Wolt ich den hazzen, der mir leide tuot,
so möhte ich wol min selbes vient sin.
vil wandels hat min lip und ouch der muot:
daz ist an minem ungelücke schin.
min vrowe gert min niht; diu schulde ist min:
15 sit sinne machent saeldehaften man
und unsin staete saelde nie gewan,
ob ich mit sinnen niht gedienen kan,
da bin ich alterseine schuldic an.

Do ir min dienest niht ze herzen gie,
20 do duhte mich an ir bescheidenlich
daz si ir werden liebe mich erlie;
dar an bedahte si vil rehte sich.
zürn ich, daz ist ir spot und altet mich.
groz was min wandel; do si den entsaz,
25 do meit si mich, vil wol geloube ich daz,
me durch ir ere danne uf minen haz.
si waenet des, ir lop ste deste baz.

206,1 Si hate mich nach wane unrehte erkant,
do si mich ir von erste dienen liez;
dur daz si mich so wandelbaeren vant,
min wandel und ir wisheit mich verstiez.
5 si hat geleistet swaz si mir gehiez;
swaz si mir solde, des bin ich gewert.
er ist ein tump man, der iht anders gert.
si londe mir als ich si duhte wert:
michn sleht niht anders wan min selbes swert.

9. *Meister der Staete*

211,27 Der mit gelücke truric ist,
der wirt mit ungelücke selten gemellichen vro.
für truren han ich einen list;
30 swaz mir geschiht ze leide, so gedenke ich iemer so:
„nu la varn, ez solte dir geschehen;
schiere kumt daz dir gefrumt.“
sus sol ein man des besten sich versehen.

35 Swer anders giht, der misseseit,
wan daz man staetiu wip mit staetekeit erwerben muoz.
des hat mir min unstaetekeit
ein staetez wip verlorn. diu bot mir alse schoenen gruoz,
212,1 daz si mir ougte einen lieben wan.
do si erkos mich staetelos,
do muose ouch diu genade ein ende han.

5 Ez ist mir iemer mere guot,
daz min unstaete an staeter vrowen mich versumet hat.
nu kere ich mich an staeten muot
und muoz mit heile mines ungelückes werden rat.
ich bin einer staeten undertan:
10/11 an der wirt schin diu staete min
und deich an staete meister nie gewan.

10. *Glücklich, wer frei von Liebe blieb!*

214,12 Niemen ist ein saelic man
ze dirre werlte wan der eine
der nie liebes teil gewan
15 und ouch dar nach gedenket kleine.
des herze ist vri von sender not
diu mangen bringet uf den tot,

der schone heil gedienet hat
und sich des ane muoz began.
20 dem libe niht so nahe gat,
als ich mich leider wol entstan,
wand ich den selben kumber han.

Ez ist ein ungelückes gruoz,
der gat für aller hande swaere,
25 daz ich von friunden scheiden muoz,
bi den ich iemer gerne waere.
diu not von minen triuwen kumt.
ichn weiz, ob si der sele iht frumt:
sin git dem libe lones me
30 wan truren den vil langen tac.
wand ich mich niht getroesten mac
der guoten diu min schone pflac.

11. Schwere Zeit

209,5 Min dienest der ist alze lanc
bi ungewissem wane:
wan nach der ie min herze ranc
diu lat mich trostes ane.
9/10 ich möhte in klagen und wunder sagen
von manger swaeren zit,
sit ich erkande ir strit.
sit ist mir gewesen vür war
ein stunde ein tac, ein tac ein woche, ein woche ein ganzez
[jar.
15 Owe, waz taetes einem man,
dem si doch vient waere,
sit si so wol verderben kan
ir friunt mit manger swaere?

19/20 mir taete baz des riches haz:
joch möhte ich eteswar
entwichen siner schar;
diz leit wont mir alles bi
und nimt von minen fröiden zins, als ich sin eigen si.

12. Abkehr von vornehmen Damen

216,29 Manger grüezet mich also
(der gruoz tuot mich ze maze fro):
„Hartman, gen wir schouwen
ritterliche frouwen!“
mac er mich mit gemache lan,
und ile er zuo den frowen gan!
35 bi frowen triuwe ich niht vervan,
wan daz ich müede vor in stan.

216,37 In miner torheit mir geschach,
daz ich zuo zeiner frowen sprach:
„frow, ich han mine sinne
217,1 gewant an iuwer minne.“
do wart ich twerhes an gesehen.
des wil ich, des si iu bejehen,
mir wip in solher maze spehen
diu mir des niht enlant geschehen.

217,6 Ze frowen habe ich einen sin:
als si mir sint, als bin ich in;
wand ich mac baz vertriben
die zit mit armen wiben.
swar ich kum, da ist ir vil,
da vinde ich die diu mich da wil;
diu ist ouch mines herzen spil.
waz touc mir ein ze hohez zil?

13. Totenklage

217,14 Diz waeren wünnecliche tage,
der si mit fröiden möhte leben.
nu hat mir got ein swaere klage
ze dirre schoenen zit gegeben,
der mir leider niemer wirdet buoz.
ich han verloren einen man,
20 daz ich für war wol sprechen muoz
daz wip nie liebern friunt gewan.
do ich sin pflac, do fröite er mich;
nu pflege sin got, der pfligt sin baz dan ich.

Min schade waer niemen rehte erkant,
25 ern diuhte in grozer klage wert.
an dem ich triuwe und ere ie vant
und swes ein wip an manne gert,
der ist alze gahes mir benomen.
des mac mir unz an minen tot
30 niemer niht ze staten komen,
in müeze liden sende not.
der nu iht liebers si geschehen,
diu laze ouch daz an ir gebaerden sehen.

Got hat vil wol zuo zir getan,
35 sit liep so leidez ende git,
diu sich ir beider hat erlan;
der gat mit fröiden hin diu zit.
ich han klage so mangen liehten tac,
und ir gemüete stat alsо
218,1 daz si mir niht gelouben mac.
ich bin von liebe worden fro:
sol ich der jare werden alt,
daz giltet sich mit leide tusentvalt.

14. Verlust

206,10 Ich han des reht, daz min lip truric si;
wande mich twinget ein vil sendiu not.
swaz fröiden mir von kinde wonte bi,
die sint verzinset, als ez got gebot:
mich hat beswaeret mines herren tot;
15 dar zuo so trüebet mich ein varnde leit:
mir hat ein wip genade widerseit,
der ich gedienet han mit staetekeit
sit der stunde deich uf mime stabe reit.

15. Aufbruch zur Kreuzfahrt: Wahre Minne

218,5 Ich var mit iuwern hulden, herren unde mage:
liut unde lant diu müezen saelic sin!
es ist unnot daz iemen miner verte vrage:
ich sage wol für war die reise min.
mich vienc diu Minne und lie mich varn uf mine sicher-
10 nu hat si mir enboten bi ir liebe daz ich var. [heit.
ez ist unwendie: ich muoz endelichen dar.
wie kume ich braeche mine triuwe und minen eit!

Sich rüemet manger waz er durch die Minne taete:
wa sint diu were? die rede hoere ich wol.
15 doch saehe ich gerne dazs ir eteslichen baete
daz er ir diente, als ich ir dienen sol.
ez ist geminnet, der sich dur die Minne ellenden muoz.
nu seht, wies mich uz miner zungen ziuhet über mer.
lebte min herre, Salatin und al sin her
20 dien braehten mich von Vranken niemer einen fuoz.

Ir minnesinger, iu muoz ofte misselingen:
daz iu den schaden tuot, daz ist der wan.
ich wil mich rüemen, ich mac wol von minne singen,
sit mich diu Minne hat und ich si han.
25 daz ich da wil, seht daz wil alse gerne haben mich;
so müezt ab ir verliesen under wilen wanes vil:
ir ringent umbe liep, daz iuwer niht enwil.
wan müget ir armen minnen solhe minne als ich?

REIMAR

1. Bei Wintersanbruch

35,16 Der winter waere mir ein zit
so rehte wunnecliche guot,
wurd ich so saelic daz ein wip
getroste minen senden muot.
20 so wol mich danne langer naht,
gelaege ich alse ich willen han!
si hat mich in ein truren braht
des ich mich niht gemazen kan.

„Wie tuot der besten einer so
25 daz er min senen mac vertragen?
es waere wol, und wurde ich fro:
sich kunde nieman baz gehaben.
we, daz mir leit von dem geschiht
der an min herze ist nahe komen!
30 waz hilfet zorn? swenn er mich siht,
den hat er schiere mir benomen.“

2. Herzenskönigin

50,10 Ez wirt ein man der sinne hat
vil lihte saelic unde wert,
der mit den liuten umbe gat,
des herze niht wan eren gert.
diu fröude wendet im sin ungemüete.

15 sich sol ein ritter flizen manger güete:
ist ieman der daz nide,
daz ist ein so gefüeger schade,
den ich vor al der werlte gerne lide.

150,1 Ein liep ich mir vil nahe trage,
des ich ze guote nie vergaz.
des ere singe ich unde sage:
mit rehten triuwen tuon ich daz.
5 si sol mir iemer sin vor allen wiben:
an dem muote wil ich mangiu jar beliben.
waz bedarf ich leides mere,
wan swenne eht ich si miden sol?
daz klage ich unde müet mich dicke sere.

150,19 Ez ist ein nit der niene kan
verhelen an den liuten sich.
war umbe sprichet manic man
,,wes toert sich der?" und meinet mich?
daz kunde ich im gesagen, obe ich wolde.
joch nwande ich niht deis ieman fragen solde
25 der pflaege schoener sinne;
wan nieman in der welte lebt,
ern vinde sines herzen küneginne.

3. Sehnsucht und Freude

151,1 ,,Si koment underwilent her
die baz da heime möhten sin.
ein ritter des ich lange ger,
bedaehte er baz den willen min,
5 so waere er zallen ziten hie,

als ich in gerne saehe.
owe, waz suochent die
die nident daz, ob iemen guot geschaehe?"

Mir ist geschehen daz ich niht bin
10 langer vro wan unze ich lebe.
si wundert wer mir schoenen sin
und daz hochgemüete gebe,
daz ich zer werlte getar
ze rehte also gebaren.
15 nie genam ich vrowen war,
ich waere in holt, die mir ze maze waren.

4. *Im Fluge*

56,10 Ich waen mir liebe geschehen wil:
min herze hebet sich ze spil,
ze fröiden swinget sich min muot,
als der valke enfluge tuot
und der are ensweime.
15 joch liez ich friunt da heime.
wol mich, unde vinde ich die
wol gesunt als ich si lie!
vil guot ist daz wesen bi ir.
herre got, gestate mir
20 daz ich si sehen müeze
und alle ir swaere büeze;
ob s'in deheinen sorgen si,
daz ich ir die geringe
und si mir die min da bi;
so mugen wir fröide niezen.
25 o wol mich danne langer naht!
wie kunde mich verdriezen?

5. Frohe Kunde

151,[17] Genade suochet an ein wip
min dienest nu vil mangen tac.
durch einen alse guoten lip
20 die not ich gerne liden mac.
ich weiz daz si geniezen lat
mich miner grozen staete.
wa naeme si so boesen rat,
daz si an mir so harte missetaete?

25 ,,Genaden ich gedenken sol
an ime der minen willen tuot.
sit daz er mir getriuwet wol,
so wil ich hoehen sinen muot.
wes er mit rehter staete vro,
30 ich sage im liebiu maere,
daz ich in gelege also,
mich diuhte es vil, ob ez der keiser waere."

6. Wende

151,[33] Mir kumet eteswenne ein tac
daz ich vor vil gedanken niht
35 gesingen noch gelachen mac.
so waenet manger der mich siht
daz ich in vil grozer swaere si.
mir ist lihte ein vröide nahe bi.
152,[1] guot gedinge mich enlat
in der swaere.
mirst sorge harte unmaere,
min herze rehte hohe stat.

5 Ich han vil ledecliche braht
in ir genade minen lip,
und ist mir noch vil ungedaht
daz iemer werde ein ander wip
diu von ir gescheide minen muot.
10 swaz diu werlt mir ie ze leide tuot,
daz belibet ungeklaget,
wan ir niden
moht ich so wol nie liden:
ein liebez maere ist mir gesaget.

15 „Ich wirde jaemerlichen alt,
sol mich diu werlt also vergan
daz ich deheinen gewalt
an minem lieben friunde han,
daz er taete ein teil des willen min.
20 mich müet, und sol im iemen lieber sin.
bote, nu sag im niht me,
wan mirst leide
und fürhte daz sich scheide
diu triuwe der wir pflagen e.“

24 a Möht ich der werden minen muot
erzeigen als ich willen han,
so diuhte ez sie vil lihte guot,
ob ich durch sie iht han getan.
24 e nu enweiz ich wie ich leben sol
und gedenke, wie getuon ich wol?
wil diu schoene triuwen pflegen
und diu guote,
24 i sost mir so wol ze muote
als der bi vrowen hat gelegen.

7. Mißverstehen

152,25 „Ich lebte ie nach der liute sage
wan daz si niht geliche jehent.
als ich ein hohez herze trage
und si mich wolgemuote sehent,
daz hazzet einer sere,
30 der ander giht, mir si diu fröide ein ere.
nun weiz ich weme ich volgen sol;
wan hete ich wisheit unde sin,
so taete ich gerne wol.

W. 71,19 Ich hoere im maneger eren jehen,
der mir ein teil gedienet hat.
der im inz herze kan gesehen,
an des genade suoche ich rat,
daz er mirz rehte erscheine.
nu fürhte ab ich daz erz mit valsche meine.
25 taete er mir noch den willen schin,
het ich iht liebers danne den lip,
des müeser herre sin!"

W. 71,27 Wie kumt daz ich so wol verstan
ir rede und si der miner niht,
und ich doch groze swaere han,
30 wan daz man mich fro drunder siht?
ein ander man ez lieze:
nu volge ab ich, swie ich es niht genieze.
swaz ich dar umbe swaere trage,
da enspriche ich niemer übel zuo,
wan so vil daz ichz klage.

152,34 Ist daz mich dienest helfen sol,
als ez doch mangen hat getan,

so gewinnet mir ir hulde wol
ein wille den ich hiute han.
der riet mir deich ir baete,
153,[1] und zurnde ab siz, daz ich ez dannoch taete.
nu wil ichz tuon, swaz mir geschiht.
ein reine wise saelic wip
laz ich so lihte niht.

8. *Bei Tagesanbruch*

154,[32] So ez iender nahet deme tage,
so getar ich niht gefragen „ist ez tac?"
daz kumt mir von so grozer klage
[35] daz ez mir niht ze helfe komen mac,
gedenke ich wol, daz ich es anders pflac
hie vor, do mir diu sorge so niht ze herzen wac.
155,[1] iemer an dem morgen so troste mich der vogele sanc.
[3] mirn kome ir helfe an der zit,
mir ist beidiu winter und sumer alze lanc.

[5] Im ist vil wol, der mac gesagen
daz er sin liep in senenden sorgen lie.
so muoz ab ich ein ander klagen:
ich gesach ein wip nach mir getruren nie.
swie lange ich was, so tete si doch ie.
[10] diu not mir underwilent reht an min herze gie.
[12] und waer ich ander iemen alse unmaere mangen tac,
dem het ich gelan den strit.
[15] diz ist ein dinc des ich mich niht getroesten mac.

Diu Liebe hat ir varnde guot
geteilet so, daz ich den schaden han.
des nam ich mere in minen muot
dann ich von rehte solte haben getan.

[20] doch waene ich, sist von mir vil unverlan,
swie lützel ich der triuwen mich anderhalp entstan.
[23] sie was ie mit fröiden und lie mich in den sorgen sin:
[25] also vergie mich diu zit.
ez taget mir leider selten nach dem willen min.

155,[38] „Owe truren unde klagen,
wie sol mir din mit fröiden werden buoz?
156,[1] mir tuot vil we, deich dich muoz tragen:
du bist ze groz, doch ich dich liden muoz.
die swaere enwendet nieman, er entuoz
[4] den ich mit triuwen meine. gehorte ich sinen gruoz,
[6] daz er mir nahen laege, so zergienge gar min not.
[8] sin fremeden tuot mir den tot
unde machet dicke mir diu ougen rot."

9. Witwenklage

167,[31] „Si jehent, der sumer der si hie,
diu wunne diu si komen,
und daz ich mich wol gehabe als e.
nu ratent unde sprechent wie!
[35] der tot hat mir benomen
daz ich niemer überwinde me.
waz bedarf ich wunneclicher zit,
168,[1] sit aller fröiden herre Liutpolt in der erde lit,
den ich nie tac getruren sach?
ez hat diu werlt an ime verlorn
[4/5] daz ir an manne nie so jaemerlicher schade geschach.

Mir armen wibe was ze wol,
do ich gedahte an in,
wie min heil an sime libe lac.

sit ich des nu niht haben sol,
10 so gat mit jamer hin
swaz ich iemer nu geleben mac.
miner wunnen spiegel derst verlorn.
den ich mir hete ze sumerlicher ougenweide erkorn,
des muoz ich leider aenic sin.
do man mir seite, er waere tot,
16/17 zehant wiel mir daz bluot von herzen uf die sele min.

Die fröide mir verboten hat
mins lieben herren tot
20 also deich ir mer enberen sol.
sit des nu niht mac werden rat,
in ringe mit der not,
daz min klagendez herze ist jamers vol,
diu in iemer weinet daz bin ich,
25 wan er vil saelic man ja troste er wol ze lebenne mich.
der ist nu hin. waz töhte ich hie?
wis im genaedic, herre got:
28/29 wan tugenthafter gast kam in din gesinde nie."

10. Der Bittende

173,6 Ich sprich iemer, swenne ich mac und ouch getar,
„vrowe, wis genaedic mir."
si nimt miner swachen bete vil kleine war.
doch so wil ich dienen ir
10 mit den triuwen unde ich meine daz
unde als ich ir nie vergaz,
so gestan diu ougen min und niemer baz.

13 Swenne ich si mit einer valschen rede betrüge,
so het ichs unrehte erkant.

15 vahe si mich iemer an deheiner lüge,
sa so schüpfe mich zehant
und geloube niemer miner klage,
dar zuo niht des ich ir sage.
da vor müeze mich got hüeten alle tage.

20 Wart ie guotes und getriuwes mannes rat,
so kum ichs mit vröiden hin.
si weiz wol, swie lange si mich biten lat,
daz ichz der bitende bin.
ich han ir gelobt ze dienen vil,
25 dar zuo daz ichz gerne hil
unde ir niemer umbe ein wort geliegen wil.

Wart ie manne ein wip so liep als si mir ist,
so müez ich verteilet sin.
manger sprichet „sist mir lieber": dast ein list.
30 got weiz wol den willen min,
wie hoh ez mir umbe ir hulde stat
und wie nahen ez mir gat,
ir lop, dazs umb al die werlt verdienet hat.

Wie min lon und ouch min ende an ir geste,
35 dast min aller meistiu not.
zallen ziten fürhte ich daz si mich verge:
so waer ich an vröiden tot.
daz sol si bedenken allez e.
174,1 tuot si mir ze lange we,
so gediene ich uf die saelde niemerme.

11. Schmerzlicher Gewinn

174,3 Ich han varnder vröiden vil
und der rehten eine niht diu lange wer.
5 iemer alse ich lachen wil,

so seit mir daz herze min daz ichs enber.
min muot stuont mir eteswenne also
deich was mit den andern fro:
desn ist nu niht; daz was allez do.

10 Lide ich not und arebeit,
die han ich mir selbe an alle schult genomen.
dicke hat si mir geseit
daz ichz lieze, in möhtes niemer zende komen,
und noch hiute tuot, swan si mich siht,
15 und mir leit da von geschiht:
daz si min und gebe des niemen niht.

Daz ich ir gediente ie tac,
des enwil si mir gelouben niht, owe!
und swaz ich gesingen mac,
20 des engiht si niht daz si daz iht beste.
daz ist mir ein jaemerlich gewin.
sus gat mir min leben hin.
seht, wie saelic ich ze lone bin.

Nie wart groezer ungemach
25 danne ez ist der mit gedanken umbe gat.
sit daz si min ouge an sach,
diu mich vil unstaeten man betwungen hat,
der mac ich vergezzen niemer me.
daz tuot mir nu lange we.
30 we, wan haete ichs do verlazen e!

Ich han iemer teil an ir:
den gib ich nieman, swie fremed er mir si.
owe, wan wurde er mir,
daz ich einen tac belibe von sorgen vri!

174,35 got weiz wol daz ich ir nie vergaz
noch mir wip geviel nie baz.
wirt mir anders niht, so han ich daz.

12. Ohne Glück

197,15 Kaeme ich nu von dirre not,
ich enbegundes . . . niemer me.
volge ichs lange, ez ist min tot.
ja waene ich michs gelouben wil: ez tuot ze we.
owe leider, ich enmac.
20 swenn ich mich von ir scheiden muoz,
daz ist an minen fröiden mir ein angeslicher
[slac.
Mich wundert sere wie dem si
der vrouwen dienet und daz endet an der zit.
da ist vil guot gelücke bi.
25 owe daz mir der saelden nieman eine git!
waz sol ein unstaeter man?
daz was ich e: nu bin ichz niht,
ouch wart ichz niemer mere, sit ich dienen
[ir began.
Fröide und aller saelikeit
30 het ich genuoc, der mich si niht wan lieze sehen.
mir enmac ein herzeleit
noch groziu liebe niemer ane si geschehen.
sust und so swiech danne mac
so lebe ich als ein ander man,
35 daz ich die zit vertribe und etelichen swaeren
[tac.
Ich weiz mangen guoten man
an dem ich nide daz si in so gerne siht,
durch daz er wol sprechen kan.

doch troeste ich mich des einen, si'ngehoeret niht
198,1 und entet diz lange jar.
wils aber eines rede vernemen,
so liegent si et alle, und han ich eine war.

13. Zwischen Bitten und Versagen

170,36 Niemen seneder suoche an mich deheinen rat:
ich mac min selbes leit erwenden niht.
nu waen iemen groezer ungelücke hat,
und man mich doch so fro dar under siht.
171,1 da merkent doch ein wunder an.
ich solte iu klagen die meisten not,
niwan daz ich von wiben übel niht reden kan.

Spraeche ich nu des ich si selten han gewent,
5 dar an begienge ich groze unstaetekeit.
ich han lange wile unsanfte mich gesent
und bin doch in der selben arebeit.
bezzer ist ein herzeser
dann ich von wiben misserede.
10 ich tuon sin niht: si sint von allem rehte her.

In ist liep daz man si staeteclichen bite,
und tuot in doch so wol daz si versagent.
hei, wie mangen muot und wunderliche site
si tougenliche in ir herzen tragent!
15 swer ir hulde welle han,
der wese in bi und spreche in wol.
daz tete ich ie: nu kanz mich leider niht vervan.

Da ist doch min schulde entriuwen niht so groz
als rehte unsaelic ich ze lone bin.
20 ich stan aller vröiden rehte hendebloz

und gat min dienest wunderliche hin.
daz geschach nie manne me.
volende ich einest sende not,
sin tuot mir me, mag ichz behüeten, wol noch we.

25 Ich bin tump daz ich so grozen kumber klage
und ir des wil deheine schulde geben.
sit ichs ane ir danc in minem herzen trage,
waz mac si des, wil ich unsanfte leben?
daz wirt ir doch lihte leit.
30 nu muoz ichz doch so lazen sin.
mir machet niemen schaden wan min staetekeit.

14. Neues Leben

153,14 Wiest ime ze muote, wundert mich,
dem herzecliche liep geschiht?
er saelic man, da fröit er sich,
als ich wol waene, ich weiz ez niht.
doch weste ich gerne wie er taete:
ob er ihr pflaege wunneclicher staete;
20 diu sol im wesen von rehte bi.
got gebe daz ich erkenne noch,
wie solhem lebenne si.

Ich weiz bi mir wol daz ein zage
unsanfte ein sinnic wip bestat.
25 ich sach si, waene ich, alle tage,
daz mich des iemer wunder hat
daz ich niht redete swaz ich wolte:
als ichs beginnen under wilen solte,
so swiget ich deich niht ensprach,
30 wan ich wol weste daz nie man
noch liep von ir geschach.

Do sprechens zit was wider diu wip,
do warp ich als ein ander man.
do wart mir einiu als der lip,
35 von der ich niuwan leit gewan.
doch wande ich ie, si wolte ez wenden.
154,1 baete ich si noch, ich kunde ez niht verenden.
nu han ich mir ein leben genomen,
daz sol, ob got von himele wil,
mir baz ze staten komen.

153,5 Gewan ich ie deheinen muot
der hohe stuont, den han ich noch.
min leben dunket mich so guot;
und ist ez niht, so waene ichs doch.
daz tuot mir wol: waz wil i's mere?
10 ichn fürhte niht unrehten spot ze sere
und kan wol liden boesen haz.
solt i's also die lenge pflegen,
in gertes niemer baz.

154,5 Min herze ist swaere zaller zit,
swenn ich der schoenen niht ensihe.
si mugen ez lazen ane nit,
ob ich der warheit in vergihe;
wan si mir wont in minem sinne
10 und ich die lieben ane maze minne,
naher dan in dem herzen min.
sine mohte von ir güete mir
niht langer fremede sin.

14 Mich gerou noch nie daz ich den sin
an ein so schoene wip verlie:
ez dunket mich ein guot gewin.
ir gruoz mich minnecliche enphie.

vil gerne ich ir des iemer lone.
sie lebt mit zühten wunneclichen schone.
20 der tugende si geniezen sol.
mir geviel in minen ziten nie
ein wip so rehte wol.

Got hat gezieret wol ir leben
also daz michs genüegen wil,
25 und hat ze vröiden mir gegeben
an einem wibe liebes vil.
sol mir ir staete komen ze guote,
daz gilte ich ir mit semelichem muote,
und nide nieman dur sin heil,
30 wan ich ze wunsche danne han
der werlde minen teil.

15. Heimlicher Blick

176,5 Aller saelde ein saelic wip,
tuo mir so
daz min herze hohe ste;
obe ich ie dur dinen lip
wurde fro,
10 daz des iht an mir zerge.
ich was ie der dienest din:
so bistuz diu frouwe min.
sol ich iemer lieben tac
oder naht gesehen,
15 daz la, frouwe, an dir geschehen.

176,38 Ich verdiente den kumber nie
den ich han,
177,1 wan so vil, ob daz geschach

daz ich underwilent gie
für dich stan
unde ich dich vil gerne sach.
5 liez ich do daz ouge min
tougenlichen an daz din,
daz brahte ich unsanfte dan
unde lihte dar:
frouwe, nam des iemen war?

6,27 Frouwe, ich han noch nie getan,
dunket mich,
dan diu liebe mir gebot:
30 ich enkunde ez nie verlan,
horte ich dich
nennen, ine wurde rot.
swer do nahe bi mir stuont,
so die maerkaere tuont,
35 der sach herzeliebe wol
an der varwe min.
sol ich da von schuldic sin?

6,16 Frouwe, ich han durch dich erliten
daz nie man
durch sin liep so vil erleit.
ich getar dich niht gebiten
20 noch enkan.
tuoz durch dine saelekeit.
ich bin din: du solt mich nern
und gewaltes allen wern.
ich han iemer eine bete,
25 daz du wol gevarst
und dich baz an mir bewarst.

16. Österlicher Tag

170,1 Ich wil allez gahen
zuo der liebe die ich han.
so ist ez niender nahen
daz sich ende noch min wan.
5 doch versuoche ichz alle tage
und diene ir so dazs ane ir danc
mit fröiden muoz erwenden kumber den ich trage.

Mich betwanc ein maere
daz ich von ir horte sagen,
10 wies eine frouwe waere
diu sich schone kunde tragen.
daz versuochte ich unde ist war.
ir kunde nie kein wip geschaden
(daz ist wol kleine) also groz als umbe ein har.

15 Swaz in allen landen
mir ze liebe mac geschehen,
daz stat in ir handen;
anders niemen wil ichs jehen.
si ist min osterlicher tac,
20 und hans in minem herzen liep:
daz weiz er wol dem nieman niht geliegen mac.

17. Ein Kuß

159,1 Ich wirbe umb allez daz ein man
ze wereltlichen fröiden iemer haben sol.
daz ist ein wip der ich enkan
nach ir vil grozen werdekeit gesprechen wol.
5 lob ich si so man ander frowen tuot,

dazn nimet si niemer tac von mir für guot.
doch swer ich des, sist an der stat
das uzer wibes tugenden nie fuoz getrat.
daz ist in mat.

10 Si ist mir liep, und dunket mich
daz ich ir vollecliche gar unmaere si.
nu waz dar umbe? daz lide ich,
und bin ir doch mit triuwen staeteclichen bi.
waz obe ein wunder lihte an ir geschiht,
15 daz si mich eteswenne gerne siht?
sa denne laze ich ane haz,
swer giht daz ime an frowen si gelungen baz:
der habe im daz!

Als eteswenne mir der lip
20 dur sine boese unstaete ratet daz ich var
und mir gefriunde ein ander wip,
so wil iedoch daz herze niender wan dar.
so wol im deiz so reine welen kan
und mir der süezen arebeite gan.
25 des han ich mir ein liep erkorn
dem ich ze dienste, und waere ez al der werlte zorn,
muoz sin geborn.

Swaz jare ich noch ze lebenne han,
swie vil der waere, irn wurde ir niemer tac genomen.
30 so gar bin ich ir undertan,
daz ich unsanfte uz ir genaden möhte komen.
ich fröu mich des, daz ich ir dienen sol;
si gelonet mir mit lihten dingen wol.
geloube eht mir, swenne ich ir klage
35 die not diech inme herzen von ir schulden trage
dicke an dem tage.

Und ist daz mirs min saelde gan,
deich abe ir redendem munde ein küssen mac versteln,
git got deichz mit mir bringe dan,
40 so wil ichz tougenliche tragen und iemer heln.
160,[1] ist aber daz siz für groze swaere hat
und vehet mich dur mine missetat,
waz tuon ich danne unsaelic man?
da heb i'z uf und legez hin wider, als ich wol kan,
da ichz do nam.

18. Kreuzlied

181,[13] Des tages do ich daz kriuze nam,
do huote ich der gedanken min,
15 als ez dem zeichen wol gezam
und alse ein rehter bilgerin;
do wande ich si ze gote also bestaeten
dazs iemer fuoz uz sime dienste getraeten:
nu wellents aber ir willen han
20 und ledecliche varn als e.
diu sorge diust min eines niht:
si tuot noch mere liuten we.

Noch füere ich aller dinge wol,
wan daz gedanke wellent toben:
25 dem gote dem ich da dienen sol,
den enhelfent si mir niht so loben,
als ichs bedörfte und ez min saelde waere;
si wellent allez wider an diu alten maere
und wellent deich noch fröide pflege,
30 als ich ir eteswenne pflac.
daz wende, muoter unde maget,
sit ichs in niht verbieten mac.

Gedanken wil ich niemer gar
verbieten (des ir eigen lant),
35 in erloube in eteswenne dar
und aber wider sa zehant.
sos unser beider friunde dort gegrüezen,
so keren dan und helfen mir die sünde büezen,
und si in allez daz vergeben
182,1 swaz si mir haben her getan.
doch fürhte ich ir betrogenheit,
daz si mich dicke noch bestan.

So wol dir, fröide, und wol im si
5 der din ein teil gewinnen mac.
swie gar ich din si worden fri,
doch sach ich eteswenne den tac
dazd über naht in miner pflege waere.
des han ich aber vergezzen nu mit manger swaere.
10 die stige sint mir abe getreten
die mich da leiten hin an dich.
mirn hülfe niemen wider ze wege,
ern hete min dienest und ouch mich.

19. Abwehr

96,35 Herzeclicher fröide wart mir nie so not,
mir tuot ein sorge tougenlichen we.
daz muoz sin an mir vil unverwandelot,
in gelebe daz si genade an mir bege:
197,1 so müeste ich iemer mere truren lan
und lieze mange rede, als ich niht horte, vür die oren
[gan.
Waz unmaze ist daz, ob ich des han gesworn
daz si mir lieber si dan elliu wip?

5 an dem eide wirdet niemer har verlorn:
des setze ich ir ze pfande minen lip.
swie si gebiutet, also wil ich leben.
sin gesach min ouge nie diu baz ein hohgemüete könde [geben.

Ungefüeger schimpf bestet mich alle tage:
10 si jehent daz ich ze vil gerede von ir
und diu liebe si ein lüge diech von ir sage.
owe wan lazent si den schaden mir?
si möhten tuon als ich da han getan
14 und heten wert ir liep und liezen mine frowen gan.

20. Falkenlied

179,3 Alse ich werbe und mir min herze ste
also müeze mir an vröiden noch geschehen.
5 mir ist hiure unsanfter vil dan e:
miner ougen wunne lat mich nieman sehen;
diu ist mir verboten gar.
nu verbieten also dar
und hüeten
10 daz si sich erwüeten!
we, wes nement si war?

Mich genidet niemer saelic man
durch die liebe dies an mir erzeiget hat.
trost noch vröide ich nie von ir gewan,
15 wan so vil daz mir der muot des hohe stat
daz ichs ie getorste biten
ein wip mit also reinen siten:
mir waere
lip und guot unmaere,
20 hete ich si vermiten.

Ich waen ieman lebe, ern habe ein leit
daz vor allem leide im an sin herze gat.
we, war umbe verspraeche ich arebeit
diu mir liebet und doch lobelichen stat?
25 die verspriche ich niemer tac.
ich muoz leben als ich pflac.
dar under
tuot got lihte ein wunder,
daz si mir werden mac.

30 Mir ist lieber daz si mich verber
und also daz si mir doch genaedic si,
dan si mich und jenen und disen gewer;
seht, so würde ich niemer tac von sorgen fri
niemen sol des gerende sin,
35 daz er spreche „min und din
gemeine.“
ich wilz haben eine.
schade und frume si min.

80,10 Ich bin als ein wilder valke erzogen,
der durch sinen wilden muot als hohe gert.
der ist also hoh über mich geflogen
unde muotet des er kume wirt gewert
und fliuget also von mir hin
15 und dienet uf ungewin.
ich tumber
lide senden kumber,
des ich gar schuldic bin.

19 Jo ergienc ir nie daz ich gesprach
also nahen, daz ez waere ihtes wert.
sol mich daz verjagen daz ich si sach
unde ich ouch dar under ihtes han gegert

daz ich solte han verswigen,
owe, wie ist daz gedigen
25 unschone!
nach so kleinem lone
han ich nie genigen.

181,1 Ich was mines muotes ie so her,
daz ich in gedanken dicke schone lac.
daz wart mir, und wart och mir niht mer.
swer daz ane rede niht gelazen mac,
5 der tuot übel und sündet sich.
waz ruoche ich, ob er nide mich?
er guote
lebe in hohem muote,
swer nu werbe als ich.

21. Frauenpreis

165,10 Waz ich nu niuwer maere sage,
desn darf mich nieman fragen: ich enbin niht vro.
die friunt verdriuzet miner klage.
des man ze vil gehoeret, dem ist allem so.
nu han ich es beidiu schaden unde spot.
15 waz mir doch leides unverdienet, daz erkenne got,
und ane schult geschiht!
ichn gelige herzeliebe bi,
son hat an miner vröide nieman niht.

Die hohgemuoten zihent mich,
20 ich minne niht so sere, als ich gebare, ein wip.
si liegent unde unerent sich:
si was mir ie gelicher maze so der lip.
nie getroste si dar under mir den muot.

der ungenaden muoz ich, und des si mir noch getuot,
25 erbeiten als ich mac.
mir ist eteswenne wol gewesen:
gewinne ab ich nu niemer guoten tac?

So wol dir, wip, wie reine ein nam!
wie sanfte er doch z'erkennen und ze nennen ist!
30 ez wart nie niht so lobesam,
swa duz an rehte güete kerest, so du bist.
din lop mit rede nieman volenden kan.
swes du mit triuwen phligest, wol im, derst ein saelic man
und mac vil gerne leben.
35 du gist al der werlde hohen muot:
wan maht och mir ein lützel fröiden geben?

Zwei dinc han ich mir für geleit,
diu stritent mit gedanken in dem herzen min:
ob ich ir hohen werdekeit
166,1 mit minem willen wolte lazen minre sin,
ode ob ich daz welle daz si groezer si
und si vil saelic wip ste min und aller manne vri.
diu tuont mir beidiu we:
5 ich enwürde ir lasters niemer vro;
vergat si mich, daz klage ich iemer me.

Ob ich nu tuon und han getan
daz ich von rehte in ir hulde solte sin
und si vor aller werlde han,
10 waz mac ich des, vergizzet si dar under min?
swer nu giht daz ich ze spotte künne klagen,
der laze im mine rede beidiu singen unde sagen,
⟨obes iht geligen si,⟩
und merke wa ich ie gespraeche ein wort,
15 ezn laege, e i'z gespraeche, herzen bi.

22. *Mitleid*

175,1 Ich gehabe mich wol und ruochte iedoch,
ob mir ein vil lützel waere baz.
ich bin allez in den sorgen noch:
wirt mir sanfter iht, ich rede ouch daz.
5 zuo den sorgen die ich han
ist min klage, in habe der tage den vollen niht,
daz min swaere iht müge zu herzen gan.

Ez erbarmet mich dazs alle jehen
daz ich anders künne niht wan klagen.
10 mugent ir michel wunder an mir sehen?
waz solt ich nu singen oder sagen?
solte ich swern, in wisse waz.
saehe ich wider abent einen kleinen boten,
so gesanc nie man von vröiden baz.

15 Ich bin aller dinge ein saelic man,
wan des einen da man lonen sol.
obe ich dise unsaelde erwenden kan,
so vert ez nach ungenaden wol.
mir ist ungeliche deme
20 der sich eteswenne wider dem morgen fröit.
also taete ouch ich, wist ich, mit weme.

29 Die ich mir ze fröiden hete erkorn,
da envant ich niht wan ungemach.
waz ich guoter rede han verlorn?
ja, die besten die ie man gesprach.
si was endelichen guot.
nieman könde si von lüge gesprochen han,
35 erne hete als ich getriuwen muot.

175,36 Ich wil immer gerne umbe sehen:
ich was miner fröide ein teil ze fri.
mirst von einer kleinen rede geschehen,
176,1 daz ich wizzen wil wer bi mir si.
ungefüeger liute ist vil.
spriche ich wider abent lihte ein schoene wort,
waz mac i's, der mirz verkeren wil?

175,22 Treit mir iemen tougenlichen haz,
waz der siner vröide an mir nu siht!
we, war umbe taete ab iemen daz?
25 got weiz wol, in tuon doch niemen niht.
man sol mir genaedic sin:
mich beginnet noch nach minem tode klagen
manger der nu lihte enbaere min.

23. Ihr Zorn

171,32 Laze ich minen dienest so,
dem ich nu lange her gevolget han,
so wirde ich niemer mere fro.
35 si muoz gewaltes me an mir began,
danne an manne ie wip begie,
e deich mich sin geloube. ich kunde doch gesagen wie.

Uzer huse und wider dar in
bin ich beroubet alles des ich han,
172,1 fröide und al der sinne min:
daz hat mir nieman wan si getan.
daz berede ich alse ich sol.
wil sis lougen, so getruwe ich minem rehte wol.

5 ,,Ich bin so harte niht verzaget,
daz er mir so sere solte dröun.
ich wart noch nie von im gejaget,

er enmöhte si's ze maze vröun:
niemer wirde ich ane wer.
10 bestat er mich, in dünkt min einer lip ein ganzez her."

Ich han ir vil manic jar
gelebt, und si mir selden einen tac.
da von gewinne ich noch daz har
daz man in wizer varwe sehen mac.
15 ir gewaltes wirde ich gra.
si möhte sichs gelouben unde zurnde anderswa.

Waenet si daz ich den muot
von ir gescheide umb alse lihten zorn?
ob si mir ein leit getuot,
20 so bin ich doch uf anders niht geborn,
wan daz ich des trostes lebe
wie ich ir gediene und si mir swaere ein ende gebe.

24. Versuch

166,16 Der lange süeze kumber min
an miner herzelieben vrowen derst erniuwet.
wie möhte ein wunder groezer sin,
daz min verlorner dienest mich so selten riuwet,
20 wan ich noch nie den boten gesach
der mir ie braehte trost von ir, wan leit und unge-
wie sol ich iemer dise unsaelde erwenden? [mach.
unmaere ich ir, daz ist mir leit;
so enwart mir nie so liep, kund i'z verenden.

25 Wa nu getriuwer friunde rat?
waz tuon ich, daz mir liebet daz mir leiden solte?
min dienest spot erworben hat

und anders niht: ob ichz noch niht gelouben wolte,
joch waene i'z nu gelouben muoz.
30 des wirt och niemer leides mir unz an min ende buoz,
sit si mich hazzet diech von herzen minne.
mirn kunde ez nieman gesagen:
nu bin ichs vil unsanfte worden inne.

Daz si mich alse unwerden habe,
35 als si mir vor gebaret, daz geloube ich niemer;
nu laze ein teil ir zornes abe,
wan endeclichen ir genaden beite ich iemer.
von ir enmac ich noch ensol.
so sich genuoge ir liebes fröunt, sost mir mit leide wol.
167,1 und kan ich anders niht an ir gewinnen,
e daz ich ane ir hulde si,
ich wil ir güete und ir gebaerde minnen.

167,22 Owe, daz alle die nu lebent
wol hant erfunden wie mir ist nach einem wibe
und si mir niht den rat engebent,
25 daz ich getroestet würde noch bi lebendem libe.
jo klage ich niht min ungemach,
wan daz den ungetriuwen ie baz danne mir geschach,
die nie gewunnen leit von sender swaere.
got wolde, erkanden guotiu wip
30 ir sumelicher werben, wie dem waere!

67,13 Ein rede der liute tuot mir we:
da enkan ich niht gedulteclichen zuo gebaren.
15 nu tuont siz alle deste me:
si fragent mich ze vil von miner frouwen jaren
und sprechent, welher tage si si,
dur daz ich ir so lange bin gewesen mit triuwen bi;
si sprechent daz es möhte mich verdriezen.

20 nu la daz aller beste wip
ir zühteloser vrage mich geniezen.

167,4 Mac si mich doch lazen sehen,
ob ich ir waere liep, wie si mich haben wolte.
sit mir niht anders mac geschehen,
so tuo geliche deme, als ez doch wesen solte,
und lege mich ir nahe bi
und bietez eine wile mir, als ez von herzen si:
10 gevalle ez danne uns beiden, so si staete;
verliese ab ich ir hulde da,
so si verborn, als obe siz nie getaete.

25. Rat

162,7 Ein wiser man sol niht ze vil
ein wip versuochen noch gezihen, dest min rat,
von der er sich niht scheiden wil
10 und er der waren schulde doch deheine hat.
swer wil al der werlte lüge an ein ende komen,
der hat im ane not ein herzelichez leit genomen.
man sol boeser rede gedagen;
und frage ouch nieman lange des
15 daz er doch ungerne hoere sagen.

War umbe füeget diu mir leit,
von der ich solte hohe tragen minen muot?
jon wirbe ich niht mit kündekeit
noch durch versuochen, alsam doch vil manger tuot.
20 ich enwart nie rehte vro, wan so ich si gesach;
so gie von herzen gar swaz wider si min munt ge-
sol nu diu triuwe sin verlorn, [sprach.
so endarf eht nieman wunder nemen,
han ich underwilen kleinen zorn.

26. Meister des Leides

162,[25] Si jehent daz staete si ein tugent
der andern frowe. so wol im der si habe!
si hat mir fröide in miner jugent
mit ir wol schoener zuht gebrochen abe,
daz ich unze an minen tot si niemer me gelobe.
30 ich sihe wol, swer nu vert sere wüetend alse er tobe,
daz den diu wip nu minnent e
dann einen man der des niht kan.
ich ensprach in nie so nahe me.

163,[14] Ich weiz den wec nu lange wol
der von der liebe gat unz an daz leit.
der ander der mich wisen sol
uz leide in liep, derst mir noch unbereit.
daz mir von gedanken ist also unmazen we,
des überhoere ich vil und tuon als ich des niht verste.
20 git minne niht wan ungemach,
so müeze minne unsaelic sin:
wan ichs noch ie in bleicher varwe sach.

163,[5] Des einen und deheines me
wil ich ein meister sin, die wile ich lebe;
daz lop wil ich daz mir beste
und mir die kunst diu werlt gemeine gebe,
daz niht mannes siniu leit so schone kan getragen.
10 begat ein wip an mir deich naht noch tac niht kan ge-
nu han eht ich so senften muot, [dagen,
daz ich ir haz ze fröiden nim.
owe, wie rehte unsanfte ez mir doch tuot!

162,[34] Ez tuot ein leit nach liebe we:
so tuot ouch lihte ein liep nach leide wol.

swer welle daz er fro beste,
daz eine er dur daz ander liden sol
mit bescheidenlicher klage und gar an arge site.
163,1 zer welte ist niht so guot deich ie gesach so guot ge-
swer die gedulteclichen hat, [bite.
der kam des ie mit fröiden hin.
also ding ich daz min noch werde rat.

27. Weibliches Bekenntnis

178,1 „Lieber bote, nu wirp also,
sich in schiere und sage im daz:
vert er wol und ist er fro,
ich leb iemer deste baz.
5 sage im durch den willen min,
daz er iemer solhes iht getuo
da von wir gescheiden sin.

Frage er, wie ich mich gehabe,
gich daz ich mit fröiden lebe.
10 swa du mügest, da leit in abe
daz er mich der rede begebe.
ich bin im von herzen holt
und saehe in gerner denne den liehten tac:
daz ab du verswigen solt.

15 E dazd iemer im verjehest
deich im holdez herze trage,
so sich dazd alrerst besehest
und vernim waz ich dir sage:
meine er wol mit triuwen mich,
20 swaz im danne müge ze vröiden komen,
daz min ere si, daz sprich.

Spreche er daz er welle her,
daz ichs immer lone dir,
so bit in daz er verber
25 rede dier jungest sprach ze mir:
so mac ich in an gesehen.
wes wil er da mite beswaeren mich
daz doch nimmer mac geschehen?

29 Des er gert daz ist der tot
und verderbet mangen lip;
bleich und eteswenne rot
also verwet ez diu wip.
minne heizent ez die man,
unde möhte baz unminne sin.
35 we im, ders alrerst began!

Daz ich also vil da von
han geredet, daz ist mir leit,
wande ich was vil ungewon
so getaner arebeit
40 alse ich tougenlichen trage;
179,1 dune solt im nimmer niht verjehen
alles des ich dir gesage."

28. Hinter der Türe

160,6 Daz beste daz ie man gesprach
od iemer me getuot,
daz hat mich gemachet redelos.
got weiz wol, sit ichs erste sach,
10 so hete ich ie den muot
daz ich vür si nie kein wip erkos.
kunde ich mich dar han gewendet

da manz dicke erbot
minem libe rehte als ich ez wolde,
15 ich het eteswaz verendet.
ich rüem ane not
mich der wibe mere danne ich solde.
war sint komen die sinne min?
sol ez mir wol erboten sin,
20 han ich tumber gouch mich so verjehen?
swaz des war ist, daz muoz noch geschehen.

Min rede ist also nahe komen,
dazs erste vraget des
waz genaden si der ich da ger.
25 wil si des noch niht han vernomen,
so nimt mich wunder, wes
ich so manger swaere niht enber
die mir also dicke nahen
an dem herzen sint,
30 daz ich niemer tac ir vri belibe,
sol der kumber niht vervahen.
taete ez danne ein kint
deiz sus iemer lebete nach wibe,
dem wolt ich wol wizen daz.
35 möht ich mich noch bedenken baz
unde naeme von ir gar den muot!
neina, herre! sist so rehte guot.

Het ich der guoten ie gelogen
so groz als umbe ein har,
161,1 so lit ich von schulden ungemach.
ich weiz wol waz mich hat betrogen:
da seite ich ir ze gar
swaz mir leides ie von ir geschach
5 unde ergap mich ir ze sere.

do si daz vernam
deich durch not von ir niht komen kunde.
do was si mir iemer mere
in ir herzen gram
10 unde erbot mir leit ze aller stunde.
also han ich si verlorn.
nu wil si, dest ein niuwer zorn,
daz ich si der rede gar begebe.
weiz got, niemer al die wile ich lebe.

15 Wie dicke ich in den sorgen doch
des morgens bin betaget,
so ez allez slief daz bi mir lac!
si enwisten noch enwizzen noch
daz mich min herze jaget
20 dar ich vil unsanfte komen mac.
si enlat mich von ir scheiden
noch bi ir bestan;
ie dar under muoz ich gar verderben.
mit den listen, waene ich, beiden
25 wil si mich vergan.
hoerent wunder, kan si alsus werben?
nein si, weiz got, si enkan.
ich hans ein teil gelogen an.
sin engetet ez nie wan umbe daz
30 daz si mich noch wil versuochen baz.

Do Liebe kom und mich bestuont,
wie tet Genade so
daz siz niht genaedeclichen schiet?
ich bat si dicke, so di tuont
35 die gerne waeren fro,
sit ir trost vil mangen ie beriet,
dazs och mir daz selbe taete.

innerhalb der tür
hat si tiure leider sich verborgen.
40 mac si sehen an mine staete
162,1 und ge dur got her vür,
gebe stiure daz ich kome uz sorgen;
wan ich han mit schoenen siten
so kumecliche her gebiten.
5 obe des diu guote niht verstat,
we gewaltes dens an mir begat!

29. Verlorene Zeit

190,3 Wie tuot diu vil reine guote so?
si lat mich also verderben gar.
5 ich bin al ir werdekeite fro:
so nimt sis ein teil ze kleine war.
nu wande ich geniezen aller miner tage;
dar umb ich ir lop und ere sage.
si ist vil guot (deich iemer sprechen sol),
10 tuot si einez: si lone ir lieben unde ir friunden wol.

Lieber wan ist ane troesten da
unde twinget mir daz herze min:
we, wan waere er von mir anderswa!
da müest iedoch trost bi wane sin.
15 sol manz also liden, so bin ich verdaht.
es ist vil ze guotem ende braht.
wer mac ouch wizzen vor wiez dinc ergat?
si hat tugent und ere: da von mac es werden rat.

Waz bedarf ich denne fröiden me,
20 ob mir ir genade wonet bi?
daz daz noch bi miner zit erge

unde ich dar nach lange in fröiden si!
ist ab daz mich ir genade alo vergat
und mich helfelos verderben lat,
25 so mac ich klagen, ich vil tumber man,
daz ich miner tage wider gewinnen niht enkan.

30. Ihr Tor

157,11 Ich wande ie, ez waere ir spot,
die ich von minnen grozer swaere horte jehen.
desn gilte ich sere, semmir got,
sit ich die warheit an mir selben han ersehen.
15 mirst komen an daz herze min
ein wip: sol ich ir volle ein jar unmaere sin
und sol daz unverendet alse lange stan
und daz si min niht nimet war,
so muoz min fröide von ir gar
20 vil lihte an allen trost zergan.

56,27 So vil so ich gesanc nie man,
der anders niht enhaete wan den blozen wan.
daz ich nu niht mere enkan,
30 desn wunder nieman: mir hat zwivel, den ich han,
al daz ich kunde gar benomen.
wanne sol mir iemer spilndiu fröide komen?
noch saehe ich gerne mich in hohem muote als e.
michn scheide ein wip von dirre klage
35 und spreche ein wort als ich ir sage,
mir ist anders iemer we.

57,1 Ich alte ie von tage ze tage
und bin doch hiure nihtes wiser danne vert.
und hete ein ander mine klage,

dem riete ich so, daz ez der rede waere wert,
5 und gibe mir selben boesen rat.
ich weiz vil wol waz mir den schaden gemachet hat:
daz ich si niht verhelen kunde swaz mir war.
des han ich ir geseit so vil,
daz siz niht mere hoeren wil:
10 nu swige ich unde nige dar.

21 Sit mich min sprechen nu niht kan
gehelfen noch gescheiden von der swaere min,
so wolte ich daz ein ander man
die mine rede hete zuo den saelden sin;
25 iedoch niht an die selben stat
dar ich nu bitte und lange her mit triuwen bat:
darn gan ich nieman heiles, swenne ez mich vergat.
nu gedinge ich ir genaden noch.
waz si mir ane schulde doch
30 langer tage gemachet hat!

Und wiste ich niht daz si mich mac
vor al der welte wert gemachen, obe si wil,
ich gediende ir niemer mere tac.
jo hat si tugende, den ich volge unz an daz zil,
35 niht langer wan die wile ich lebe.
noch bitte ich si daz si mir liebez ende gebe.
waz hilfet daz? ich weiz wol daz siez niht entuot.
doch tuo siz durch den willen min
und laze mich ir tore sin
40 und neme min rede für guot.

31. Stirbt sie, so bin ich tot

158,[1] Wol im daz er ie wart geborn,
dem disiu zit genaedeclichen hine gat
an aller slahte senden zorn,
und doch ein teil dar under sines willen hat.
5 wie dem nahet manic wünneclicher tac!
wie lützel er mir, saelic man, gelouben mac!
wan ich nach fröide bin verdaht
und kan doch niemer werden fro.
mich hat ein liep in truren braht.
10 deist unwendic: nu si also.

Daz ich min leit nu lange klage,
des spottent die den ir gemüete hohe stat.
waz ist in liep daz ich in sage?
waz sprichet der von fröiden, der dekeine hat?
15 wil ich liegen, sost mir wunders vil geschehen:
so trüge ab ich mich ane not, solt ich des jehen.
wan lant si mich erwerben daz
dar nach ich ie mit triuwen ranc?
zem iemen danne ein lachen baz,
20 daz gelte ein ouge, und haber doch danc.

Ich wil von ir niht ledic sin,
die wile ich iemer gernden muot zer werlte han.
daz beste gelt der fröiden min
daz lit an ir und aller miner saelden wan.
25 swenne ich den verliuse, so enhan ich niht
und ruoche ouch für den selben tac waz mir geschiht.
ich muoz wol sorgen umbe ir leben:
stirbet si, so bin ich tot.
hat si mir anders niht gegeben,
30 so erkenne ich doch nu sende not.

Genade ist endeliche da:
diu'rzeige sich als ez an minem heile si.
dien suoche ich niender anderswa:
von ir gebote wil ich niemer werden fri.
35 daz si da sprechent von verlorner arebeit,
sol daz der miner einiu sin, daz ist mir leit.
ichn wande niht, do ichs began,
in gelebte an ir noch lieben tac;
ist mir da misselungen an,
40 doch gab ichz wol als ez da lac.

32. Begegnung und Verstummen

163,23 Mich hoehet daz mich lange hoehen sol,
daz ich nie wip mit rede verlos.
25 und sprach in iemen anders danne wol,
daz was ein schult diech nie verkos.
in wart nie man so rehte unmaere
der gerner horte ir lop ir ere und dem ir genade ie lieber [waere.
doch habent si den dienest min:
30 wan al min trost und al min leben
daz muoz an eime wibe sin.

Wie mac mir iemer iht so liep gesin
dem ich so lange unmaere bin?
lid ich die liebe mit dem willen min,
35 son han ich niht ze guoten sin.
ist aber daz i's niht mac erwenden,
so möhte mir ein wip ir rat enbieten unde ir helfe senden
und lieze mich verderben niht.
164,1 ich han noch trost, swie kleine er si:
swaz geschehen sol, daz geschiht.

165,1 Ich bin der sumerlangen tage so vro,
daz ich nu hügende worden bin;
ouch stat min herze und min wille also:

ich minne ein wip, da meine ich hin.
5 diust hohgemuot und ist so schoene,
daz ich si da von vor ‹allen› andern wiben ‹iemer› kroene.
wil aber ich von ir tugenden sagen,
des wirt so vil, swenn ichz erhebe,
daz ichs iemer muoz gedagen.

164,12 Ich sach si, waere ez al der werlte leit,
diech doch mit sorgen han gesehen.
wol mich so minneclicher arebeit!
15 mirn könde niemer baz geschehen.
dar nach wart mir vil schiere leide.
ich schiet von ir, daz ich von wibe niemer mit der not
noch daz mir nie so we geschach. [gescheide
owe, do ich danne muoste gan,
20 wie jaemerliche ich umbe sach!

Owe daz ich einer rede vergaz,
daz tuot mir hiute und iemer we.
do si mir ane huote vor gesaz:
war umbe redte ich do niht me?
25 do was ab ich so vro der stunde
und der vil kurzen wil daz man der guoten mir ze
daz ich vor liebe niht ensprach. [sehenne gunde,
ez möhte mangem noch geschehen,
der si so saehe, als ich si sach.

30 In disen boesen ungetriuwen tagen
ist min gemach niht guot gewesen:
wan daz ich leit mit zühten kan getragen,
ichn könde niemer sin genesen.
taet ich nach leide, als ichz erkenne,
35 si liezen mich vil schiere, die mich gerne sahen
die mir do sanfte waren bi. [eteswenne,
nu muoz ich fröide noeten mich,
dur daz ich bi der werlde si.

164,3 Der al die werlt gefröite ie baz danne ich,
der müeze mit genaden leben;
5 der tuoz ouch noch, wan sin verdriuzet mich.
mir hat min rede niht wol ergeben:
ich diende ir ie; mirn londe niemen.
daz truoc ich also daz min ungebaerde sach vil lützel
und daz ich nie von ir geschiet. [iemen
10 si saelic wip enspreche „sinc“,
niemer me gesinge ich liet.

33. Gespräch der Frau mit dem Boten

177,10 „Sage, daz ich dirs iemer lone,
hast du den vil lieben man gesehen?
ist ez war und lebt er schone,
als si sagent und ich dich hoere jehen?“ —
„vrowe, ich sach in: er ist fro;
15 sin herze stat, ob irz gebietent, iemer ho“. —

„Ich verbiute im vröide niemer.
laze eht eine rede; so tuot er wol.
des bit ich in hiute und iemer:
demst also daz manz versagen sol“. —
20 „frowe, nu verredent iuch niht.
er sprichet, allez daz geschehen sol, daz geschiht“. —

„Hat ab er gelobt, geselle,
daz er niemer me gesinge liet,
ezn si ob ich ins biten welle?“ —
25 „vrowe, ez was sin muot, do ich von im schiet.
ouch mugt irz wol han vernomen“. —
„owe, gebiute ichz nu, daz mac ze schaden komen.

Ist ab daz ichs niene gebiute,
so verliuse ich mine saelde an ime
30 und verfluochent mich die liute,
daz ich al der werlte ir vröide nime.
alrerst gat mir sorge zuo.
owe, nunweiz ich obe ichz laze od obe ichz tuo.

Daz wir wip niht mugen gewinnen
35 friunt mit rede, si enwellen dannoch me,
daz müet mich; in wil niht minnen.
staeten wiben tuot unstaete we.
waere ich, des ich niene bin,
unstaete, lieze er danne mich, so lieze ich in".

34. Das verborgene Ja

194,34 Der mir gaebe sinen rat!
konde ich ie deheinen, der ist mir benomen,
sit mich min sprechen niht vervat
noch min swigen. wie sol ich daz überkomen?
nein und niht, daz vinde ich da.
195,1 so suoche ab ich, daz si da hat verborgen,
daz vil süeze wort geheizen „ja".

35. Nein und Ja

189,5 Spraeche ich nu daz mir wol gelungen waere,
so verlüre ich beide sprechen unde singen.
was touc mir ein also verlogenz maere,
daz ich ruomde mich von also fremeden dingen?
daz wil ich den hohgemuoten lan:
10 den da wol geschiht, die nemen sich des an.

ich klag iemer minen alten kumber,
der mie iedoch so niuwer ist,
den si mir gap, do si mir fröide nam. we, ich vil tumber!

Wil diu vil guote daz ich iemer singe
15 wol nach fröiden, wan mac si mich danne leren
also daz si mir mine not geringe?
ane ir helfe truwe ich niemer si verkeren.
mac si sprechen eht mit triuwen ja,
als si e sprach nein, so wirt min wille sa
20 daz ich singe fro mit hohem muote.
da bi so ist diu sorge min,
des man ze lange beitet, daz enkumt niht wol ze guote.

32 Ez bringet mich in zwivel eteswenne,
daz ich lones bite in also langer maze.
an der ich aber triuwe und ere erkenne,
35 waene ich des daz diu mir ungelonet laze,
so geschaehe an mir daz nie geschach.
guot gedinge uz lones rehte nie gebrach.
des habe ich zir hulden ie gedinget.
190,1 ouch ist ez wol genaden wert,
swa man nach liebe in also luterlicher staete ringet.

189,23 Ich bin niht tump mit also wisem willen,
deich si reinen ienoch also staete minne;
25 wan daz si sint vil lihte ze stillen,
dien liep ane leit geschiht; als ich es sinne,
so verlür ich niemer fröiden vil.
sit diu guote mich niht sanfte stillen wil,
sol min dienest also sin verswunden,
30 so sin doch geret elliu wip,
sit daz mich einiu mit gedanken fröit an mangen stunden.

36. *Weder Ja noch Nein*

195,10 Mir ist vil we, swaz ich gesage,
daz sich diu guote niht bedenket noch,
daz ich so langen kumber trage
nach ir. si weiz wol daz ich lide doch
allez daz ich umbe ir hulde liden sol: ouch diene ich ir,
15 swie si gebiutet mir.
waer ich so saelic, so si sagent,
ich geschante an ir die mich da jagent
uz liebe in leit und mine not mit valschen maeren
[klagent.

Des ich nu lange han gegert,
20 wirt daz volendet, so ist mir fröide braht
vil nahen. diuht aber si des wert,
si hete lones wider mich gedaht.
nieman weiz, ob si mich wert od wiez ergat. nein oder ja,
ichn weiz enwederz da.
25 war umbe rede ich solhen nit?
si endahte an mich ze keiner zit,
wan als ein wip gedenket, an der triuwe und ere lit.

Spraeche ein wip „la sende not“,
so sunge ich alse ein man der fröide hat.
30 sus muoz ich truren an den tot,
sit ir min langez leit niht nahe gat.
do ich gesanc, daz ich gesunge niemer liet in minen tagen,
(owe so langez klagen!),
ich waene ez noch also geste.
35 mir tuot disiu sorge niht so we
als min ungevelle: dest der schade. noch weiz i's me.

37. Ein schweres Spiel

186,19 „Ungenade und swaz ie danne sorge was,
der ist nu mere an mir,
danne ez got verhengen solde.
rate ein wip, diu e von senender not genas,
min leit und waere ez ir,
waz si danne sprechen wolde.
25 der mir ist von herzen holt,
den verspriche ich sere,
niht durch ungefüegen haz,
wan durch mines libes ere.

Ich bin niht an disen tac so her bekomen,
30 mirn si gewesen bi
underwilent hochgemüete.
guotes mannes rede habe ich vil vernomen;
der werke bin ich fri,
so mich iemer got behüete.
35 do ich im die rede verbot,
don bat er nicht mere.
disen lieben guoten man
enweiz ich wiech von mir bekere.

187,1 Alse ich eteswenne in mime zorne sprach,
daz er die rede vermite
iemer dur sin selbes güete,
so hat er, daz ichz an manne nie gesach,
5 so jaemerliche site
daz ez mich zeware müete,
unde iedoch so sere niht
daz ers iht genieze.
mir ist lieber daz er bite,
10 danne ob er sin sprechen lieze.

Mir ist beide liep und herzeclichen leit
daz er mich ie gesach
oder ich in so wol erkenne,
sit daz er verliesen muoz sin arebeit,
15 so wol als er mir sprach.
daz müet mich doch eteswenne,
und iedoch dar umbe niht
daz ich welle minnen.
minne ist ein so swaerez spil
20 daz ichs niemer tar beginnen.

Alle die ich ie vernam und han gesehen,
der keiner sprach so wol
noch von wiben nie so nahen.
waz wil ich des lobes? got laze im wol geschehen.
25 sin spaehiu rede in sol
lützel wider mich vervahen.
ich muoz hoeren swaz er saget.
we, waz schat daz iemen,
sit er niht erwerben kann
30 weder mich noch anders niemen?"

38. Winterlich

87,31 Nu muoz ich ie min alten not
mit sange niuwen unde klagen,
wan si mir also nahen lit
daz i'r vergezzen niene mac.
35 ir gruoz mich vie diu mir gebot
vil lange niuwen kumber tragen.
erkande si der valschen git,
baz fuogte si mir heiles tac.
sol mir an ir guot ende ergan,

188,1 die wile ich muot von herzen han,
so mac uns beiden liep geschehen.
swaz sis gelenget, daz ist schade,
wil si mich iemer fro gesehen.

5 Von herzeleides schulden hat
min lip vil kumberliche not,
daz si nie groezer kunde sin:
des helfent al die sinne jehen.
den ez niht na ze herzen gat
10 noch in diu Minne nie gebot,
die sprechent von der swaere min,
waz mir so grozes si geschehen,
daz ich so riuweclichen klage.
und trüegen si daz ich da trage,
15 min schade taete in also we,
daz er si muote und mir dar nach
vil wol geloupten iemer me.

Ichn mages in allen niht gesagen,
die mich da fragent zaller zit,
20 war umbe ich also truric lebe
und ane wunneclichen muot.
die selben hulfen mir ez klagen,
die sich da setzent in den strit:
enpfahent die nu leides gebe,
25 dazn frumet noch endunket guot.
ez sol in unerzeiget sin:
daz ratet mir daz herze min:
ich bin der siz verswigen sol.
swer wibes ere hüeten wil,
30 der bedarf vil schoener zühte wol.

„Mir sol ein sumer und sin zit
ze herzen niemer nahe gan,
sit ich so grozer leide pflige,
daz minne herzen riuwen mac.
35 waz hulfe danne mich ein strit
den er mit triuwen habe getan,
sit ich in selhen banden lige?
we, wanne kumt mir heiles tac?
jo enmac mir niht der bluomen schin
189,1 gehelfen für die sorge min
und ouch der vogelline sanc.
ez muoz mir staete winter sin:
so rehte swaere ist min gedanc.“

HEINRICH VON MORUNGEN

1. Kaiser ohne Land

142,26 „Gerne sol ein riter zien
sich ze guoten wiben: dest min rat.
boesiu wip diu sol man flien:
er ist tump swer sich an si verlat,
30 wan sin geben niht hoen muot.
iedoch so weiz ich einen man,
den ouch die selben frowen dunken guot.

Mirst daz herze worden swere.
set, daz schaffet mir ein sendiu not.
35 ich bin worden dem unmere
der mir dicke sinen dienest bot.
143,1 we, war umbe tuot er daz?
und wil er sichs erlouben niht,
so muoz ich im von schulden sin gehaz.“

142,19 Ich bin keiser ane krone,
sunder lant. daz meine ich an den muot:
dern gestuont mir nie so schone.
wol ir libe, diu mir sanfte tuot.
daz schaffet mir ein frowe fruot.
ich wil ir dienen iemer me:
25 ich engesach nie wip so wol gemuot.

2. Schönheit der Frau

140,[32] Uns ist zergangen der liepliche summer.
da man brach bluomen da lit nu der sne.
mich muoz belangen, wenn si minen kummer
35 welle volenden der mir tuot so we.
ja klage ich niht den kle,
swenne ich gedenke an ir wiplichen wangen
diu man ze fröide so gerne ane se.

141,[1] Set an ir ougen und merket ir kinne,
set an ir kel wiz und prüevet ir munt:
sist ane lougen gestalt sam diu Minne.
mir wart von frouwen so liebez nie kunt.
....
....
....

8 Diech mit gesange hie prise unde krone,
an die hat got sinen wunsch wol geleit.
10 in sach nu lange nie bilde alse schone
alse ist min frouwe; des bin ich gemeit.
mich fröit ir werdekeit
baz dan der meie und al sine done
die die vogel singent; daz si iu geseit.

3. Krone der Frauen

122,[1] Si ist zallen eren ein wip wol erkant,
schoner geberde, mit zühten gemeit,
so daz ir lop in dem riche umbe get.
alse der mane vil verre über lant

5 liuhtet des nahtes wol lieht unde breit
so daz sin schin al die welt umbevet,
alse ist mit güete umbevangen diu schone;
des man ir jet:
si ist aller wibe ein krone.

10 Diz lop beginnet vil frouwen versman,
daz ich die mine für alle ander wip
han zeiner krone gesetzet so ho,
unde ich der keine uz genomen enhan.
doch ist vil luter vor valsche ir der lip,
15 smal wol ze maze, vil fin unde fro.
des müez ich in ir genade beliben,
gebiutet si so,
min liebeste vor allen wiben.

123,1 Ir tugent reine ist der sunnen gelich,
diu trüebiu wolken tuot liehte gevar,
swenne in dem meien ir schin ist so klar.
des wirde ich steter fröide vil rich,
5 daz überliuhtet ir lop also gar
wip unde frouwen die besten für war,
die man benennet in tiuscheme lande.
verre ader nar
so ist si ez diu baz erkande.

4. *Vermächtnis*

124,32 Hete ich tugende niht so vil von ir vernomen
unde ir schone niht so vil gesen,
wie were si mir danne also ze herzen komen?
35 ich muoz iemer dem geliche spen,
als der mane, der sinen schin

von des sunnen schin empfet:
also kument mir dicke
ir wol liehten ougen blicke
40 in min herze, da si vor mir get.

125,[1] Gent ir liehten ougen in daz herze min,
so kumt mir diu not, daz ich muoz klagen.
solde ab ieman an im selben schuldic sin,
so het ich mich selben selbe erslagen,
5 do ichs in min herze nam
unde ich si vil gerne sach,
noch gerner danne ich solde,
unde ich des niht miden wolde,
in hohte ir lop, swa manz vor mir gesprach.

10 Mime kinde wil ich erben dise not
und diu klagenden leit diuch han von ir.
wenet si dan ledic sin, ob ich bin tot,
ich laz einen trost doch hinder mir:
daz noch schone wirt min sun,
15 daz er wunder an ir bege
also daz er mich reche
und ir herze gar zerbreche,
so sin also rehte schonen se.

5. *Die Räuberin*

30,[9] Sin hiez mir nie widersagen
unde warb iedoch
unde wirbet hiute noch den schaden min.
des enmac ich langer niht verdagen:
wan si wil ie noch
elliu lant beheren alse ein rouberin.

15 daz machent alle ir tugend und ir schone,
diu vil mangem man tuont we.
ders ane set,
der muoz ir gevangen sin
unde in sorgen leben iemer me.

20 In den dingen ich ir man
und ir dienst wart do,
do ich si dur triuwe und dur güete an sach.
do kam si mit ir minnen an
unde vienc mich so,
25 daz si mich wol gruozte und wider mich suoze sprach.
des bin ich bloz an fröiden, siech an libe
und an herzen sere wunt.
ir ougen klar
diu hant mich beroubet, ach,
30 unde ir rosevarwer munt.

6. Verzaubert

126,8 Von den elben wirt entsen vil manic man:
so bin ich von grozer liebe entsen,
10 von der besten die ie man ze friunt gewan.
wil si aber mich dar umbe ven
und zunstaten sten, mac si dan rechen sich
unde tuo des ich si bite: so fröit si mich,
15 daz min lip vor wunne muoz zergen.

Sie gebiutet unde ist in dem herzen min
frouwe und herer danne ich selbe si.
hei wan müest ich ir also gewaltic sin
daz si mir mit triuwen were bi

20 ganzer tage dri   und etesliche naht!
so verlüre ich niht den lip und al die maht.
Ja ist si leider vor mir alze fri.

Mich entzündet ir vil liehter ougen schin
25 same daz fiur den dürren zunder tuot,
und ir fremeden krenket mir daz herze min
same daz wazzer die vil heize gluot;
und ir hoer muot,   ir schone, ir werdecheit
30 und daz wunder daz man von ir tugenden seit,
daz wirt mir übel — oder lihte guot.

Swenne ir liehten ougen so verkeren sich
daz si mir aldurch min herze sen,
swer da'enzwischen danne get und irret mich,
35 dem müeze al sin wunne gar zergen!
ich muoz vor ir sten   und warten der frouwen min
rehte also des tages diu kleinen vogellin:
wenne sol mir iemer liep geschen?

7. Der Grabstein

29,14 Sach ieman die frouwen
die man mac schouwen
in dem venster stan?
diu vil wolgetane
diu tuot mich ane
sorgen die ich han.
20 si liuhtet sam der sunne tuot
gegen dem liehten morgen.
e was si verborgen:
do muoten mich sorgen;
die wil ich nu lan.

25 Ist ab ieman hinne,
der sine sinne
her behalten habe?
der ge nach der schonen,
diu mit ir kronen
30 gie von hinnen abe;
daz si mir ze troste kome,
e daz ich verscheide:
diu liebe und diu leide
wellen mich beide
35 fürdern hin ze grabe.

Man sol schriben kleine
rehte uf dem steine
der min grap bevat,
130,1 wie liep si mir were
und ich ir unmere;
swer dan über mich gat,
daz der lese dise not
5 und gewinne künde
der vil grozen sünde
die si an ir fründe
her begangen hat.

8. Venus

138,17 Ich wene nieman lebe der minen kumber weine,
den ich eine trage,
ez entuo diu guote, diech mit triuwen meine,
20 vernimt si mine klage.
we wie tuon ich so, daz ich so herzecliche
bin an si verdaht, daz ich ein künicriche
für ir minne niht ennemen wolde,
obe ich teilen unde welen solde?

139,[3] Do si mir alrerst ein hohgemüete sande
in daz herze min,
5 des was bote ir güete, die ich wol erkande,
und ir liehter schin.
si sach mich güetlich ane mit ir spilnden ougen;
lachen si began uz rotem munde tougen.
sa zehant enzunte sich min wunne,
10 daz min muot stuont ho alsam diu sunne.

138,[25] Swer mir des erban, ob ich si minne tougen,
set, der sündet sich.
swenne ich eine bin, si schint mir vor den ougen.
so bedunket mich,
wie si ge dort her ze mir aldur die muren.
30 ir red und ir trost enlazent mich niet truren.
swenn si wil, so füeret si mich hinnen
mit ir wizen hant ho über die zinnen.

Ich wene, si ist ein Venus here, diech da minne,
wan si kan so vil.
35 si benimt mir beide fröide und al die sinne.
swenne so si wil,
so get si dort her zuo einem vensterline
unde siht mich an reht als der sunnen schine:
139,[1] swanne ich si dan gerne wolde schouwen,
ach, so get si dort zuo andern frouwen.

11 We waz rede ich? Ja ist min geloube boese
und ist wider got.
wan bit ich in des daz er mich hinnen loese?
ich was ie ir spot.
15 ich tuon sam der swan, der singet, swenne er stirbet.
waz ob mir min sanc daz lihte noch erwirbet,
swa man minen kumber sagt ze mere,
daz man mir erbunne miner swere?

9. Zwischen Singen und Schweigen

123,10 Min liebeste und ouch min erste
fröide was ein wip,
der ich minen lip
gap ze dienste iemer me.
daz hoste und ouch daz herste
15 an dem herzen min,
set, daz muoz si sin,
der ich selten fro geste.
ir tuot leider we
beide min sprechen und min singen:
20 des muoz ich an fröiden mich nu twingen
unde truren, swar ich ge.

Wer ir mit minem sange
wol, so sunge ich ir:
sus verbot siz mir,
25 und min swigen tete ir baz.
nu swige ich ir ze lange:
künde ich danne me,
ich sünge aber als e.
wie stet miner frouwen daz,
30 daz si sich vergaz
und versagite mir ir hulde?
owe des, wie rehte unsanfte ich dulde
beide ir spot und ouch ir haz!

Nu ratet, liebe frouwe,
35 waz ich singen müge
so daz ez iuch tüge.
sanc ist ane fröide kranc.
mir wart niht wan ein schouwen
124,1 von ir und der gruoz

den si teilen muoz
al der welte sunder danc.
diu zit ist ze lanc
5 ane fröide und ane wunne:
nu la sen, wer mich geleren kunne,
daz ich singe niuwen sanc!

10. Das Vöglein

132,27 Ist ir liep min leit und ungemach,
wie solt ich dan iemer mere rehte werden fro?
sin getrurte nie, swaz mir geschach:
30 klagte ich ir min jamer, so stuont ir daz herze ho.
sist noch hiute vor den ougen min, als si was do,
do si minnecliche mir zuo sprach
und ichs ane sach.
owe, solte ich iemer sten also!

35 Si hat liep ein kleine vogellin,
daz ir singet und ein lützel naher sprechen kan:
müeste ich dem geliche ir heimlich sin,
so swüere ich wol daz nie frouwe solchen vogel gewan.
133,1 für die nahtegal wolt ich ir hoe singen dan:
„owe, liebe schone frouwe min,
nu bin ich doch din:
mahtu trosten mich vil senden man?“

5 Sist mit tugenden und mit werdecheit
so behuot vor aller slahte unfrouwelicher tat,
wan des einen daz si mir verseit
ir genade und minen dienest so verderben lat.
wol mich des daz si min herze so besezzen hat,
10 daz der stat da nieman wirt bereit
alse ein har so breit,
swenne ir rehtiu liebe mich bestat.

11. Ohne Echo

127,1 Wiste ich, obe ez möhte wol verswigen sin,
ich lieze iuch sen mine lieben frouwen.
der enzwei gebreche mir daz herze min,
5 der möhte sie schone drinnen schouwen.
si kam her dur diu ganzen ougen
sunder tür gegangen:
10 owe, solte ich von ir reinen minnen sin
also werdecliche enpfangen!

Der so vil geriefe in einen touben walt,
ez antwurt ime dar uz eteswenne.
15 nu der schal ist dicke vor ir manicvalt
von miner not; wil si die bekenne?
29 nein, si entuot, got enwelle ein wunder
verre an ir erzeigen.
32 ja möht ich baz einen boum mit miner bete
sunder wafen nider geneigen.

Dasselbe

Zweite Fassung

12 Der so vil geriefe in einen touben walt,
ez antwurt ime dar uz eteswenne.
15 nust diu klage vor ir dicke manicvalt
von miner not, swie sis niht erkenne.
18 doch klagt ir maneger minen kumber
20 dicke mit gesange:
owe, ja hat si geslafen allez her
ader geswigen alze lange.

Were ein sitich ader ein star, die mohten sit
gelernet han daz si sprechen „minne!“.

26 ich han ir gedienet her vil lange zit:
mac si sich doch miner rede versinne?
nein si, niht, got enwelle ein wunder
31 verre an ir erzeigen.
ja möht ich baz einen boum mit miner bete
sunder wafen nider geneigen.

12. Was ist Liebe?

131,25 Ich bin iemer ander und niht eine
der grozen minne, der ich nie wart fri.
weren nu die huoter algemeine
toup unde blint, swenn ich ir were bi,
so möht ich min leit
30 eteswenne mit gesange ir künden.
möht ich mich mit rede zuo ir gefründen,
so wurde wunders vil von mir geseit.

132,11 Wolte si min denken für daz sprechen
und min truren für die klage verstan,
so müese ir der niuwen rede gebrechen.
15 owe, sol ieman daz für fuoge han,
daz er sere klage
daz er doch von herzen niht enmeinet,
als der eine truret unde weinet
und er sin leit doch nieman kan gesagen?

3 Miner ougen tougenlichez speen,
daz ich ze boten an si senden muoz,
5 daz neme si durch got von mir für fleen,
und ob si lache, daz si mir ein gruoz.
in weiz, wer da sanc:
„ein sitich und ein star an alle sinne
wol gelernten daz si sprechen ‚minne'."
sprich daz wort und habe des iemer danc!

131,[33] Si ensol niht allen liuten lachen
also von herzen, sam si lachet mir,
35 und ir an sen so minnecliche enmachen.
waz habet ieman ze schouwen daz an ir,
der ich leben sol
unde an der ist al min wünne behalten?
132,[1] jane wil ich niemer des eralten,
swenn ich si se, mirn si von herzen wol.

19 Sit si herzeliebe heizent minne,
so enweiz ich wie diu liebe heizen sol.
liebe wonet dicke in minem sinne:
liep han ich gerne, enbere ich leides wol.
liebe diu git mir
hoen muot, dar zuo freud unde wünne:
25 so enweiz ich waz diu leide minne künne,
wan daz ich iemer truren muoz von ir.

13. Sorge ohne Maß

137,[27] Obe ich dir vor allen wiben guotes gan,
sol ich des engelten frouwe, wider dich,
ste daz diner güete seliclichen an,
30 so laz iemer in den ungenaden mich.
habe ich dar an missetan, die schulde rich,
daz ich lieber liep zer werlte nie gewan:
nach der liebe sent iedoch min herze sich.

Obe ich iemer ane hohgemüete bin,
35 waz ist ieman in der werlte deste baz?
gent mir mine tage mit ungemüete hin,
die nach fröiden ringent, den gewirret daz.
indes wirt min ungewin der valschen haz.
138,[1] die verkerent underwilent mir den sin.
nieman solde niden, erne wiste waz.

138,3 Frouwe, ob du mir niht die werlt erleiden wil,
so rat unde hilf: mir ist ze lange we;
5 sit si jeen ez si niht ein kinde spil,
dem ein wip so nahen an sin herze ge.
ich erkande maze vil der sorgen e:
disiu sorge get mir für der maze zil,
hiute baz und aber dan über morgen me.

13a. Wunder der Schönheit

133,13 Leitliche blicke unde grozliche riuwe
han mir daz herze und den lip nach verlorn.
15 min alte not die klagte ich für niuwe,
wan daz ich fürhte der schimpfere zorn.
singe ab ich durch die diu mich freute hie bevorn,
so velsche durch got nieman mine triuwe,
20 wan ich durch sanc bin zer werlde geborn.

Manger der sprichet ,,nu set, wie der singet!
were im iht leit, er tet anders dan so.“
der mac niht wizzen waz mich leides twinget.
nu tuon aber ich rehte als ich tet do.
25 do ich in leide stuont, do huop ich si gar unho.
diz ist ein not diu mich sanges betwinget:
sorge ist unwert da die liute sint fro.

Diu mines herzen ein wunne und ein kron ist
30 vor allen frouwen diech noch han gesen,
schone und schoner, liebe aller schonist
ist si min frouwe; des hoere ich ir jen.
al diu werlt si sol durch ir schone gerne sen.
35 noch were zit daz du, frouwe, mir lonist;
ich han mit lobe anders torheit verjen.

Sten ich vor ir unde schouwe daz wunder
daz got mit schone hat an ir lib hat getan,
sost des so vil daz ich si da besunder,
134,1 daz ich vil gerne wolte iemer da stan.
owe so muoz ich harte trurig scheiden dan:
so kumt ein wolken so trüebez dar under,
5 daz ich des schinen von ir niht enhan.

14. Zwischen Abend- und Morgensonne

136,25 Diu vil guote, daz si selic müeze sin!
we der huote, diu der werlt so liehten schin
an ir hat benomen, daz man si niht wan selten set,
30 so diu sunne diu des abents under get.

Ich muoz sorgen, wie diu lange naht zerge,
gegen dem morgen daz ichs einest an gese,
35 die vil lieben sunnen, diu so wunneclichen taget,
daz min ouge ein trüebez wolken wol verklaget.

Swer der frouwen hüetet, dem künd ich den ban:
wan durch schouwen so geschuof si got dem man,
137,2 daz si were ein spiegel, al der werlde ein bilde gar.
waz sol golt begraben, des nieman wirt gewar?

15. Gesenkter Blick

143,4 Wie sol fröideloser tage
mir und sender jare iemer werden rat?
sost daz aber min hoste klage
daz uns beide an sange an fröide missegat.
. . . .
. . . .

10 Ich was eteswenne fro,
do min herze wande neben der sunnen stan.
dur diu wolken sach ich ho:
nu muoz ich min ouge nider zer erde lan.
. . . .
. . . .

16 Wil si fremden mir dur daz
daz si ist ein lützel mit valscher diet behuot?
dest ein swacher fründes haz,
daz si mit den andern mir so leide tuot.
. . . .
. . . .

16. Lied im Leid

127,34 Ez ist site der nahtegal,
swan sich ir liep volendet, so geswiget sie.
durch daz volge ich na der swal,
diu durch liep noch leit ir singen niene lie.
sit daz ich nu singen sol,
so mac ich von schulden sprechen wol:
128,1 „owe daz ich ie so vil gebat
und geflehte an eine stat,
da ich genaden nienen se.“

5 Swige ich unde singe niet,
so sprichet si daz ir min singen zeme baz.
spriche ab ich und singe liet,
so muoz ich dulden beide ir spot und ouch ir haz.
wie sol man der nu gelebe
10 diu dem man mit schoner rede vergebe?
owe daz ir ie so wol gelanc
und ich lie dur si min sanc!
ich wil singen aber als e.

128,15 Owe miner besten zit
und owe miner liehten wünneclichen tage!
waz der an ir dienste lit!
nu jamert mich vil manger senelicher klage,
die si hat von mir vernomen
20 unde ir nie ze herzen kunde komen.
owe miniu gar verlornen jar
diu geriuwent mich für war:
in verklage si niemer me.

25 Ir lachen und ir schone an sen
und guot geleze hat ertoeret lange mich.
mir ist anders niht geschen:
swer mich rüemens zihen wil, der sündet sich.
ich han sorgen vil gepflegen
30 unde frouwen selten bi gelegen.
owe, wan daz ich si gerne an sach
und in ie daz beste sprach,
mir enwart ir nie niht me.

35 Ez ist niht daz tiure si,
man habe ez deste werder, wan getriuwen man:
der ist leider swere bi.
er ist verlorn, swer nu niht wan mit triuwen kan.
des wart ich vil wol gewar;
40 wande ich ie mit triuwen diente dar.
129,1 Owe daz ich triuwen nie genoz!
des sten ich an fröiden bloz.
iedoch diene ich, swiez erge.

5 Ob ich si duhte gnaden wert,
son möhte mir zer werlde lieber niht geschen.
het ich an got sit gnaden gert,

sin könden nach dem tode niemer mich vergen.
her umbe ich niemer doch verzage,
10 ir lop, ir ere unz an min ende ich sage.
waz ob si sich bedenket baz?
und tete si vil liebe daz,
so verbere ich alle klage.

17. Vor Sonnenaufgang

(Tagelied)

143,22 Owe, sol aber mir iemer me
geliuhten dur die naht
noch wizer danne ein sne
25 ir lip vil wol geslaht?
der trouc diu ougen min:
ich wande, ez solde sin
des liehten manen schin.
do taget ez.

30 „Owe, sol aber er immer me
den morgen hie betagen?
als uns diu naht enge,
daz wir niht durfen klagen:
‚owe, nu ist ez tac‘,
35 als er mit klage pflac,
do'r jungest bi mir lac.
do taget ez.“

144,1 Owe, si kuste ane zal
in deme slafe mich.
do vielen hin ze tal
ir trene nidersich;
5 iedoch getroste ich si,

daz si ir weinen li
und mich al ummevi.
do taget ez.

,,Owe, daz er so dicke sich
10 bi mir erseen hat!
als er endahte mich,
so wolte er sunder wat
min arme schouwen bloz.
ez was ein wunder groz,
15 daz in des nie verdroz.
do taget ez.“

18. Bekenntnis und Klage

130,31 Ich han si für alliu wip
mir ze frouwen und ze liebe erkorn.
minneclich ist ir der lip.
set, durch daz so habe ich des gesworn,
35 daz mir in der welte niht
niemer solde lieber sin:
alse aber si min ouge an siht,
so tagt ez in dem herzen min.

131,1 ,,Owe des scheidens des er tete
von mir, do er mich vil senende lie.
wol aber mich der lieben bete
und des weinens des er do begie,
5 do er mich truren lazen bat
und mich hiez in fröiden sin.
von sinen trenen wart ich nat
und ergluote iedoch daz herze min.“

Der durch sine unselikeit
10 iemer arges iht von ir gesage,
dem müeze allez wesen leit,
swaz er minne und daz im wol behage.
ich fluoche in und schat in niht,
dur die ich ir muoz frömde sin:
15 alse aber si min ouge an siht,
so tagt ez in dem herzen min.

„Owe waz wizents einem man
der nie frouwen leit noch arc gesprach
und in aller eren gan?
durch daz müejet mich sin ungemach,
20 daz si in so schone gruozent wal
unde zuo im redende gant
unde in doch als einen bal
mit bosen worten umbe slant.“

19. Nein und Ja

37,10 Frouwe, wiltu mich genern,
so sich mich ein vil lützel an.
in mac mich langer niht erwern,
den lip muoz ich verloren han.
ich bin siech, min herze ist wunt:
15 frouwe, daz hant mir getan
min ougen und din roter munt.

Frouwe, mine swere sich,
e ich verliese minen lip.
ein wort du spreche wider mich:
20 verkere daz, du selic wip!
sprichest iemer neina nein,

neina neina neina nein,
daz brichet mir min herze enzwein.
maht du doch etswan sprechen ja,
25 ja ja ja ja ja ja ja?
daz lit mir an dem herzen na.

20. Selige Stunde

125,19 In so hoer swebender wunne
so gestuont min herze an fröiden nie.
ich var, alse ich vliegen kunne,
mit gedanken iemer umbe sie,
sit daz mich ir trost enpfie,
der mir durch die sele min
25 mitten in daz herze gie.

Swaz ich wunnecliches schouwe,
daz spil gegen der wunne die ich han.
luft und erde, walt und ouwe
suln die zit der fröide min enpfan.
30 mir ist komen ein hügender wan
und ein wunneclicher trost,
des min muot sol hoe stan.

Wol dem wunneclichen mere,
daz so suoze durch min ore erklanc,
35 und der sanfte tuonder swere,
diu mit fröiden in min herze sanc,
da von mir ein wunne entspranc,
diu vor liebe alsam ein tou
mir uz von den ougen dranc.

126,1 Selic si diu süeze stunde,
selic si diu zit, der werde tac,

do daz wort gie von ir munde,
daz dem herzen min so nahen lac,
5 daz min lip von fröide erschrac,
unde enweiz vor wunne joch
waz ich von ir sprechen mac.

21. Wieder gesund

144,17 Hat man mich gesen in sorgen,
des ensol niht mer ergan.
wol freu ich mich alle morgen
20 daz ich die vil lieben han
gesen in ganzen freuden gar.
nu fliuch von mir hin, langez truren!
ich bin aber gesunt ein jar.

Si kan durch diu herzen brechen
25 sam diu sunne dur daz glas.
ich mac wol von schulden sprechen:
„ganzer tugende ein adamas!“
so ist diu liebe frouwe min
ein wunnebernder süezer meije,
30 ein wolkenloser sunnen schin.

22. Segenswunsch

.40,11 Solde ich iemer frouwen leit
ader arc gesprechen, daz hat si verschuldet wol,
diu daz hat von mir geseit
daz ich singe owe ir der ich iemer dienen sol.
15 si ist des liehten meien schin
und min osterlicher tac:
swenn ichs an se, so lachet ir daz herze min.

Min frouwe ist so genedic wol,
daz si mich noch tuot von allen minen sorgen fri.
20 des bin ich fro reht als ich sol.
ich wene nieman lebe der in so ganzen fröiden si.
„wol ir hiute und iemer me“
so spriche ich und wünsche ir des
diu mir hat gar benomen mit fröiden min owe.

23. Verschwörung

134,[6] Min herze, ir schone und diu Minne haben gesworn
zuo ein ander, des ich wene, uf miner fröiden tot.
zwiu haben diu driu mich einen dar zuo uz erkorn?
owe, Minne, gebet ein teil der lieben miner not!
10 teilet si ir so mite, daz si gedanke ouch machen rot.
wunsche ich ir senens nu? daz were baz verborn.
lihte ist ez ir zorn,
sit ir wort mir keinen kumber gebot.

24. Wohin ist mein Morgenstern?

134,[14] Ez tuot vil we, swer herzecliche minnet
15 an so hohe stat da sin dienest gar versmat.
sin tumber wan vil lützel dran gewinnet,
swer so vil geklaget da'z ze herzen niht engat.
20 er ist vil wis, swer sich so wol versinnet,
daz er dienet dar, da man dienest wol enpfat,
und sich dar lat, da man sin genade hat.

25 Ich darf vil wol daz ich genade vinde:
wan ich habe ein wip für die sunnen mir erkorn.
daz ist ein not diech niemer überwinde,

29 sin gese mich ane, als si tete hie bevorn.
si ist mir liep gewest da her von kinde:
wan ich wart durch sie und durch anders niht geborn.
34 ist ir daz zorn, weiz got, so bin ich verlorn.

Wa ist nu hin min liehter morgensterne?
we waz hilfet mich daz min sunne ist uf gegan?
135,1 sist mir ze ho und ouch ein teil ze verne
gegen mittem tage unde wil da lange stan.
ich gelebte noch den lieben abent gerne,
5 daz si sich her nider mir ze troste wolte lan,
wande ich mich han gar verkapfet uf ir wan.

25. Der Wahn

136,1 Owe, war umbe volge ich tumbem wane,
der mich so sehr leitet in die not?
ich schiet von ir gar aller fröiden ane,
daz si mir trost noch helfe nie gebot.
5 doch wart ir varwe liljen wis und rosen rot,
und saz vor mir diu liebe wolgetane
geblüejet rehte alsam ein voller mane:
daz was der ougen wunne und des herzen tot.

Min steter muot gelichet niht dem winde:
10 ich bin noch alse si mich hat verlan,
vil stete her von einem kleinen kinde,
swie we si mir nu lange hat getan,
alswigend ie genote, und ein verholner wan,
swie dicke ich mich der torheit underwinde,
15 swen ich vor ir stan und sprüche ein wunder vinde,
unde muoz doch von ir ungesprochen gan.

Ich han so vil gesprochen und gesungen,
daz ich bin müede und heis von miner klage.
ich bin umb niht wan umb den wan betwungen,
20 sit si mir niht geloubet daz ich sage,
wie ich si minne und doch so holdez herze ir trage.
deswar mirn ist nach werde niht gelungen.
het ich dur got ie halb so vil gerungen,
er neme mich hin zuo zim noch e miner tage.

26. Verstummen

135,9 We wie lange sol ich ringen
umbe ein wip der ich   noch nie wort zuo gesprach?
wie sol mir an ir gelingen?
set, des wundert mich,   wan ez e niht geschach
15 daz ein man also tobt   alse ich tuon zaller zit,
daz ich si so herzecliche minne
unde es e nie gewuoc   unde ir diente iemer sit.

Ich weiz wol daz si mir lachet,
20 swenne ich vor ir stan   unde enweiz wer ich bin.
sa zehant bin ich geswachet,
swenne ir schone nimt   mir so gar minen sin.
25 got weiz wol daz si noch   miniu wort nie vernam,
wan daz ich ir diende mit gesange,
so ich ie beste kunde   unde als ir wol gezam.

Owe des, waz tede ich tumbe,
30 daz ich niht enrette   alse ein seliger man?
so swig ich reht als ein stumbe,
der von siner not   niht gesprechen enkan,
35 wan daz er mit der hant   siniu wort tiuten muoz.
alse erzeige ich ir min wundez herze
unde valle für si   unde nige uf ir fuoz.

27. *Im Herzensgrund*

141,15 Mich wundert harte
daz ir alse zarte
kan lachen der munt.
ir liehten ougen
diu hant ane lougen
20 mich senden verwunt.
si brach alse tougen
al in mins herzen grunt.
da wont diu guote
vil sanfte gemuote.
25 des bin ich ungesunt.

Swenne ich vil tumber
ir tuon minen kumber
mit sange bekant,
so ist ez ein wunder
30 daz si mich tuot under
mit rede zehant.
swenne ich si hoere sprechen
so ist mir alse wol,
daz ich gesitze
35 vil gar ane witze
noch enweiz war ich sol.

28. *Lieber in der Hölle als vergeblicher Dienst*

41,37 Si hát mich verwúnt reht aldúrch mine séle
142,1 ín den vil tótlichen grúnt,
do ich ir tet kunt daz ich tobte und quele
umbe ir vil güetlichen munt.
5 den mínen bat ích zeiner stúnt daz ér mich ze díenste [ir bevéle
únd daz ér mir stéle
von ír ein sénftez küssen, só were ich iemer gesúnt.

9 Wie wirde ich gehaz ir vil rosevarn munde,
des ich doch niender vergaz!
noch so müet mich daz daz si mir zeiner stunde
so mit gewalt vor gesaz.
15 des bin ích worden láz, also dáz ich vil schíere gesúnde
in der helle grunde
verbrunne e ich ir iemer díende ine wísse umbe wáz.

29. Drohung und Aufruf

145,33 Ich wil eine reise.
wünschet daz ich wol gevar.
35 da wirt manic weise.
diu lant wil ich brennen gar.
miner frouwen riche,
swaz ich des bestriche,
146,1 daz muoz allez werden verlorn,
si enwende minen zorn.

Helfet singen alle,
mine friunt, und zit ir zuo
5 mit ‹so lutem› schalle,
daz si mir genade tuo.
schriet daz min smerze
in der frouwen herze
breche und in ir oren ge.
10 si tuot mir ze lange we.

30. Tanzlied

139,19 Ich horte uf der heide
luter stimme süezen klanc.
da von wart ich beide

fröiden rich und trurens kranc.
nach dér min gedanc sere ránc unde swánc,
26 die vánt ich ze tánze dá si sánc.
áne léide ích do sprânc.

140,1 Ich vants an der zinnen
eine, ich was zuo zir gesant;
da moht ichs ir minnen
wol mit fuoge han gepfant.
do wande ich diu lant han verbrant sa zehant,
8 wan daz mich ir süezen minne bant
an den sinnen hat erblant.

139,29 Ich vant si verborgen
eine und ir wengel naz,
da si an dem morgen
mines todes sich vermaz.
der vil lieben haz tuot mir baz danne daz,
36 do ich vor ir kniete da si saz
und ir sorgen gar vergaz.

31. Narzissus

145,1 Mirst geschen als einem kindeline,
daz sin schonez bilde in eime glase ersach
unde greif dar nach sin selbes schine
so vil biz daz ez den spiegel gar zerbrach.
5 do wart al sin wünne ein leitlich ungemach.
also dahte ich iemer fro ze sine,
do'ch gesach die lieben frouwen mine,
von der mir bi liebe leides vil geschach.

Minne, diu der werlde ir fröide meret,
10 set, diu brahte in troumes wis die frouwen min,

da min lip an slafen was gekeret,
und ersach sich an der besten wünne sin.
do sach ich ir werden tugende, ir liehten schin
schone und für alle wip geheret;
15 niuwan daz ein lützel was verseret
ir vil fröiden richez rotez mündelin.

Groze angest han ich des gewunnen,
daz verblichen süle ir mündelin so rot.
des han ich nu niuwer klage begunnen,
20 sit min herze sich ze solcher swere bot,
daz ich durch min ouge schouwe solche not,
sam ein kint daz wisheit unversunnen
sinen schaten ersach in einem brunnen
und den minnen muose unze an sinen tot.

25 Hoer wip von tugenden und von sinne
die enkan der himel niender ummevan,
so die guoten diech vor ungewinne
fremden muoz und immer doch an ir bestan.
owe leider, jo wand ichs ein ende han,
30 ir vil wünneclichen werden minne:
nu bin ich vil kume an dem beginne.
des ist hin min wünne und ouch min gerender wan.

32. Seelenliebe

147,4 Owe süeziu senftiu toterinne,
war umbe welt ir toten mir den lip,
und ich iuch so herzeclichen minne,
zeware, frouwe, für elliu wip?
wenet ir ob ir ‹den lip› mir totet,
daz ich iuch danne niemer me beschouwe?

10 nein, iuwer minne hat mich des ernotet,
daz iuwer sele ist miner sele frouwe.
sol mir hie niht guot geschen
von iuwerm werden libe,
so muoz min sele iu des verjen
15/16 dazs iuwerr sele dienet dort als einem reinen wibe.

ALBRECHT VON JOHANSDORF

1. Bitte bei der Kreuznahme

86,25 Ich han dur got daz cruce an mich genomen
und var da hin durch mine missetat.
nu helfe er mir, ob ich her wider kome,
ein wip diu grozen kumber von mir hat,
87,1 daz ich si vinde an ir eren:
so wert er mich der bete gar.
sül aber si ir leben verkeren,
so gebe got, daz ich vervar.

2. Abschied bei der Kreuzfahrt

87,5 Mich mac der tot von ir minnen wol scheiden;
anders nieman: des han ich gesworn.
ern ist min vriunt niht, der mir si wil leiden,
wand ich zeiner vröide si han erkorn.
swenne ich von schulden erarne ir zorn,
10 so bin ich vervluochet vor gote als ein heiden.
si ist wol gemuot und ist vil wol geborn.
heiliger got, wis genaedic uns beiden!

Do diu wolgetane sach an minem kleide
daz cruce, do sprach diu guote, e ich gie:
15 „wie wiltu nu geleisten diu beide,
varn über mer und iedoch wesen hie?“
si sprach wie ich wolde gebarn umbe sie
. . . .
. . . .
20 e was mir we: do geschach mir nie so leide.

3. *Trost*

87,21 Nu min herzevrouwe, nu entrure niht sere:
dich wil ich iemer ze liebe haben.
wir suln varn dur des richen gotes ere
gerne ze helfe dem heiligen grabe.
25 swer da bestruchet, der mac wol besnaben:
dan ist nieman der ze sere gevalle;
daz meine ich also: diu sele wirt vro,
so si ze himele keret mit schalle.

4. *Aufruf zum Kreuzzug*

89,21 Die hinnen varn, die sagen durch got
daz Jerusalem der reinen stat und ouch dem lande
helfe noch nie noeter wart.
diu klage wirt der tumben spot:
25 die sprechent alle „waere ez unserm herren ande,
er raeche ez ane ir aller vart“.
nu mugen si denken daz er leit den grimmen tot.
der grozen marter was im ouch vil gar unnot,
wan daz in erbarmet unser val.
30 swen nu sin cruce und sin grap niht wil erbarmen,
daz sint von im die saelden armen.

Nu waz gelouben wil der han
und wer sol im ze helfe komen an sinem ende,
der gote wol hulfe und tuot es niht?
35 alse ich mich versinnen kan,
ezn si vil gar ein ehaft not diu in des wende,
ich waene erz übel übersiht.
nu lat daz grap und ouch daz cruce geruowet ligen:

90,[1] die heiden wellent einer rede an uns gesigen,
daz gotes muoter niht si ein maget.
swem disiu rede niht nahen an sin herze vellet,
owe war hat sich der gesellet!

5 Mich habent die sorge uf daz braht
daz ich vil gerne kranken muot von mir vertribe.
des was min herze her niht fri.
ich gedenke manige naht
„waz sol ich wider got nu tuon, ob ich belibe,
10 daz er mir genaedic si?“
so weiz ich niht vil groze schulde die ich habe,
niuwan eine, der enkume ich niemer abe;
alle sünde lieze ich wol wan die:
ich minne ein wip vor al der werlte in minem muote,
15 got herre, daz vervach ze guote!

5. Frage und Antwort

89,[9] Swaz ich nu gesinge,
deist allez umbe niht; mir weiz sin niemen danc.
ez wiget allez ringe.
dar ich gedienet han, da ist min lon vil kranc.
ez ist hiure an genade unnaeher danne vert
und wirt über ein jar vil lihte kleines lones wert.

15 Wie der einez taete,
des frag ich, ob ez lihte mit fuoge müge geschehen,
waerez niht unstaete,
der zwein wiben wolte sich für eigen jehen,
beidiu tougenliche? sprechet, herre, wurre ez iht? —
20 „man sol ez den man erlouben und den vrouwen niht“.

6. Enttäuschung bei der Heimkehr

86,1 Min erste liebe der ich ie began,
diu selbe muoz an mir diu boeste sin.
an vröiden ich des dicke schaden han.
iedoch so ratet mir daz herze min:
5 solde ich minnen mer dan eine,
daz enwaere mir niht guot;
sone minnet ich deheine.
seht, wie maniger ez doch tuot.

Ich wil ir raten bi der sele min,
10 durch keine liebe, niht wan durch daz reht:
waz möhte ir an ir tugenden bezzer sin
dan obes ir umberede lieze sleht,
taete an mir einvaltecliche,
als ich ir einvaltic bin?
15 vröiden werde ich niemer riche,
waere ez niht ir beste sin.

Ich wande daz min kume waere erbiten:
dar uf het ich gedingen manige zit.
nu hat mich gar ir vriundes gruoz vermiten.
20 min bester trost der waen da nider gelit.
ich muoz als e wilen vlehen
und noch harter, hulfe ez iht.
herre, wan ist daz min lehen,
daz mir niemer leit geschiht?

7. Wer ihr Freund ist, ist auch mein Freund

91,36 Saehe ich ieman der jaehe er waere von ir komen,
waer ich dem vint, ich wolte in gerne grüezen.

92,1 allez daz ich ie gewan, het er mir daz genomen,
daz möhte er mir mit sinen maeren büezen.
swer si vor mir nennet,
der hat gar mich ze friunde ein ganzez jar,
6 het er mich joch verbrennet.

8. Gebet für die Frau

87,29 Ich unde ein wip, wir haben gestriten nu vil manige zit.
ich han vil leides von ir zorne erliten.
noch heldet si den strit.
nu waenet si dur daz ich var daz ich si laze fri.
35 got vor der helle niemer mich bewar,
ob daz min wille si.
swie vil daz mer und ouch die starken ünde toben,
ichn wil si niemer tac verloben.
88,1 der donreslege möhte aber lihte sin
da si mich dur lieze.
nu sprechet wes si wider mich genieze.
si kumet mir niemer tac uz den gedanken min.

5/6 Ob ich si iemer me gesehe, desn weiz ich niht für war.
da bi geloube mir, swes ich ir jehe,
ez get von herzen gar.
9/10 ich minne si vür alliu wip und swer ir des bi gote.
alle mine sinne und ouch der lip
daz stet in ir gebote.
in erwache niemer ez ensi min erste segen
daz got ir eren müeze phlegen.
15 unde laze ir lip mit lobe hie gesten.
dar nach ewecliche
nu gip ir, herre, vröide in dime riche,
daz ir geschehe also, als müeze ouch mir ergen.

9. *Treue Liebe und Gottes Zorn*

88,33 Swer minne minnecliche treit gar ane valschen muot,
35 des sünde wirt vor gote niht geseit.
si tiuret unde ist guot.
man sol miden boesen kranc und minnen reiniu wip.
89,1 tuo erz mit triuwen, so hab iemer danc
sin tugentlicher lip.
kunden si ze rehte beidiu sich bewarn,
für die wil ich ze helle varn.
5 die hie heime aber mit listen wellent sin,
für die wil ich niht vallen.
ich meine die da minnent ane gallen,
als ich mit triuwen tuon die lieben vrouwen min.

88,19 Swie verre ich var, so jamert mich wiez noch hie geste.
21 ich weiz wol ez verkeret allez sich.
diu sorge tuot mir we.
die ich hie laze wol gesunt, dern vinde ich leider niht.
25 der leben sol, dem wirt manic wunder kunt,
daz alle tage geschiht.
wir habent in eime jare der liute vil verlorn.
da bi so merket gotes zorn
und erkenne sich ieglichez herze guot.
30 diu werlt ist unstaete.
ich meine die da meinent valsche raete:
den wirt ze jungest schin wies an dem ende tuot.

10. *Erinnerung*

90,32 Wize rote rosen, blawe bluomen, grüene gras,
brune gel und aber rot, dar zuo des klewes blat,
von dirre varwe wunder under einer linden was.

35 dar ufe sungen vogellin. daz was ein schoener slat.
kurz und lanc gewahsen bi ein ander stuont ez schone,
noch gedinge ich, der ich vil gedienet han, daz si mir
[es lone.

91,1 Ez ist manic wile daz ich niht von vröuden sanc
unde enweiz joch rehte niht wes ich mich vröuwen mac.
daz ich der guoten niht ensach, des dunket mich vil lanc.
doch fürhte ich, sine gewunne noch nie nach mir lan-
[gen tac.
5 ich sol ze maze lachen unze ich ir genade erkenne.
alse ich dan bevinde wie ez allez stat, da nach lache
[ich denne.

11. Der Makellosen

92,7 Got weiz wol, ich vergaz ir niht, sit ich von lande schiet.
9 ich engetorste niemer ir gesingen disiu liet,
10 waere si vil reine niht und alles wandels fri.
si sol mir erlouben daz ich von ir tugenden spreche.
mich wundert, ist si mir doch niht ein wenic bi,
waz si an mir reche.

12. Noch leben Sommer und Freude

90,16 Ich wil gesehen die ich von kinde
her geminnet han für alliu wip.
und ist daz ich genade vinde,
so gesach ich nie so guoten lip.
20 obe aber ich ir waere
vil gar unmaere,
so ist si doch diu tugende nie verlie.
vröide und sumer ist noch allez hie.

Ich han also her gerungen
25 daz vil trurecliche stuont min leben.

dicke han ich „we“ gesungen;
dem wil ich vil schiere ein ende geben.
„wol mich“ singe ich gerne,
swenn ichz gelerne,
30 des ist zit, wan ich gesanc so nie.
vröide und sumer ist noch allez hie.

13. Herzensliebe

91,22 Wie sich minne hebt daz weiz ich wol;
wie si ende nimt des weiz ich niht.
ist daz ich es inne werden sol
25 wie dem herzen herzeliep geschiht,
so bewar mich vor dem scheiden got,
daz waen bitter ist.
disen kumber fürhte ich ane spot.

„Swa zwei herzeliep gefriundent sich
30 und ir beider minne ein triuwe wirt,
die sol niemen scheiden, dunket mich,
al die wile unz si der tot verbirt.
waer diu rede min, ich taete also:
verlüre ich minen friunt,
35 seht, so wurde ich niemer mere fro.

91,8 Da gehoeret manic stunde zuo,
e daz sich gesamene ir zweier muot.
10 da daz ende denne unsanfte tuo,
ich waene des wol, daz ensi niht guot.
lange si ez mir vil unbekant.
und werde ich iemen liep,
der si siner triuwe an mir gemant.“

15 Der ich diene und iemer dienen wil,
diu sol mine rede vil wol verstan.
spraeche ich mere, des wurde alze vil.
ich wil ez allez an ir güete lan.
ir genaden der bedarf ich wol.
20 und wil si, ich bin vro;
und wil si, so ist min herze leides vol.

14. Abschied

94,15 Guote liute, holt
die gabe die got unser herre selbe git,
der al der welte hat gewalt.
dienet sinen solt,
der den vil saeldehaften dort behalten lit
20 mit vröiden iemer manecvalt.
lidet eine wile willeclichen not
vür den iemermere wernden tot.
got hat iu beide sele und lip gegeben:
gebt im des libes tot; daz wirt der sele ein iemerleben.

25 La mich, Minne, vri.
du solt mich eine wile sunder liebe lan.
du hast mir gar den sin benomen.
komest du wider bi,
als ich die reinen gotes vart volendet han,
30 so wis mir aber willekomen.
wilt ab du uz minem herzen scheiden niht
(daz vil lihte unwendic doch geschiht),
vüer ich dich dan mit mir in gotes lant,
so si umb halben lon er der guoten hie gemant.

35 „Owe", sprach ein wip,
„wie vil mir doch von liebe leides ist beschert!

waz mir diu liebe leides tuot!
vröideloser lip,
wie wil du dich gebaren, swenne er hinnen vert,
95,1 dur den du waere ie hochgemuot?
wie sol ich der werlde und miner klage geleben?
da bedorfte ich rates zuo gegeben.
kunde ich mich beidenthalben nu bewarn,
5 des wart mir nie so not. ez nahet, er wil hinnen varn."

Wol si saelic wip
diu mit ir wibes güete daz gemachen kan
daz man si vüeret über se.
ir vil guoten lip
10 den sol er loben, swer ie herzeliep gewan;
wand ir hie heime tuot so we,
swenne si gedenket stille an sine not.
„lebt min herzeliep od ist er tot?",
sprichet si; „so müeze sin der pflegen
15 durch den er süezer lip sich dirre werlde hat bewegen."

15. Gespräch

93,12 Ich vant ane huote
die vil minneclichen eine stan.
sa do sprach diu guote
15 „waz welt ir so eine her gegan?"
„frouwe, ez ist also geschehen."
„saget, war umbe sit ir her? des sult ir mir verjehen."

„Minen senden kumber
klage ich iu, vil liebe frouwe min."
20 „we, waz saget ir tumber?
ir mugt iuwer klage wol lazen sin."
„frouwe, ich mac ir niht enbern."
„so wil ich in tusent jaren niemer iuch gewern."

„Neina, küniginne!
25 daz min dienest so iht si verlorn!“
„ir sit ane sinne,
daz ir bringet mich in solhen zorn.“
„frouwe, iur haz tuot mir den tot.“
„wer hat iuch, vil lieber man, betwungen uf die not?“

30 „Daz hat iuwer schoene
die ir hat, vil minneclichez wip.“
„iuwer süezen doene
wolten krenken minen staeten lip.“
„frouwe, niene welle got.“
35 „wert ich iuch, des hetet ir ere; so waer min der spot.“

„Lat mich noch geniezen
daz ich iu von herzen ie was holt.“
„iuch mac wol verdriezen
daz ir iuwer wortel gegen mir bolt.“
94,1 „dunket iuch min rede niht guot?“
„ja, si hat beswaeret dicke minen staeten muot.“

„Ich bin ouch vil staete,
ob ir ruochet mir der warheit jehen.“
5 „volget miner raete,
lat die bete diu niemer mac geschehen.“
„sol ich also sin gewert?“
„got der wer iuch anderswa des ir an mich da gert.“

„Sol mich dan min singen
10 und min dienest gegen iu niht vervan?“
„iu sol wol gelingen:
ane lon so sult ir niht bestan.“
„wie meinet ir daz, frouwe guot?“
„daz ir deste werder sit und da bi hochgemuot.“

WALTHER VON DER VOGELWEIDE

1. Vom Blick getroffen

112,17 Ir vil minneclichen ougenblicke
rüerent mich alhie, swann ich si sihe,
in min herze. owe, sold ich si dicke
20 sehen, der ich mich für eigen gihe!
eigenlichen dien ich ir:
daz sol si vil wol gelouben mir.

Ich trage inme herzen eine swaere
von ir die ich lazen niht enmac,
25 bi der ich vil gerne tougen waere
beide naht und ouch den liehten tac.
des enmac nu niht gesin:
ez enwil diu liebe frowe min.

Sol ich miner triuwe alsust engelten,
30 so ensol niemer man getruwen ir.
si vertrüege michels baz ein schelten
danne ein loben, daz geloubent mir.
we war umbe tuot si daz,
der min herze treit vil kleinen haz?

2. Angebot

20,16 Sit deich ir eigenlichen sol,
die wile ich lebe, sin undertan
und si mir mac gebüezen wol
den kumber den ich durch si han

20 geliten nu lange und iemer also liden muoz,
daz mich enmac getroesten nieman, si entuoz,
so sol si nemen den dienest min,
und si bewar dar under mich,
daz si an mir ouch niht versume sich.

3. *Augen des Herzens*

99,6 Sumer unde winter beide sint
guotes mannes trost, der trostes gert:
er ist rehter fröide gar ein kint,
der ir niht von wibe wirt gewert.
10 da von sol man wizzen daz,
daz man elliu wip sol eren
und iedoch die besten baz.

Sit daz nieman ane fröide touc,
so wolte ich vil gerne fröide han
15 von der mir min herze nie gelouc,
ezn sagte mir ir güete ie sunder wan.
swennz diu ougen sante dar,
seht, so brahtens im diu maere,
daz ez fuor in sprüngen gar.

20 Ich enweiz niht wiez dar umbe si:
sin gesach min ouge lange nie.
sint ir mines herzen ougen bi,
so daz ich an ougen sihe sie?
da ist doch ein wunder an geschehen:
25 wer gap im daz sunder ougen,
deiz si zaller zit mac sehen?

Welt ir wizzen, waz diu ougen sin,
da mit ich si sihe dur elliu lant?
ez sint die gedanke des herzen min:
30 da mit sihe ich dur mure und ouch dur want.
nu hüeten, swie si dunke guot:
so sehent si doch mit vollen ougen
herze, wille und al der muot.

34 Wirde ich iemer ein so saelic man,
daz si mich an ougen sehen sol?
siht si mich in ir gedanken an,
so vergiltet si mir mine wol.
minen willen gelte mir,
100,1 sende mir ir guoten willen:
minen den habe iemer ir.

4. Botschaft und Abwehr

112,35 Frowe, vernemt dur got von mir diz maere:
ich bin bote und sol iu sagen,
113,1 ir sült wenden einem ritter swaere,
der si lange hat getragen.
daz sol ich iu künden so:
ob ir in welt fröiden richen,
5 sicherlichen
des wirt manic herze fro.

Frowe, enlat iuch des so niht verdriezen,
ir engebt im hohen muot.
des mugt ir und alle wol geniezen,
10 den ouch fröide sanfte tuot.
da von wirt sin sin bereit,
ob ir in ze fröiden bringet,
daz er singet
iuwer ere und werdekeit.

23 „Ja möhte ich michs an in niht wol gelazen,
daz er wol behüete sich.
25 krumbe wege die gent bi allen strazen:
da vor got behüete mich.
ich wil nach dem rehten varn,
ze leide im der mich anders lere.
swar ich kere,
30 da müeze mich doch got bewarn."

15 Frowe, sendet im ein hohgemüete,
sit an iu sin fröide stat.
er mac wol geniezen iuwer güete,
sit diu tugent und ere hat.
frowe, gebt im hohen muot.
20 welt ir, sin truren ist verkeret,
daz in leret,
daz er daz beste gerne tuot.

5. *Wert der Minne*

217,10 Swer giht daz minne sünde si,
der sol sich e bedenken wol.
ir wont vil manic ere bi,
der man durch reht geniezen sol,
und volget michel staete und dar zuo saelikeit:
15 daz iemer ieman missetuot, daz ist ir leit.
die valschen minne meine ich niht,
diu möhte unminne heizen baz:
der wil ich iemer sin gehaz.

6. *Wahre und falsche Minne*

13,33 Maneger fraget waz ich klage
und giht des einen, daz ez iht von herzen ge.

35 der verliuset sine tage:
14,1 wand im wart von rehter liebe weder wol noch we:
des ist sin geloube kranc.
swer gedaehte
waz diu minne braehte,
5 der vertrüege minen sanc.

Minne ist ein gemeinez wort
und doch ungemeine mit den werken; dest also:
minne ist aller tugende ein hort,
ane minne wirdet niemer herze rehte fro.
10 sit ich den gelouben han,
frouwe Minne,
fröit ouch mir die sinne:
mich müet, sol min trost zergan.

Min gedinge ist, der ich bin
15 holt mit rehten triuwen, dazs ouch mir daz selbe si.
triuget dar an mich min sin,
so ist minem wane leider lützel fröiden bi.
neina, herre, sist so guot,
swenne ir güete
20 erkennet min gemüete,
daz si mir daz beste tuot.

Wiste si den willen min,
liebes unde guotes des wurd ich von ir gewert.
wie möht aber daz nu sin,
25 sit man valscher minne mit so süezen worten gert?
daz ein wip niht wizzen mac
wer si meine,
disiu not alleine
tuot mir manegen swaeren tac.

30 Der diu wip alrerst betrouc,
der hat beide an mannen und an wiben missevarn.
in weiz waz diu liebe touc,
sit sich friunt gein friunde niht vor valsche kan bewarn.
frowe, daz ir saelic sit!
35 lant mit hulden
mich den gruoz verschulden,
der an friundes herzen lit.

7. *Frau Staete*

96,29 Staet ist ein angest und ein not:
in weiz niht obs ere si:
si git michel ungemach.
sit daz diu liebe mir gebot
daz ich staete waere bi,
waz mir leides sit geschach!
35 lat mich ledic, liebe min fro Staete!
wan ob ich sis iemer baete,
so ist si staeter vil dann ich.
ich muoz von miner staete sin verlorn,
diu liebe en underwinde ir sich.

97,1 Wer sol dem des wizzen danc,
dem von staete liep geschiht,
nimt der staete gerne war?
dem an staete nie gelanc,
5 ob man den in staete siht,
seht, des staete ist luter gar.
also habe ich staete her gerungen.
noch enist mir niht gelungen.
daz wende, saelic frowe min,
10 daz ich der valschen ungetriuwen spot
von miner staete iht müeze sin.

Het ich niht miner fröiden teil
an dich, herzeliep, geleit,
so möht es wol werden rat:
15 sit nu min fröide und al min heil,
dar zuo al min werdekeit,
niht wan an dir einer stat,
solt ich dan min herze von dir scheiden,
so müest ich mir selben leiden:
20 daz waere mir niht guot getan.
iedoch solt du gedenken, saelic wip,
daz ich nu lange kumber han.

Frowe, ich weiz wol dinen muot:
daz du gerne staete bist,
25 daz hab ich befunden wol.
ja hat dich vil wol behuot
der vil reine wibes list,
der guot wip behüeten sol.
sus fröit mich din saelde und ouch din ere,
30 und enhan niht fröide mere.
nu sprich, bin ich dar an gewert?
du solt mich, frowe, des geniezen lan,
daz ich so rehte han gegert.

8. Veredelnder Einfluß der Minne

5,17 Waz ich doch gegen der schoenen zit
gedinges unde wanes han verlorn!
swaz kumbers an dem winter lit,
20 den wande ich ie des sumers han verborn.
sus sazte ich allez bezzerunge für:
swie vil ich trostes ie verlür,
so hat ich doch ze fröiden wan.

dar under misselanc mir ie:
25 in vant so staete fröide nie,
si wolte mich e ich si lan.

Muoz ich nu sin nach wane fro,
son heize ich niht ze rehte ein saelic man.
dem ez sin saelde füeget so
30 daz im sin herzeliep wol guotes gan,
hat ouch der selbe fröiderichen sin,
des ich nu leider ane bin,
son spotte er niht dar umbe min,
ob im sin liep iht liebes tuot:
35 ich waere ouch gerne hohgemuot,
möht ez mit liebes hulden sin.

Er saelic man, si saelic wip,
der herze ein ander sint mit triuwen bi!
96,1 ich wil daz daz ir beider lip
getiuret und in hoher wirde si.
vil saelic sin ir jar und al ir zit.
er ist ouch saelic sunder strit,
5 der nimt ir tugende rehte war,
so daz ez in sin herze get.
ein saelic wip, diu sich verstet,
diu sende ouch guoten willen dar.

Sich waenet maneger wol begen
10 so daz er guoten wiben niht enlebe:
der tore kan sich niht versten
waz ez fröide und ganzer wirde gebe.
dem lihtgemuoten dem ist iemer wol
mit lihten dingen, als ez sol:
15 swer wirde und fröide erwerben wil,
der diene guotes wibes gruoz.

swen si mit willen grüezen muoz,
der hat mit fröiden wirde vil.

Ja herre, wes gedenket der
20 dem ungedienet ie vil wol gelanc?
ez si ein sie, ez si ein er,
swer also minnen kan, der habe undanc,
und da bi guoten dienest übersiht.
ein saelic wip diu tuot des niht:
25 diu merket guotes mannes site:
da scheidet sie die boesen von.
so ist ein tumbiu so gewon,
daz ir ein tumber volget mite.

9. Selige Wandlung

109,1 Ganzer fröiden wart mir nie so wol ze muote:
mirst geboten, daz ich singen muoz.
saelic si diu mir daz wol verste ze guote!
mich mant singen ir vil werder gruoz.
5 diu min iemer hat gewalt,
diu mac mir wol truren wenden
unde senden fröide manicvalt.

9 Git daz got daz mir noch wol an ir gelinget,
seht, so waere ich iemer mere fro.
diu mir beide herze und lip ze fröiden twinget,
mich betwanc nie me kein wip also.
e was mir gar unbekant
daz diu Minne twingen solde
15 swie si wolde, unz ichz an ir bevant.

25 Süeze Minne, sit nach diner süezen lere
mich ein wip also betwungen hat,

bit si dazs ir wiplich güete gegen mich kere:
so mac miner sorgen werden rat.
110,[1] dur ir liehten ougen schin
wart ich also wol enpfangen,
gar zergangen was daz truren min.

5 Mich fröit iemer daz ich also guotem wibe
dienen sol uf minneclichen danc.
mit dem troste ich dicke truren mir vertribe,
unde wirt min ungemüete kranc.
endet sich min ungemach,
10 so weiz ich von warheit danne
daz nie manne an liebe baz geschach.

109,[17] Minne, wunder kan din güete liebe machen
und din twingen swenden fröiden vil;
wan du lerest liebe uz spilnden ougen lachen,
20 swa du meren wilt din wunderspil:
du kanst fröidenrichen muot
so verworrenliche verkeren,
daz din seren sanfte unsanfte tuot.

10. Trumpf wider Trumpf

gegen Reimar

111,[23] Ein man verbiutet ane pfliht
ein spil, des im wol nieman gevolgen mac:
25 er giht, swenn so sin ouge ersiht
ein wip, sin frowe si sin osterlicher tac.
wie waere uns andern liuten so geschehen,
solt wir im alle sines willen jehen?
ich eine bin derz versprechen muoz:
30 bezzer waere miner frowen senfter gruoz.
deist mates buoz.

„Ich bin ein wip da her gewesen
so staete an eren und ouch also wol gemuot:
ich truwe ouch noch vil wol genesen,
35 daz mir mit solhem stelne nieman schaden tuot.
swer küssen hie ze mir gewinnen wil,
der werbe ab ez mit fuoge und anderm spil.
ist daz ez im wirt sus iesa,
112,1 er muoz sin iemer sin min diep, und habe imz da
und anderswa.“

11. Das Heil

71,35 Mich hat ein wünneclicher wan
und ouch ein lieber friundes trost
in senelichen kumber braht:
72,1 sol der mit fröide an mir zergan,
so enwirde ich anders niht erlost,
ezn kome als ich mirz han gedaht
umb ir vil minneclichen lip,
5 diu mir enfremedet alliu wip,
wan daz ichs dur si eren muoz.
jo enger ich anders lones niht
von ir dekeiner, wan ir gruoz.

„Mit valscheloser güete lebt
10 ein man der mir wol iemer mac
gebieten, swaz er trostes wil.
sin staete mir fröide gebt,
wan ich sin ie vil schone pflac:
daz kumt von grozer liebe vil.
15 mir ist an ime, des muoz ich jehen,
ein schoenez wibes heil geschehen.
diu saelde wirt uns beiden schin.
sin tugent hat ime die besten stat
erworben in dem herzen min“.

20 Die mine fröide hat ein wip
gemachet staete und mich erlost
von schulden al die wile ich lebe.
genade suoche ich an ir lip:
enpfahe ich wünneclichen trost,
25 der mac wol heizen friundes gebe.
ein mannes heil mir da geschach,
da si mit rehten triuwen jach,
ich müeze ir herzen nahe sin.
sus darf es nieman wunder nemen,
30 ob ane sorge lebt daz min.

12. Mattgesetzt

113,31 „Mir tuot einer slahte wille
sanfte, und ist mir doch dar under we:
ich minne einen ritter stille.
dem enmag ich niht versagen me
35 des er mich gebeten hat;
entuon ichs niht, mich dunket daz min niemer werde rat.

Dicke dunke ich mich so staete
mines willen. so mir daz geschiht,
114,1 swie vil er mich danne baete
al die wile, daz enhulfe in niht.
ieze han ich den gedanc:
waz hilfet daz? der muot enwert niht eines tages lanc.

5 Wolde er mich vermiden mere!
ja versuochet er mich alze vil.
ouwe des fürhte ich vil sere,
daz ich müeze volgen swes er wil.
gerne het ichz nu getan,
10 wan daz ich muoz versagen und wibes ere sol began.

In getar vor tusent sorgen,
die mich tougen in dem herzen min
twingent abent unde morgen,
leider niht getuon den willen sin.
15 daz ichz iemer einen tac
sol fristen, deist ein klage diu mir ie bi dem herzen lac.

Sit daz im die besten jahen,
daz er also schone künde leben,
so han ich im mir vil nahen
20 minem herzen eine stat gegeben,
dar noch nieman in getrat.
si hant daz spil verlorn, er eine tuot in allen mat.“

13. Minne im Wandel der Zeit

19,26 „Got hat vil wol ze mir getan,
sit ich mit sorgen minnen sol,
daz ich mich underwunden han
dem alle liute sprechent wol.
30 im wart von mir in allen gahen
ein küssen und ein umbevahen:
seht, do schoz mir in min herze daz mir iemer nahe lit
unz ich getuon des er mich bat.
ich taetez, wurde mirs diu stat.“

9,17 Got gebe ir iemer guoten tac
und laze mich si noch gesehen,
diech minne und niht erwerben mac.
20 mich müet daz ich si horte jehen
wie holt si mir entriuwen waere,
und sagte mir ein ander maere,
des min herze inneclichen kumber lidet iemer sit.

119,35 „Ich waere dicke gerne fro,
wan daz ich niht gesellen han.
nu alle liute trurent so,
120,1 wie möhte ichz eine denne lan?
ich müese ir vingerzeigen liden,
ichn wolte fröide durch si miden.
sus behalte ich wol ir hulde, daz siz lazen ane nit:
5 wand ich gelache niemer niht,
wan da ez ir dekeiner siht.“

Ez tuot mir inneclichen we,
als ich gedenke wes man pflac
in dirre werlte wilent e.
10 ouwe deich niht vergezzen mac
wie rehte fro die liute waren!
do kunde ein saelic man gebaren,
und hohe spilet im sin herze gein der wünneclichen zit.
und sol daz niemer mer geschehen,
15 so müet mich daz ichz han gesehen.

14. Minne und ihre Widerstände

97,34 Ez waere uns allen einer hande saelden not,
36 daz man rehter fröide schone pflaege als e.
ein missevallen daz ist miner fröiden tot,
98,1 daz den jungen fröide tuot so rehte we.
war zuo sol ir junger lip
da mit si fröide solten minnen?
hei, wolten si ze fröiden sinnen!
5 junge man, des hulfen noch diu wip.

Nu bin ich iedoch fro und muoz bi fröiden sin
8 durch die lieben, swiez dar under mir ergat.

9/10 min schin ist hie noch: so ist bi ir daz herze min,
daz man mich vil ofte sinnelosen hat.
hei, solten si zesamene komen,
min lip, min herze, beider sinne!
daz si des wol wurden inne,
15 die mir dicke fröide hant benomen.

Vor den merkaeren kan nu nieman liep geschehen:
wan ir huote twinget manegen werden lip.
19/20 daz muoz beswaeren mich: swenn ich si solte sehen,
so muoz ich si miden, si vil saelic wip.
doch müeze ich noch die zit geleben,
daz ich si willic eine vinde,
so daz diu huote uns beiden swinde;
25 da mite mir wurde liebes vil gegeben.

Vil maneger fraget mich der lieben, wer si si,
28 der ich diene und allez her gedienet han.
29/30 so des betraget mich, so spriche ich „ir sint dri“,
den ich diene: so hab ich zer vierden wan“.
doch weiz siz alleine wol,
diu mich hat sus zuo zir geteilet.
diu guote wundet unde heilet,
35 der ich vor in allen dienen sol.

Nu, frowe Minne, kum si minneclichen an,
38 diu mich twinget und also betwungen hat.
39/40 brinc si des inne, daz diu minne twingen kan.
99,1 waz ob minneclichiu liebe ouch si bestat?
so möhtes ouch gelouben mir
daz ich si gar von herzen meine.
nu, Minne, bewaere irz und bescheine,
5 daz ich iemer gerne diene dir.

15. Liebste von allen

42,[31] Wil ab ieman wesen fro,
daz wir in den sorgen iemer niht enleben?
we, wie tuont die jungen so
die von fröiden solten in den lüften sweben?
[35] ichn weiz anders weme ichz wizen sol,
wan den richen wize ichz und den jungen.
die sint unbetwungen:
des stat in truren übel und stüende in fröide wol.

43,[1] Wie fro Saelde kleiden kan,
daz si mir git kumber unde hohen muot!
so gits einem richen man
ungemüete: owe waz sol dem selben guot?
[5] min frou Saelde, wie si sich vergaz,
daz si mir sin guot ze minem muote
niene schriet, diu guote!
min kumber stüende im dort bi sinen sorgen baz.

42,[15] Swer verholne swaere trage,
der gedenke an guotiu wip: er wirt erlost;
und gedenke an liehte tage:
die gedanke waren ie min bester trost.
in den vinstern tagen lide ich not,
[20] wan daz ich mich rihte nach der heide,
diu sich schamt vor leide:
so si den walt siht gruonen, so wirts iemer rot.

Frowe, als ich gedenke an dich,
waz din reiner lip erwelter tugende pfliget,
[25] so la stan! du rüerest mich
an min herze enmitten da diu liebe liget.
liep und lieber des enmein ich niht:

ez ist aller liebest, daz ich meine.
du bist mir alleine
30 vor allem liebe, frowe, swaz joch mir geschiht.

16. Macht der Minne

54,37 Ich freudehelfeloser man,
war umbe mach ich manegen fro,
55,1 der mir es niht gedanken kan?
owe, wie tuont die friunde so?
ja friunt! waz ich von friunden sage!
het ich dekeinen, der vernaeme ouch mine klage.
5 nun han ich friunt, nun han ich rat:
nu tuo mir swie du wellest, minneclichiu Minne,
sit nieman min genade hat.

Vil minneclichiu Minne, ich han
von dir verloren minen sin.
10 du wilt gewalteclichen gan
in minem herzen uz unt in.
wie kunde ich ane sin genesen?
du wonest an siner stat, da'r inne solte wesen:
du sendest in du weist wol war.
15 dan mac er leider niht erwerben, frouwe Minne:
owe, du soltest selbe dar.

Genade, frouwe Minne! ich wil
dir umbe dise boteschaft
gefüegen dines willen vil:
20 wis wider mich nu tugenthaft.
ir herze ist rehter fröiden vol,
mit luterlicher reinekeit gezieret wol:
erdringest du da dine stat,

so la mich in, daz wir si mit ein ander sprechen.
25 mir missegie, do ichs eine bat.

Genaedeclichiu Minne, la:
owe, wes tuost du mir so we?
du twingest hie, nu twing ouch da,
und sich wa sie dir widerste.
30 nu wil ich sehen, ob du noch tügest.
dun darft niht jehen daz du in ir herze'n mügest:
ezn wart nie sloz so manicvalt,
daz eht dir widerstüende, diebe meisterinne.
tuon uf! sist wider dich ze balt.

56,5 Wer gap dir, Minne, den gewalt,
daz du also gewaltic bist?
du twingest beide junc und alt:
da für kan nieman keinen list.
nu lob ich got, sit diniu bant
10 mich sulen twingen, deich so rehte han erkant
wa dienest werdeclichen lit.
da von kum ich niemer. genade, frowe küneginne!
la mich dir leben mine zit.

17. Im gleichen Ton: ohne Glück

55,35 Fro Saelde teilet umbe mich
und keret mir den rügge zuo.
nu enwil si niht erbarmen sich:
nu ratent, friunt, waz ich des tuo.
si stet ungerne gegen mir:
56,1 louf ich hin umbe, ich bin doch iemer hinder ir:
sin ruochet mich niht an gesehen.
ich wolte daz ir ougen an ir nacke stüenden:
so müest ez an ir danc geschehen.

18. Deutsche Frauen

56,[14] Ir sult sprechen willekomen:
der iu maere bringet, daz bin ich.
allez daz ir habt vernomen,
daz ist gar ein wint: nu fraget mich.
ich wil aber miete:
wirt min lon iht guot,
20 ich gesage iu lihte daz iu sanfte tuot.
seht waz man mir eren biete.

Ich wil tiuschen frowen sagen
solhiu maere daz si deste baz
al der werlte suln behagen:
25 ane groze miete tuon ich daz.
waz wold ich ze lone?
si sint mir ze her:
so bin ich gefüege und bite si nihtes mer
wan daz si mich grüezen schone.

30 Ich han lande vil gesehen
unde nam der besten gerne war:
übel müeze mir geschehen,
kunde ich ie min herze bringen dar
daz im wol gevallen
35 wolde fremeder site.
nu waz hulfe mich, ob ich unrehte strite?
tiuschiu zuht gat vor in allen.

Von der Elbe unz an den Rin
und her wider unz an Ungerlant
57,[1] mugen wol die besten sin,
die ich in der werlte han erkant.
kan ich rehte schouwen
guot gelaz unt lip,

5 sem mir got, so swüere ich wol daz hie diu wip
bezzer sint danne ander frouwen.

Tiusche man sint wol gezogen,
rehte als engel sint diu wip getan.
swer si schildet, derst betrogen:
10 ich enkan sin anders niht verstan.
tugent und reine minne,
swer die suochen wil,
der sol komen in unser lant: dast wünne vil:
lange müeze ich leben dar inne!

18a. Vergeblicher Dienst

57,15 Der ich vil gedienet han
und ouch iemer gerne dienen wil,
diust von mir vil unerlan:
iedoch tuot si leides mir so vil.
si kan mir verseren
20 herze und den muot.
nu vergebez ir got dazs an mir missetuot.
her nach mac si sichs bekeren.

19. Vergessener Dank

100,3 Ich gesprach nie wol von guoten wiben,
was mir leit, ich wurde fro.
5 sende sorge konde ich nie vertriben
minneclicher danne also.
wol mich, daz ich in hohen muot
mit minem lobe gemachen kan,
und mir daz sanfte tuot!

10 Owe, wolte ein saelic wip alleine,
so getrurte ich niemer tac,

der ich diene, und hilfet mich vil kleine
swaz ich sie geloben mac.
daz ist ir lieb und tuot ir wol:
15 ab si vergizzet iemer min,
so man mir danken sol.

Fremdiu wip, diu dankent mir vil schone.
daz si saelic müezen sin!
daz ist wider miner frowen lone
20 mir ein kleinez denkelin.
si hab den willen den si habe,
min wille ist guot, und klage diu werc,
get mir an den iht abe.

20. *Zwischen der einen und den anderen Frauen*

70,22 Genade frouwe! tuo also bescheidenliche:
la mich dir einer iemer leben:
obe ich daz breche, daz ich von dir furder striche!
25 wan einez soltu mir vergeben:
daz mahtu mir ze kurzewile erlouben gerne,
die wile unz ich din beiten sol.
ich nenne ez niht, ich meine jenz, du weist ez wol.
ich sage dir wes ich angest han:
30 da fürht ich daz ichz wider lerne.

„Gewinne ich iemer liep, daz wil ich haben eine:
min friunt der minnet andriu wip.
an allen guoten dingen han ich wol gemeine,
wan da man teilet friundes lip.
35 so ich in under wilen gerne bi mir saehe,
so ist er von mir anderswa.
sit er da gerne si, so si ouch da.

ez tuot so manegem wibe we,
daz mir da von niht wol geschaehe."

71,1 Si saelic wip, si zürnet wider mich ze sere,
daz ich mich friunde an manege stat.
si enhiez mich nie geleben nach ir lere,
swie jamerlich ich sis gebat.
5 waz hilfet mich daz ich si minne vor in allen?
si swiget iemer als ich klage.
wil si dan daz ich andern wiben widersage,
so laze ir mine rede nu
ein wenic baz dann e gevallen.

10 ,,Ich wil dir jehen daz du min dicke sere baete,
und nam ich des vil kleine war.
doch wisse ich wol dazt allenthalben also taete:
da von wart ich dir fremede gar.
der min ze friunde ger, wil er mich noch gewinnen,
15 der laze alselhe unstaetekeit.
gemeine liep daz dunket mich gemeinez leit:
nu sage an, weist du anders iht?
da von getar ich niht geminnen."

21. Verlorene Zeit

52,23 Min frowe ist ein ungenaedic wip,
daz si wider mich als übel tuot.
ja braht ich doch einen jungen lip
in ir dienest und vil hohen muot.
owe, do was mir so wol:
wiest daz nu verdorben!
waz han ich erworben?
30 anders niht wan kumber den ich dol.

53,1 Owe miner wünneclichen tage!
waz ich der an ir versumet han!
daz ist iemer mines herzen klage,
suln die lieben jar also zergan.
5 manige swaere und arebeit,
die klage ich vil kleine:
mine zit aleine,
hab ich die verlorn, daz ist mir leit.

52,31 In gesach nie houbet baz gezogen:
in ir herze enkunde ich niht gesehen.
ie dar under bin ich gar betrogen:
daz ist an den triuwen mir geschehen.
35 möhte ich ir die sternen gar,
manen unde sunnen,
zeigene han gewunnen,
daz waer ir, so ich iemer wol gevar.

53,9 In gesach nie sus getane site,
dazs ir besten friunden waere gram.
swer ir vient ist, dem wil si mite
runen; daz guot ende nie genam.
ich weiz wol wiez ende ergat:
vint und friunt gemeine,
15 der gestets aleine,
so si mich und jen unrehte hat.

Miner frowen darf niht wesen leit,
daz ich rite und frage in fremediu lant
von den wiben die mit werdekeit
20 lebent (der ist vil mengiu mir erkant),
und die schoene sint da zuo.
doch ist ir deheine,
weder groz noch kleine,
der versagen mir iemer we getuo.

22. Vor Gericht

40,19 Ich han ir so wol gesprochen,
daz si maneger in der welte lobet:
hat si daz an mir gerochen,
owe danne, so han ich getobet,
daz ich die getiuret han
und mit lobe gekroenet,
25 diu mich wider hoenet.
frowe Minne, daz si iu getan.

Frowe Minne, ich klage iu mere;
rihtet mir und rihtet über mich:
der ie streit umb iuwer ere
30 wider unstaete liute, daz was ich.
in den dingen bin ich wunt.
ir hat mich geschozzen,
und gat sie genozzen:
ir ist sanfte, ich bin ab ungesunt.

35 Frowe, lat mich des geniezen:
ich weiz wol, ir habt noch strale me:
muget irs in ir herze schiezen,
daz ir werde mir geliche we?
42,1 ir sulnt, edeliu künegin,
iuwer wunden teilen
oder die mine heilen.
solde ich eine alsus verschaffen sin?

5 Ich bin iuwer, frowe Minne:
schiezent dar da man iu widerste.
helfet daz ich sie gewinne.
neina, frowe, daz sis iht enge!
lat mich iu daz ende sagen:

10 und engets uns beiden,
wir zwei sin gescheiden.
wer solt iu danne iemer iht geklagen?

23. *Das Lied verstummt*

90,15 Ane liep so manic leit,
wer möhte daz erliden iemer me?
waer ez niht unhoevescheit,
so wolt ich schrien „se, gelücke, se"!
gelücke daz enhoeret niht
20 und selten ieman gerne siht,
swer triuwe hat.
istz also, wie sol min danne iemer werden rat?

We, wie jamerlich gewin
vor minen ougen tegelichen vert!
25 daz ich sus ertoret bin
an miner zuht, und mir daz nieman wert!
mit den getriuwen alten siten
ist man zer werlte nu versniten.
er unde guot
30 hat nu lützel ieman wan der übel tuot.

Daz die man als übel tuont,
dast gar der wibe schult; dest leider so:
do ir muot uf ere stuont,
do was diu werlt uf ir genade fro.
35 hei, wie wol man in do sprach,
do man die fuoge an in gesach!
nu siht man wol
daz man ir minne mit unfuoge erwerben sol.

91,[1] Lat mich zuo den frowen gan:
so ist daz min aller meiste klage,
so ich ie mere zühte han,
so ich ie minre werdekeit bejage.
5 si swachent wol gezogenen lip;
ezn si ein wol bescheiden wip:
der meine ich niht:
diu schamt sich des, swa iemer wibes scham geschiht.

Reiniu wip und guote man,
10 swaz der lebe, die müezen saelic sin.
swaz ich den gedienen kan,
daz tuon ich daz sie gedenken min.
hie mite so künd ich in daz:
diu werlt enste dan schiere baz,
15 so wil ich leben
so ich beste mac und minen sanc uf geben.

24. Drohung

72,[31] Lange swigen des hat ich gedaht:
nu muoz ich singen aber als e.
dar zuo hant mich guote liute braht:
die mugen mir wol gebieten me.
35 ich sol singen unde sagen,
und swes si gern, daz sol ich tuon: so suln si minen
[kumber klagen.

Hoeret wunder, wie mir ist geschehen
von min selbes arebeit:
73,[1] mich enwil ein wip niht an gesehen.
die braht ich in die werdekeit
daz ir muot so hohe stat.
jon weiz si niht, swenn ich min singen laze, daz ir lop
[zergat.

5 Herre, waz si flüeche liden sol,
swenn ich nu laze minen sanc!
alle die nu lobent, daz weiz ich wol,
die scheltent danne an minen danc.
tusent herze wurden fro
10 von ir genaden; dius engeltent, scheide ich mich von
[ir also.

Do mich duhte daz si waere guot,
wer was ir bezzer do dann ich?
dest ein ende: swaz si mir getuot,
des mac ouch si verwaenen sich:
15 nimet si mich von dirre not,
ir leben hat mines lebennes ere; sterbet si mich, so ist
[si tot.

Solde ich in ir dienste werden alt,
die wile junget si niht vil.
lihte wirt min har also gestalt,
20 dazs einen jungen danne wil.
helf iu got, her junger man,
so rechet mich und get ir alten gut mit sumerlaten an.

25. Ein neuer Sommer

92,9 Ein niuwer sumer, ein niuwe zit,
ein guot gedinge, ein lieber wan,
diu liebent mir en widerstrit,
daz ich noch trost ze fröiden han.
noch fröwet mich ein anderz baz
dan aller vogelline sanc:
15 swa man noch wibes güete maz,
da wart ir ie der habedanc.
daz meine ich an die frowen min:
da muoz noch mere trostes sin.
sist schoener danne ein schoene wip:
20 die schoene machet lieber lip.

Ich weiz wol daz diu liebe mac
ein schoene wip gemachen wol:
iedoch swelch wip ie tugende pflac,
daz ist diu der man wünschen sol.
25 diu liebe stet der schoene bi
baz danne gesteine dem golde tuot:
nu jehet waz danne bezzer si,
hant dise beide rehten muot.
si hoehent mannes werdekeit:
30 swer ouch die süezen arebeit
dur si ze rehte kan getragen,
der mac von herzeliebe sagen.

Der blic gefröwet ein herze gar,
den minneclich ein wip an siht:
35 wie welt ir danne daz der var,
dem ander liep von ir geschiht?
der ist eht manger fröiden rich,
so jenes fröide gar zergat.
93,1 waz ist den fröiden ouch gelich,
da liebez herze in triuwen stat,
in schoene, in kiusche, in reinen siten?
swelch saelic man daz hat erstriten,
5 ob er daz vor den fremden lobet,
so wizzet daz er niht entobet.

Waz sol ein man der niht engert
gewerbes umb ein reine wip?
si laze in iemer ungewert,
10 ez tiuret doch wol sinen lip.
er tuo dur einer willen so
daz er den andern wol behage:
so tuot in ouch ein ander fro,
ob im diu eine gar versage.

15 dar an gedenke ein saelic man:
da lit vil saelde und eren an.
swer guotes wibes minne hat,
der schamt sich aller missetat.

26. Wagnis des Lebens

85,34 Frowe, enlat iuch niht verdriezen
miner rede, ob si gefüege si.
86,1 möhte ichs wider iuch geniezen,
so waer ich den besten gerne bi.
wizzet daz ir schoene sit:
hat ir, als ich mich verwaene,
5 güete bi der wolgetaene,
waz danne an iu einer eren lit!

„Ich wil iu ze redenne gunnen
(sprechet swaz ir welt), obe ich niht tobe.
daz hat ir mir an gewunnen
10 mit dem iuwern minneclichen lobe.
ichn weiz obe ich schoene bin,
gerne hete ich wibes güete.
leret mich wiech die behüete:
schoener lip entouc niht ane sin.“

15 Frowe, daz wil ich iuch leren,
wie ein wip der werlte leben sol:
guote liute sult ir eren,
minneclich an sehen und grüezen wol;
eime sult ir iuwern lip
20 geben für eigen, nemet den sinen.
frowe, woltet ir den minen,
den gaeb ich umb ein so schoene wip.

„Beide an schouwen unde grüezen,
swaz ich mich dar an versumet han,
25 daz wil ich vil gerne büezen.
ir hat hovelich an mir getan:
tuot durch minen willen me,
sit niht wan min redegeselle.
in weiz nieman dem ich welle
30 nemen den lip: ez taete im lihte we."

Frowe, lat michz also wagen:
ich bin dicke komen uz groezer not:
unde lats iuch niht betragen:
stirbe ab ich, so bin ich sanfte tot.
35 „herre, ich wil noch langer leben.
lihte ist iu der lip unmaere:
waz bedorfte ich solher swaere,
solt ich minen lip umb iuwern geben?"

27. Ein Ring aus Glas

49,25 Herzeliebez frowelin,
got gebe dir hiute und iemer guot.
kund ich baz gedenken din,
des hete ich willeclichen muot.
waz mac ich nu sagen me,
30 wan daz dir nieman holder ist? owe, da von ist mir vil we.

Sie verwizent mir daz ich
so nidere wende minen sanc.
daz si niht versinnent sich
waz liebe si, des haben undanc!
35 sie getraf diu liebe nie,
die nach dem guote und nach der schoene minnent; we
[wie minnent die?

50,[1] Bi der schoene ist dicke haz:
zer schoene niemen si ze gach.
liebe tuot dem herzen baz:
der liebe get diu schoene nach.
5 liebe machet schoene wip:
desn mac diu schoene niht getuon, sin machet niemer
[lieben lip.

Ich vertrage als ich vertruoc
und als ich iemer wil vertragen.
du bist schoene und hast genuoc:
10 waz mugen si mir da von gesagen?
swaz si sagen, ich bin dir holt
und nim din glesin vingerlin für einer küneginne golt.

Hast du triuwe und staetekeit,
so bin ich din an angest gar
15 daz mir iemer herzeleit
mit dinem willen widervar.
hast ab du der zweier niht,
son müezest du min niemer werden. owe, ob daz
[geschiht!

28. Zweieinigkeit

50,[19] Bin ich dir unmaere,
des enweiz ich niht: ich minne dich.
einez ist mir swaere,
du sihst bi mir hin und über mich.
daz solt du vermiden.
ine mac niht erliden
25 solhe liebe an grozen schaden:
hilf mir tragen, ich bin ze vil geladen.

Sol daz sin din huote,
daz din ouge an mich so selten siht?

tuost du mirz ze guote,
30 sone wize ich dir dar umbe niht.
so mit mir daz houbet,
daz si dir erloubet,
und sich nider an minen fuoz,
so du baz enmügest: daz si din gruoz.

35 Swanne ichs alle schouwe,
dir mir suln von schulden wol behagen,
so bist duz min frowe:
daz mac ich wol ane rüemen sagen.
51,1 edel unde riche
sint si sumeliche,
dar zuo tragent si hohen muot:
lihte sint si bezzer, du bist guot.

5 Frowe, nu versinne
dich, ob ich dir zihte maere si.
eines friundes minne
diust niht guot, da ensi ein ander bi.
minne entouc niht eine,
10 si sol sin gemeine,
so gemeine daz si ge
dur zwei herze und dur dekeinez me.

28a. Ihr Blick

47,16 Ich minne, sinne, lange zit:
versinne Minne sich,
wie si schone: lone miner tage.
so lone schone: dest min strit.
20 vil kleine meine mich;
niene meine kleine mine klage
unde rihte solch unbilde,
daz ein ledic wip
25 mich verderbet gar ane alle schulde.

zir gesihte wird ich wilde.
mich enhabe ihr lip
30 fröide enterbet, noch ger ich ir hulde.
waere maere staeter man,
so solte, wolte si, mich an
eteswenne denne gerne sehen,
35 swenne ich gnuoge fuoge kunde spehen.

29. Was ist Minne?

69,1 Saget mir ieman, waz ist minne?
weiz ich des ein teil, so wist ichs gerne me.
der sich baz denne ich versinne,
der berihte mich durch was si tuot so we.
5 minne ist minne, tuot si wol:
tuot si we, so enheizet si niht rehte minne.
sus enweiz ich wie si danne heizen sol.

Obe ich rehte raten künne
waz diu minne si, so sprechet denne „ja“.
10 minne ist zweier herzen wünne:
teilent sie geliche, sost diu minne da;
sols abe ungeteilet sin,
so enkans ein herze alleine niht enthalten.
owe, woldest du mir helfen, frowe min!

15 Frowe, ich trage ein teil ze swaere:
wellest du mir helfen, so hilf: est an der zit.
si abe ich dir gar unmaere,
daz sprich endeliche: so laz ich den strit
unde wirde ein ledic man.
20 du solt aber einez rehte wizzen, frowe,
daz dich lützel ieman baz geloben kan.

Kan min frowe süeze siuren?
waenet si daz ich ir liep gebe umbe leit?
sol ich si dar umbe tiuren,

25 daz siz wider kere an mine unwerdekeit?
so kund ich unrehte spehen.
we waz sprich ich orenloser ougen ane?
den diu minne blendet, wie mac der gesehen?

30. Schöner als Helena

118,24 Ich bin nu so rehte fro,
daz ich vil schiere wunder tuon beginne.
lihte ez sich gefüeget so
daz ich erwirbe miner frowen minne;
seht, so stigent mir die sinne
wol hoher danne der sunnen schin. genade, ein küniginne!

30 Ich ensach die schoenen nie
so dicke, daz ich daz zuo ir verbaere,
mirne spilten dougen ie.
der kalte winter was mir gar unmaere.
ander liute duhte er swaere:
35 mir was die wile als ich enmitten in dem meien waere.

Disen wünneclichen sanc
han ich gesungen miner frowen ze eren.
119,1 des sol si mir wizzen danc:
durch sie so wil ich iemer fröide meren.
wol mac si min herze seren:
waz danne, ob si mir leide tuot? si mac ez wol verkeren.

5 Daz enkunde nieman mir
geraten daz ich schiede von dem wane.
kert ich minen muot von ir,
wa funde ich denne ein also wol getane,
diu so waere valsches ane?
10 sist schoener und baz gelobet denn Elene und Dijane.

31. *Gefährliche Gegenwart*

115,6 Herre got gesegene mich vor sorgen,
daz ich vil wünneclichen lebe.
wil mir ieman sine fröide borgen,
deich im ein ander wider gebe?
10 die vind ich vil schiere ich weiz wol wa:
wan ich liez ir wunder da;
der ich wol mit sinnen
getriuwe ein teil gewinnen.

Al min fröide lit an einem wibe:
15 der herze ist ganzer tugende vol,
unde so geschaffen an ir libe
daz man ir gerne dienen sol.
ich erwirbe ein lachen wol von ir.
des muoz sie gestaten mir:
20 wie mac siz behüeten?
ich fröu mich noch ir güeten.

Als ich under wilen zir gesitze,
so si mich mit ir reden lat,
so benimt si mir so gar die witze,
25 daz mir der lip alumbe gat.
swenne ich iezuo wunder rede kan,
sihet si mich einest an,
so han ichs vergezzen:
waz wolde ich dar gesezzen?

32. *Erste Begegnung*

10,13 Wol mich der stunde, daz ich sie erkande,
diu mir den lip und den muot hat betwungen,
sit deich die sinne so gar an sie wande,
der si mich hat mit ir güete verdrungen.
daz ich gescheiden von ir niht enkan,
daz hat ir schoene und ir güete gemachet
und ir roter munt, der so lieplichen lachet.

20 Ich han den muot und die sinne gewendet
an sie die reinen, die lieben, die guoten.
daz müez uns beiden wol werden volendet,
swes ich getar an ir hulde gemuoten.
swaz ich ie fröiden zer werlde gewan,
25 daz hat ir schoene und ir güete gemachet
und ir roter munt, der so lieplichen lachet.

33. *Im Mai*

51,13 Muget ir schouwen waz dem meien
wunders ist beschert?
seht an pfaffen, seht an leien,
wie daz allez vert.
groz ist sin gewalt:
ine weiz, ob er zouber künne:
swar er vert, dur sine wünne
20 dan ist niemen alt.

Uns wil schiere wol gelingen.
wir suln sin gemeit,
tanzen, lachen unde singen,
ane dörperheit.
25 we wer waere unfro,
sit die vogele also schone
singent in ir besten done?
tuon wir ouch also!

Wol dir, Meie, wie du scheidest
30 allez ane haz!
wie du walt und ouwe kleidest
und die heide baz!
diu hat varwe me.
„du bist kurzer, ich bin langer“,
35 also stritents uf dem anger,
bluomen unde kle.

Roter munt, wie du mich swachest!
la din lachen sin.
52,1 scham dich daz du mich an lachest
nach dem schaden min.
ist daz wol getan?
owe so verlorner stunde,
5 sol von minneclichem munde
solch unminne ergan!

Daz mich, frowe, an fröiden irret,
daz ist iuwer lip.
an iu einer ez mir wirret,
10 ungenaedic wip.
wa nemt ir den muot?
ir sit doch genaden riche:
tuot ir mir ungnaedecliche,
so sit ir niht guot.

15 Scheidet, frowe, mich von sorgen,
liebet mir die zit:
oder ich muoz an fröiden borgen.
daz ir saelic sit!
muget ir umbe sehen?
20 sich fröit al diu welt gemeine:
möhte mir von iu ein kleine
fröidelin geschehen!

34. Schönheit der Frau

53,35 Si wundervol gemachet wip,
daz mir noch werde ir habedanc!
ich setze ir minneclichen lip
vil werde in minen hohen sanc.
gern ich in allen dienen sol:
30 doch han ich mir dise uz erkorn.
ein ander weiz die sinen wol:

die lob er ane minen zorn;
hab ime wis und wort
mit mir gemeine: lob ich hie, so lob er dort.

54,27 Ir houbet ist so wünnenrich,
als ez min himel welle sin.
wem solde ez anders sin gelich?
30 ez hat doch himeleschen schin.
da liuhtent zwene sternen abe,
da müeze ich mich noch in ersehen,
daz si mirs also nahen habe!
so möhte ein wunder wol geschehen:
35 ich junge, und tuot si daz,
und wirt mir gernden siechen seneder sühte baz.

53,35 Got hat ir wengel hohen fliz:
er streich so tiure varwe dar,
so reine rot, so reine wiz,
hie roeseloht, dort liljenvar.
54,1 ob ichz vor sünden tar gesagen,
so saehe ichs iemer gerner an
dan himel oder himelwagen.
owe waz lob ich tumber man?
5 mach ich si mir ze her,
vil lihte wirt mins mundes lop mins herzen ser.

Sie hat ein küssen, daz ist rot:
gewünne ich daz für minen munt,
so stüende ich uf uz dirre not
10 unt waere ouch iemer me gesunt.
swa si daz an ir wengel legt,
da waere ich gerne nahen bi:
ez smecket, so manz iender regt,
alsam ez allez balsame si.
15 daz sol si lihen mir:
swie dicke so siz wider wil, so gibe ichz ir.

Ir kel, ir hende, ietweder fuoz,
daz ist ze wunsche wol getan.
ob ich da enzwischen loben muoz,
20 so waene ich me beschouwet han.
ich haete ungerne „decke bloz“
gerüefet, do ich si nacket sach.
si sach mich niht, do si mich schoz.
daz mich noch sticht als ez do stach,
25 swann ich der lieben stat
gedenke, da si reine uz einem bade trat.

35. Traumliebe

74,20 „Nemt, frowe, disen kranz“,
also sprach ich zeiner wol getanen maget,
„so zieret ir den tanz
mit den schoenen bluomen, als irs uffe traget.
het ich vil edele gesteine,
25 daz müest uf iur houbet,
ob ir mirs geloubet.
set mine triuwe, daz ichz meine.“

75,9 „Ir sit so wol getan,
daz ich iu min schapel gerne geben wil,
so ichz aller beste han.
wizer unde roter bluomen weiz ich vil:
die stent niht verre in jener heide.
da si schone entspringent
15 und die vogele singent,
da sulen wir si brechen beide.“

74,28 Si nam daz ich ir bot
einem kinde vil gelich daz ere hat.
30 ir wangen wurden rot
same diu rose, da si bi der liljen stat.

do erschampten sich ir liehten ougen:
doch neic si mir schone.
daz wart mir ze lone:
35 wirt mirs iht mer, daz trage ich tougen.

75,17 Mich duhte daz mir nie
lieber wurde, danne mir ze muote was.
die bluomen vielen ie
20 von dem boume bi uns nider an daz gras.
seht, do muost ich von fröiden lachen.
do ich so wünnecliche
was in troume riche,
do taget ez und muos ich wachen.

75,1 Mir ist von ir geschehen,
daz ich disen sumer allen meiden muoz
vast under dougen sehen:
lihte wirt mir einiu: so ist mir sorgen buoz.
5 waz obe si get an disem tanze?
frowe, dur iur güete
rucket uf die hüete.
owe, gesaehe ichs under kranze!

36. Unter der Linde

39,11 „Under der linden
an der heide,
da unser zweier bette was,
da mugt ir vinden
15 schone beide
gebrochen bluomen unde gras.
vor dem walde in einem tal,
tandaradei,
schone sanc diu nahtegal.

20 Ich kam gegangen
zuo der ouwe:
do was min friedel komen e.
da wart ich enpfangen,
here frowe,
25 daz ich bin saelic iemer me.
kuster mich? wol tusentstunt:
tandaradei,
seht, wie rot mir ist der munt.

40,1 Do het er gemachet
also riche
von bluomen eine bettestat.
des wirt noch gelachet
5 innecliche,
kumt iemen an daz selbe pfat.
bi den rosen er wol mac,
tandaradei,
merken wa mirz houbet lac.

10 Daz er bi mir laege,
wessez iemen
(nu enwelle got!), so schamt ich mich.
wes er mit mir pflaege,
niemer niemen
15 bevinde daz, wan er unt ich,
und ein kleinez vogellin:
tandaradei,
daz mac wol getriuwe sin."

37. Im Winter

39,1 Uns hat der winter geschat über al:
heide unde walt sint beide nu val,

da manic stimme vil suoze inne hal.
saehe ich die megde an der straze den bal
5 werfen! so kaeme uns der vogele schal.

Möhte ich verslafen des winters zit!
wache ich die wile, so han ich sin nit,
daz sin gewalt ist so breit und so wit.
weizgot er lat doch dem meien den strit:
10 so lise ich bluomen da rife nu lit.

38. Frühlingsbotschaft

114,23 Der rife tet den kleinen vogelen we,
daz si niene sungen.
nu hoere ichs aber wünneclich als e,
nu ist diu heide entsprungen.
da sach ich bluomen striten wider den kle,
weder ir lenger waere.
miner frowen send ich disiu maere.

30 Uns hat der winter kalt und ander not
vil getan ze leide.
ich wande daz ich iemer bluomen rot
gesaehe in grüener heide.
ja schadet guoten liuten, waere ich tot.
35 die nach fröiden ringen
und die gerne tanzen unde singen.

Versumde ich disen wünneclichen tac,
so waer ich verwazen,
115,1 und waere mir ein eweclicher slac:
dannoch müese ich lazen
al mine fröide der ich wilent pflac.
got gesegen iuch alle:
5 wünschet ouch daz mir ein heil gevalle.

39. *Enttäuschung*

112,3 Müeste ich noch geleben daz ich die rosen
mit der minneclichen solde lesen,
5 so wolde ich mich so mit ir erkosen,
daz wir iemer friunde müesten wesen.
wurde mir ein kus noch zeiner stunde
von ir roten munde,
so waer ich an fröiden wol genesen.

10 Waz sol lieblich sprechen? waz sol singen?
waz sol wibes schoene? waz sol guot?
sit man nieman siht nach fröiden ringen,
sit man übel ane vorhte tuot;
sit man triuwe milte zuht und ere
15 wil verpflegen so sere,
so verzagt an fröiden maneges muot.

40. *Sommertraum*

94,11 Do der sumer komen was
und die bluomen dur das gras
wünneclichen drungen,
alda die vogele sungen,
15 do kom ich gegangen
durch einen anger langen,
da ein luter brunne spranc:
vor dem walde was sin ganc,
da diu nahtegale sanc.

20 Bi dem brunnen stuont ein boum:
da gesach ich einen troum.
ich was von der sunnen

entwichen zuo dem brunnen,
daz diu linde maere
25 mir küelen schaten baere.
bi dem brunnen ich gesaz,
miner sorgen ich vergaz,
schier entslief ich umbe daz.

Do beduhte mich zehant
30 wie mir dienten elliu lant,
wie min sele waere
ze himel ane swaere
und der lip hie solte
gebaren swie er wolte.
35 dane was mirz niht ze we.
got gewaldes, swiez erge:
schoener troum enwart nie me.

Gerne slief ich iemer da,
wan ein unsaeligiu kra
91,1 diu begonde schrien.
daz alle kra gedien
als ich in des günne!
si nam mir michel wünne.
5 von ir schrienne ich erschrac:
wan daz da niht steines lac,
so waer ez ir suonestac.

Ein vil wunderaltez wip
hat getrostet mir den lip.
10 die begonde ich eiden:
nu hat si mir bescheiden
waz der troum bediute
(daz merken guote liute):
zwen und einer daz sint dri;
15 dannoch seit si mir da bi
daz min dume ein vinger si.

41. Tagelied

88,[9] Friuntlichen lac
ein riter vil gemeit
an einer frowen arme. er kos den morgen lieht,
do er in dur diu wolken so verre schinen sach.
15 diu frowe in leide sprach
„we geschehe dir, tac,
daz du mich last bi liebe langer bliben nieht.
19/20 daz si da heizent minne, deis niewan senede leit.“

„Friundinne min,
du solt din truren lan.
ich wil mich von dir scheiden: daz ist uns beiden guot.
25 ez hat der morgensterne gemachet hinne lieht.“
„min friunt, nu tuo des nieht,
la die rede sin,
29/30 daz du mir iht so sere beswaerest minen muot.
war gahest also balde? ez ist niht wol getan.“

„Frowe, nu daz si:
ich wil beliben baz.
35/36 nu rede in kurzen ziten allez daz du wil,
daz wir unser huote triegen aber als e.“
89,[1] „min friunt, daz tuot mir we:
e ich dir aber bi
gelige, miner swaere derst leider alze vil.
5/6 nu mit mich niht ze lange: vil liep ist mir daz.“

„Daz muoz also geschehen
daz ich es niene mac;
9/10 sol ich dich, frowe, miden eines tages lanc,
so enkumt min herze doch niemer von dir.“
„min friunt, nu volge mir:

du solt mich schiere sehen,
15/16 ob du mir sist mit triuwen   staete sunder wanc.
owe der ougenweide!   nu kiuse ich den tac.“

„Waz helfent bluomen rot,
19/20 sit ich nu hinnen sol?
vil liebe friundinne,   die sint unmaere mir
reht als den vogellinen   die winterkalten tage.“
25/26 „friunt, dest ouch min klage
und mir ein wernde not.
jon weiz ich niht ein ende,   wie lange ich din enbir.
29/30 nu lige eht eine wile: son getaet du nie so wol.“

„Frowe, ez ist zit:
gebiut mir, la mich varn.
ja tuon ichz durch din ere,   daz ich von hinnen ger.
35/36 diu tageliet der wahtaer   so lute erhaben hat.“
„friunt, wie wirt es rat?
da laze ich dir den strit.
39/40 owe des urloubes,   des ich dich hinnen wer!
90,1/2 von dem ich habe die sele,   der müeze dich bewarn.“

Der riter dannen schiet:
do sente sich sin lip
5/6 und liez ouch sere weinde   die schoenen frowen guot.
doch galt er ir mit triuwen   dazs ime vil nahe lac.
9/10 si sprach „swer ie gepflac
ze singen tageliet,
der wil mir wider morgen   beswaeren minen muot.
nu lige ich liebes ane   reht als ein senede wip.“

42. *Die lange Winternacht*

117,[36] Swa so liep bi liebe lit
gar vor allen sorgen fri,
ich wil daz des winters zit
118,[1] den zwein wol erteilet si.
sumer unde winter
der zweier eren ist so vil
daz ich beide loben wil.

5 Hat der winter kurzen tac,
so hat er die langen naht,
daz sich liep bi liebe mac
wol erholn daz e da vaht.
waz han ich gesprochen?
10 owe ja het ich baz geswigen,
sol ich iemer so geligen.

43. *Halmorakel*

65,[33] In einem zwivellichen wan
was ich gesezzen und gedahte,
ich wolte uz ir dienste gan;
wan daz ein trost mich wider brahte.
66,[1] trost mag ez rehte niht geheizen, owe des!
ez ist vil kume ein kleine troestelin;
so kleine, swenne ichz iu gesage, ir spottet min.
doch fröwet sich lützel ieman, er enwizze wes.

5 Mich hat ein halm gemachet fro:
er giht, ich sül genade vinden.
ich maz daz selbe kleine stro,
als ich hie vor gesach von kinden.

nu hoeret unde merket ob siz denne tuo:
10 „si tuot, si entuot, si tuot, si entuot, si tuot."
swie dicke ich also maz, so was daz ende ie guot.
daz troestet mich: da hoeret ouch geloube zuo.

Swie liep si mir von herzen si,
so mac ich nu doch wol erliden
15 daz ir sin ie die besten bi:
ich darf ir werben da niht niden.
ichn mac, als ich erkenne, des gelouben niht
dazs ieman sanfte in zwivel bringen müge.
mirst liep daz die getrogenen wizzen waz si trüge,
20 und alze lanc dazs iemer rüemic man gesiht.

44. Mißstimmung

110,27 Wer kan nu ze danke singen?
dirre ist truric, der ist fro:
wer kan daz zesamene bringen?
30 dirre ist sus und der ist so.
sie verirrent mich
und versinnen sich:
wess ich waz si wolten, daz sung ich.

Fröide und sorge erkenne ich beide:
35 da von sing ich swaz ich sol.
mir ist liebe, mir ist leide.
111,1 sumerwünne tuot mir wol:
swaz ich leides han,
daz tuot zwivelwan,
wiez mir umb die lieben sül ergan.

5 Wol iu kleinen vogellinen!
iuwer wünneclicher sanc

der verschallet gar den minen.
al diu werlt diu seit iu danc.
also danken ir
....
....

45. Wo bleibt die Freude?

117,29 Nu sing ich als ich e sanc
„wil abe iemen wesen fro?“
daz die richen haben undanc,
und die jungen haben also!
wist ich waz in würre (möhten si mir daz gesagen!),
so hulf ich ir schaden klagen.

118,12 Wer gesach ie bezzer jar?
wer gesach ie schoener wip?
daz entroestet niht ein har
15 einen unsaeligen lip.
wizzet, swem der anegenget an dem morgen fruo,
dem get ungelücke zuo.

Ich wil einer helfen klagen,
der ouch fröide zaeme wol,
20 dazs in also valschen tagen
schoene tugent verliesen sol.
hie vor waer ein lant gefröut umb ein so schoene wip:
waz sol der nu schoener lip?

46. Wintersorge

75,25 Diu welt was gelf, rot unde bla,
grüen in dem walde und anderswa:
die kleinen vogele sungen da.

nu schriet aber diu nebelkra.
pfligt si iht ander varwe? ja:
30 sist worden bleich und übergra.
des rimpfet sich vil manic bra.

Ich saz uf eime grüenen le:
da ensprungen bluomen unde kle
zwischen mir und eime se.
35 der ougenweide ist da niht me.
da wir schapel brachen e,
da lit nu rife und ouch der sne.
daz tuot den vogellinen we.

76,1 Die toren sprechent „snia sni“,
die armen liute „owe, owi“.
des bin ich swaere alsam ein bli.
der wintersorge han ich dri:
5 swaz der und der andern si,
der wurde ich alse schiere fri,
waer uns der sumer nahe bi.

E danne ich langer lebt also,
den krebz wolt ich e ezzen ro.
10 sumer mache uns aber fro:
du zierest anger unde lo.
mit den bluomen spilt ich do,
min herze swebt in sunnen ho:
daz jaget der winter in ein stro.

15 Ich bin verlegen als Esau:
min sleht har ist worden ru.
süezer sumer, wa bist du?
ja saehe ich gerner veltgebu,

danne ich langer in selher dru
20 beklemmet waere als ich bin nu:
ich wurde e münch ze Toberlu.

47. Hildegunde

73,23 Die mir in dem winter fröide hant benomen,
sie heizen wip, si heizen man,
25 disiu sumerzit diu müez in baz bekomen.
owe, daz ich niht fluochen kan!
leider ich enkan niht mere
wan daz übel wort „unsaelic". neina! daz waer alze sere.

Zwene herzeliche flüeche kan ich ouch:
30 die fluochent nach dem willen min.
hiure müezens beide esel unde gouch
gehoeren e si enbizzen sin.
we in denne, den vil armen!
wess ich ob siz noch geruwe, ich wolde mich dur got
[erbarmen.

35 Man sol sin gedultic wider ungedult:
daz ist den schamelosen leit.
swen die boesen hazzent ane sine schult,
74,1 daz kumt von siner frümekeit.
troestet mich diu guote alleine,
diu mich wol getroesten mac, so gaebe ich umbe ir
niden kleine.

Ich wil al der werlte sweren uf ir lip
5 (den eit sol si vil wol vernemen):
si mir ieman lieber, maget oder wip,
diu helle müeze mir gezemen.
hat si nu deheine triuwe,
so getruwet si dem eide und entstet mins herzen riuwe.

10 Herren unde friunt, nu helfent an der zit:
daz ist ein ende, ez ist also:
ich behalde minen minneclichen strit;
ja enwirde ich niemer rehte fro:
mines herzen tiefiu wunde
15 diu muoz iemer offen sten, si enküsse mich mit [friundes munde.
mines herzen tiefiu wunde
diu muoz iemer offen sten, si enheiles uf und uz von [grunde.
mines herzen tiefiu wunde
diu muoz iemer offen sten, sin werde heil von Hiltegunde.

48. Entartete Minne

57,23 Minne diu hat einen site:
daz si den vermiden wolde,
25 daz gezaeme ir baz.
da beswaert si manegen mite,
den si niht beswaeren solde:
we wie zimt ir daz?
ir sint vier unt zwenzec jar
30 vil lieber danne ir vierzec sin,
und stellet sich vil übel, sihts iender grawez jar.

Minne was min frowe gar,
deich wol wiste al ir tougen;
nu ist mir so geschehen:
35 kumt ein junger ieze dar,
so wird ich mit twerhen ougen
schilhend an gesehen.
armez wip, wes müet si sich?
58,1 weizgot wan daz si liste pfliget
und toren triuget, sist doch elter vil dann ich.

Minne hat sich an genomen
daz si vert mit toren umbe
5 springende als ein kint.
war sint alle ir witze komen?
wes gedenket si vil tumbe?
sist joch gar ze blint.
dazs ir ruschen nienen lat,
10 und füere als ein bescheiden wip!
si stozet sich, daz ez mir an min herze gat.

Minne sol daz nemen für guot,
under wilen so si ringet,
daz ich sitzen ge.
15 ich han also hohen muot
alse der vil hohe springet:
we waz wil sis me?
anders diene ich swaz ich mac.
si besuoche wa die sehse sin:
20 von mir hats in der wochen ie den sibenden tac.

49. Mißtöne am Hof

64,31 Owe, hovelichez singen,
daz dich ungefüege doene
solten ie ze hove verdringen!
daz die schiere got gehoene!
35 owe daz din wirde also geliget!
des sint alle dine friunde unfro.
daz muoz also sin: nu si also:
fro Unfuoge, ir habt gesiget.

65,1 Der uns fröide wider braehte,
diu reht und gefüege waere,

hei wie wol man des gedaehte
swa man von im seite maere!
5 ez waer ein vil hovelicher muot,
des ich iemer gerne wünschen sol:
frowen unde herren zaeme ez wol:
owe daz ez nieman tuot!

Die daz rehte singen stoerent,
10 der ist ungeliche mere
danne die ez gerne hoerent:
doch volge ich der alten lere:
ich enwil niht werben zuo der mül,
da der stein so riuschent umbe gat
15 und daz rat so mange unwise hat.
merket wer da harpfen sül.

Die so frevellichen schallent,
der muoz ich vor zorne lachen,
dazs in selben wol gevallent
20 mit als ungefüegen sachen.
die tuont sam die frösche in eime se,
den ir schrien also wol behaget,
daz diu nahtegal da von verzaget,
so si gerne sunge me.

25 Swer unfuoge swigen hieze,
waz man noch von fröiden sunge!
und si abe den bürgen stieze,
daz si da die fron niht twunge.
wurden ir die grozen höve benomen,
30 daz waer allez nach dem willen min.
bi geburen liez ich si wol sin:
dannen ist si her bekomen.

50. *Veränderte Welt*

59,37 Wie sol ich gewarten dir,
Welt, wilt also winden dich?
60,1 waenest dich entwinden mir?
nein: ich kan ouch winden mich.
du wilt sere gahen,
und ist vil unnahen
5 daz ich dich noch sül versmahen.

Du hast lieber dinge vil,
der mir einez werden sol.
Welt, wiech daz verdienen wil!
doch solt du gedenken wol,
10 obe ich hie getraete
fuoz von miner staete,
sit du mich dir dienen baete.

Welt, du ensolt niht umbe daz
zürnen, ob ich lones man.
15 grüeze mich ein wenic baz,
sich mich minneclichen an.
du maht mich wol pfenden
und min heil erwenden:
daz stet, frowe, in dinen henden.

20 In weiz wie din wille ste
wider mich: der mine ist guot
wider dich. waz wil dus me,
Welt, von mir, wan hohen muot?
wilt du bezzer wünne,
25 danne man dir günne
fröide und der gehelfen künne?

Welt, tuo me des ich dich bite,
volge wiser liute tugent.
du verderbest dich da mite,
30 wilt du minnen toren jugent.
bite die alten ere,
daz si wider kere
und ab din gesinde lere.

51. Freude einst und jetzt

116,33 Bi den liuten nieman hat
ze fröiden hovelichern trost denn ich:
35 so mich sende not bestat,
so schine ich geil und troeste selben mich.
also han ich dicke mich betrogen
und durch die werlt vil manege fröide erlogen:
daz liegen was ab lobelich.

117,8 Leider ich muoz mich entwenen
vil maneger wünne der min ouge an sach:
10 war nach sol sich einer senen,
der niht geloubet swaz hier vor geschach?
der weiz lützel waz daz si gemeit.
daz ist senender muot mit gerender arebeit.
vil saelic si daz ungemach!

117,1 Maneger waenet der mich siht,
min herze si an fröiden iemer ho.
hoher fröide han ich niht,
und wirt mir niemer wider wan also:
5 werdent tiusche liute wider guot
unde troestet si mich, diu mir leide tuot,
so wirde ich aber wider fro.

15 Ich han ir gedienet vil,
der werlte, und wolte ir gerne dienen me,
wan dazs übel danken wil
und waenet daz ich mich des niht verste.
ich versten michs wol an eime site:
20 des ich aller serest ger, so ich des bite,
so git siz einem toren e.

Ichn weiz wiechz erwerben mac.
des man da pfligt, daz widerstuont mir ie:
wirbe ab ich so man e pflac,
25 daz schadet mir lihte: sus enweiz ich wie.
doch verwaene ich mich der fuoge da,
daz der ungefüegen werben anderswa
genaemer si dan wider sie.

52. Die echte Frau

47,36 Zwo fuoge han ich doch, swie ungefüege ich si,
der han ich mich von kinde her vereinet:
48,1 ich bin den fron bescheidenlicher fröide bi
und lache ungerne swa man bi mir weinet.
durch die liute bin ich fro,
durch die liute wil ich sorgen:
5 ist mir anders danne also,
waz dar umbe? ich wil doch borgen.
swie si sint so wil ich sin,
daz si niht verdrieze min.
manegem ist unmaere
10 swaz einem andern werre:
der si ouch bi den liuten swaere.

Hie vor, do man so rehte minneclichen warp,
do waren mine sprüche fröiden riche;

sit daz diu minnecliche minne also verdarp,
15 sit sanc ouch ich ein teil unminnecliche.
iemer als ez danne stat,
also sol man danne singen.
swenne unfuoge nu zergat,
so sing aber von höfschen dingen.
20 noch kumt fröide und sanges tac:
wol im, ders erbeiten mac!
derz gelouben wolte,
so erkande ich wol die fuoge,
wenn unde wie man singen solte.

49,12 Ich sanc hie vor den frowen umbe ir blozen gruoz:
den nam ich wider minem lobe ze lone.
swa ich des geltes nu vergebene warten muoz,
15 da lobe ein ander, den si grüezen schone.
swa ich niht erwerben kan
einen gruoz mit minem sange,
dar wend ich vil herscher man
minen nac ode ein min wange.
20 daz kit „mir ist umbe dich
rehte als dir ist umbe mich“.
ich wil min lop keren
an wip diu danken kunnen:
waz han ich von den überheren?

48,25 Ich sage iu waz uns den gemeinen schaden tuot:
diu wip gelichent uns ein teil ze sere.
daz wir in also liep sin übel alse guot,
seht, daz gelichen nimet uns fröide und ere.
schieden uns diu wip als e,
30 daz ouch si sich liezen scheiden,
daz gefrumt uns iemer me,
mannen unde wiben, beiden.

waz stet übel, waz stet wol,
ob man uns niht scheiden sol?
35 edeliu wip, gedenket
daz och die man waz kunnen:
gelichents iuch, ir sit gekrenket.

Wip muoz iemer sin der wibe hohste name
und tiuret baz dan frowe, als ichz erkenne.
49,1 swa nu deheiniu si diu sich ir wipheit schame,
diu merke disen sanc und kiese denne.
under frowen sint unwip,
under wipen sint si tiure.
5 wibes name und wibes lip
die sint beide vil gehiure.
swiez umb alle frowen var,
wip sint alle frowen gar.
zwivellop daz hoenet,
10 als under wilen frowe:
wip dest ein name ders alle kroenet.

53. Vorzug und Fehler der Frau

58,21 Die zwivelaere sprechent, ez si allez tot
und lebe nu nieman der iht singe.
nu mugen si doch bedenken die gemeinen not,
wie al diu welt mit sorgen ringe.
25 kumt sanges tac, man hoeret singen unde sagen:
man kan noch wunder.
ich horte ein kleine vogellin daz selbe klagen,
daz tet sich under:
„ich singe niht, ez welle tagen“.

30 Die losen scheltent guoten wiben minen sanc
und jehent daz ich ir übel gedenke.

si pflihten alle wider mich und haben danc:
er si ein zage, der da wenke.
nu dar swer tiuschen wiben ie gespraeche baz!
35 wan daz ich scheide
die besten von den boesten. seht, daz ist ir haz.
lobt ich sie beide
geliche wol, wie stüende in daz?

59,1 Ich bin iu eines dinges holt, haz unde nit,
so man iuch uz ze boten sendet,
daz ir so gerne bi den biderben liuten sit
und da mit iuwern herren schendet.
5 ir spehere, so ir niemen staeten muget erspehen,
den ir verkeret,
so hebt iuch heim in iuwer hus (ez muoz geschehen),
daz ir uneret
verlogenen munt und twerhez sehen.

10 Der also guotes wibes gert als ich da ger,
wie vil der tugende haben solte!
nu han ich leider niht da mite ich sie gewer,
wan obs ein lützel von mir wolte.
zwo tugende han ich, der si wilent namen war:
15 scham unde triuwe;
die schadent nu beide sere. schaden nu also dar!
ich bin niht niuwe:
swem ich da gan, dem gan ich gar.

Ich wande daz si waere missewende fri:
20 nu sagent si mir ein ander maere,
si jehent daz niht lebendes ane wandel si:
so ist ouch miniu frowe wandelbaere.
ichn kan ab niht erdenken waz ir misseste,
wan ein vil kleine:

25 si schat ir vinden niht und tuot ir friunden we.
lat si daz eine,
swie vil ichs suoche, ichn vindes me.

Ich han iu gar gesaget daz ir missestat:
zwei wandel han ich iu genennet.
30 nu sult ir ouch vernemen waz si tugende hat
(der sint ouch zwo), daz irs erkennet.
ich seit iu gerne tusent: irn ist niht me da,
wan schoene und ere.
die hat si beide vollecliche. hat si? ja.
35 waz wil si mere?
hiest wol gelobt: lobe anderswa.

54. Zauber der Frau

115,30 Mich nimt iemer wunder waz ein wip
an mir habe ersehen,
dazs ir zouber leit an minen lip.
waz ist ir geschehen?
ja hat si doch ougen:
35 wie kumt dazs als übele siht?
ich bin aller manne schoenest niht,
daz ist ane lougen.

116,1 Habe ir ieman iht von mir gelogen,
so beschou mich baz.
sist an miner schoene gar betrogen,
wil si niht wan daz.
5 wie stat mir daz houbet?
dazn ist niht ze wol getan.
sie betriuget lihte ein tumber wan,
ob siz niht geloubet.

Da si wont, da wonent wol tusent man
10 die vil schoener sint.
wan daz ich ein lützel fuoge kan,
so ist min schoene ein wint.
fuoge han ich kleine:
doch ist si genaeme wol,
15 so daz si vil guoten liuten sol
iemer sin gemeine.

Wil si fuoge für die schoene nemen,
so ist si wol gemuot.
kan si daz, so muoz ir wol gezemen
20 swaz si mir getuot.
so wil ich mich neigen
und tuon allez daz si wil.
waz bedarf si denne zoubers vil,
wan deich bin ir eigen?

25 Lat iu sagen wiez umbe ir zouber stat,
des si wunder treit.
sist ein wip diu schoene und ere hat,
da bi liep und leit.
dazs iht anders künne,
30 daz sol man ir gar vergeben,
wan daz ir vil wünneclichez leben
machet sorge und wünne.

55. Ursache des Verfalls

44,35 Die herren jehent, man sülz den frouwen
wizen daz diu welt so ste:
si sehent niht froelich uf als e,
si wellent allez nider schouwen.

45,[1] iedoch han ich die rede gehoeret:
si sprechent, daz in fröide stoeret:
si sin me dan halbe verzaget
beidiu libes unde guotes,
niemen helfe in hohes muotes.
wer sol rihten? hiest geklaget.

Ein frowe wil ze schedeliche
schimpfen, ich habe uz gelobet.
si tumbet, obe si niht entobet.
10 jon wart ich lobes nie so riche:
torste ich vor den wandelbaeren,
so lobte ich die ze lobenne waeren;
des enhaben deheinen muot,
ichn gelobe si niemer alle,
15 swiez den losen missevalle,
sine werden alle guot.

Ich weiz si diu daz niht ennidet,
daz man nennet reiniu wip.
so rehte reine sost ir lip,
20 daz si der guoten lop wol lidet.
er engap ir niht zu kleine,
der si geschuof schoen unde reine.
der diu zwei zesamene sloz,
wie gefuoge er kunde sliezen!
25 er solt iemer bilde giezen,
der daz selbe bilde goz.

56. Machtlos

4,[23] Ich lepte wol und ane nit,
wan durch der lügenaere werdekeit.
25 daz wirt ein lange wernder strit:

ir liep muoz iemer sin min herzeleit.
ez erbarmet mich vil sere,
dazs als offenliche gant
und niemen guoten unverworren lant.
30 unstaete, schande, sünde, unere,
die ratents iemer swa mans hoeren wil.
owe daz man si niht vermidet!
daz wirt noch maneger frowen schade
und hat verderbet herren vil.

171,1 Noch dulde ich tougenlichen haz
von einem worte daz ich wilent sprach.
waz mac ichs, zürnents umbe daz?
ich wil nu jehen des ich e da jach:
5 ich sanc von der rehten minne
daz si waere sünden fri.
der valschen der gedahte ich ouch da bi:
do rieten mir die mine sinne
daz ich si hieze unminne, daz tet ich.
10 nu vehent mich ir undertane.
als helfe iu got, werde ich vertriben,
ir frowen, so behaltet mich.

Mac ieman deste wiser sin
daz er an siner rede vil liute hat,
15 daz ist an mir vil kleine schin.
diu werlt wol halbe gat an minen rat
unde hat mich doch verirret
daz ich iezuo lützel kan.
ez mac wol helfen einen andern man:
20 ich merke wol daz ez mir wirret.
und wil die vriunt erkennen iemer me
die guote maere niht verkerent.
wil ieman loser mit mir reden,
ichn mac: mir tuot daz houbet we.

44,[11] Min frowe ist underwilent hie:
so guot ist si, daz ich des waene wol.
min herze enschiet von ir noch nie:
ist daz ein minne dandern suochen sol,
15 so wirt si vil dicke ellende
mit gedanken als ich bin.
min lip ist hie, so wont bi ir min sin:
dern wil von ir niht, dest ein ende.
nu wolte ich daz er naeme ir güete war
20 und min dar under niht vergaeze.
waz dan, tuon ich diu ougen zuo?
so siht iedoch min herze dar.

57. Vermächtnis

6 ,[34] Ich wil nu teilen, e ich var,
min varnde guot und eigens vil,
daz iemen dürfe striten dar,
wan den ichz hie bescheiden wil.
al min ungelücke wil ich schaffen jenen
61,[1] die sich hazzes unde nides gerne wenen,
dar zuo min unsaeliceit.
mine swaere
haben die lügenaere;
5 min unsinnen
schaff ich den die mit velsche minnen,
den frowen nach herzeliebe senendiu leit.

58. Niedere und hohe Minne

46,[32] Aller werdekeit ein füegerinne,
daz sit ir zeware, frowe Maze.
er saelic man, der iuwer lere hat!

35 der endarf sich iuwer niender inne
weder ze hove schamen noch an der straze.
dur daz so suoche ich, frowe, iuwern rat,
daz ir mich ebene werben leret.
47,1 wirbe ich nidere, wirbe ich hohe, ich bin verseret.
ich was vil nach ze nidere tot,
nu bin ich aber ze hohe siech:
unmaze enlat mich ane not.

5 Nideriu minne heizet diu so swachet
daz der muot nach kranker liebe ringet:
diu minne tuot unlobeliche we.
hohiu minne reizet unde machet
daz der muot nach hoher wirde uf swinget:
10 diu winket mir nu, daz ich mit ir ge.
mich wundert wes diu maze beitet.
kumet diu herzeliebe, ich bin iedoch verleitet:
min ougen hant ein wip ersehen;
swie minneclich ir rede si,
15 mir mac doch schade von ir geschehen.

59. Zwiefach verschlossen

93,19 Waz hat diu welt ze gebenne liebers danne ein wip,
21 daz ein sende herze baz gefröwen müge?
waz stiuret baz ze lebenne danne ir werder lip?
ich enweiz niht daz ze fröiden hoher tüge,
25 denne swa ein wip von herzen meinet
den der ir wol lebt ze lobe.
da ist ganzer trost mit fröiden underleinet:
disen dingen hat diu welt niht dinges obe.

29/30 Min frowe ist zwir beslozzen, der ich liebe trage,
dort verkluset, hie verheret da ich bin.

des einen hat verdrozzen mich nu manege tage:
so git mir daz ander senelichen sin.
35 solt ich pflegen der zweier slüzzel huote,
dort ir libes, hie ir tugent,
disiu wirtschaft naeme mich uz sendem muote,
und kaem iemer von ir schoene niuwe jugent.

94,1 Waenet huote scheiden von der lieben mich,
diech mit staeten triuwen her gemeinet han?
4/5 solhe liebe leiden, des verzihe sich:
ich diene iemer uf den minneclichen wan.
mac diu huote mich ir libes pfenden,
da habe ich ein troesten bi:
sin kan niemer von ir liebe mich gewenden.
10 twinget si daz eine, so ist daz ander fri.

60. Gnade und Ungnade

64,13 Swie wol diu heide in manicvalter varwe stat,
so muoz ich doch dem walde jehen
15 daz er vil mere wünneclicher dinge hat:
noch ist dem velde baz geschehen.
so wol dir, sumer, sus getaner hövescheit!
sumer, daz ich iemer lobe dine tage,
nu troeste, trost, ouch mine klage.
20 ich sage dir waz mir wirret:
daz mir ist liep, dem bin ich leit.

64,4 Die schamelosen, liezen si mich ane not,
son haet ich weder haz noch nit.
nu muoz ich von in gan, als unzuht mir gebot:
ich laze in laster unde strit.
do zuht gebieten mohte, seht do schuof siz so:

tusent werten einem ungefüegen man,
10 unz er vil schone sich versan;
do muose er sich versinnen:
so vil was der gefüegen do.

63,32 Si fragent unde fragent aber alze vil
von miner frowen, wer si si.
daz müet mich so daz ichs in allen nennen wil:
35 so lant si mich doch danne fri.
„Genade“ und „Ungenade“, dise zwene namen
hat min frowe beide. die sint ungelich:
64,1 der eine ist arm, der ander rich.
der mich des richen irre,
der müeze sich des armen schamen.

64,22 Ich mac der guoten niht vergezzen noch ensol,
diu mir so vil gedanke nimet.
die wile ich singen wil, so vinde ich iemer wol
25 ein niuwe lop daz ir gezimet.
nu habe ir diz für guot: so lobe ich danne me.
ez tuot in den ougen wol daz man si siht:
und daz man ir vil tugende giht,
daz tuot wol in den oren.
30 so wol ir des! und we mir, we!

61. Frau und Freundin

63,8 Die verzagten aller guoten dinge
waenent daz ich mit in si verzaget:
10 ich han trost daz mir noch fröide bringe
der ich minen kumber han geklaget.
obe mir liep von der geschiht,
so enruoche ich wes ein boeser giht.

Nit den wil ich iemer gerne liden.
15 frowe, da solt du mir helfen zuo,
daz si mich von schulden müezen niden,
so min liep in herzeleide tuo.
schaffe daz ich fro geste:
so ist mir wol, und ist in iemer we.

20 Friundin unde frowen in einer waete
wolte ich an dir einer gerne sehen,
ob ez mir so rehte sanfte taete
alse mir min herze hat verjehen.
„friundinne“ ist ein süezez wort:
25 doch so tiuret „frowe“ unz an daz ort.

Frowe, ich wil mit hohen liuten schallen,
werdent diu zwei wort mit willen mir:
so laz ouch dir zwei von mir gevallen,
dazs ein keiser kume gaebe dir.
30 friunt und geselle diu sint din:
so si friundin unde frowe min.

62. Kaiser und Spielmann

62,6 Ob ich mich selben rüemen sol,
so bin ich des ein hübescher man,
daz ich so mange unfuoge dol,
so wol als ichz gerechen kan.
10 ein klosenaere, ob erz vertrüege? ich waene, er nein.
haet er die stat als ich si han,
bestüende in danne ein zörnelin,
ez wurde unsanfter widertan,
swie sanfte ichz also laze sin.
15 daz und ouch me vertrage ich doch dur etewaz.

26 Frowe, ir habt mir geseit also,
swer mir beswaere minen muot,
daz ich den mache wider fro:
er schame sich lihte und werde guot.
30 diu lere, ob si mit triuwen si, daz schine an iu.
ich fröwe iuch, ir beswaeret mich:
des schamt iuch, ob ichz reden getar,
lat iuwer wort niht velschen sich
und werdet guot: so habt ir war.
35 vil guot sit ir, wan daz ich guot von güete wil.

16 Frowe, ir sit schoene und sit ouch wert:
den zwein stet wol genade bi.
waz schadet iu daz man iuwer gert?
joch sint iedoch gedanke fri.
20 wan unde wunsch daz wolde ich allez ledic lan:
nu höveschent mine sinne dar.
waz mag ichs, gebents iu minen sanc?
des nemet ir lihte niender war:
so han ichs doch vil hohen danc.
25 treit iuch min lop ze hove, daz ist min werdekeit.

36 Frowe, ir habet ein vil werdez tach
an iuch geslouft, den reinen lip,
wan ich nie bezzer kleit gesach;
63,1 ir sit ein wol bekleidet wip:
sin unde saelde sint gesteppet wol dar in.
getragene wat ich nie genan;
dise naém ich also gerne ich lebe.
5 der keiser wurde ir spileman
umb also wünnecliche gebe:
da, keiser spil! nein, herre keiser, anderswa!

63. Edler Anstand

43,9 Ich hoere iu so vil tugende jehen,
daz iu min dienest iemer ist bereit.
enhaet ich iuwer niht gesehen,
daz schatte mir an miner werdekeit.
nu wil ich deste tiure sin
und bite iuch, frowe,
15 daz ir iuch underwindet min.
ich lebete gerne, kunde ich leben:
min wille ist guot, nu bin ich tump:
nu sult ir mir die maze geben.

„Kunde ich die maze als ich enkan,
20 so waere ich zuo der welte ein saelic wip.
ir tuot als ein wol redender man,
daz ir so hohe tiuret minen lip.
ich bin vil tumber danne ir sit.
waz dar umbe?
25 doch wil ich scheiden disen strit.
tuot allererst des ich iuch bite
und saget mir der manne muot:
so lere ich iuch der wibe site.“

Wir wellen daz diu staetekeit
30 dem guoten wibe gar ein krone si.
kan si mit zühten sin gemeit,
so stet diu lilje wol der rosen bi.
nu merket wie der linden ste
der vogele singen,
35 dar under bluomen unde kle:
noch baz stet wiben werder gruoz.
ir minneclicher redender munt
der machet daz man küssen muoz.

44,1 „Ich sage iu wer uns wol behaget:
der beide erkennet übel unde guot
und ie daz beste von uns saget;
dem sin wir holt, ob erz mit triuwen tuot.
5 kan er ze rehte wesen fro
und tragen gemüete
ze maze nider unde ho,
der mac erwerben swes er gert:
welch wip verseit im einen vaden?
10 guot man ist guoter siden wert.“

64. Frühling und Frauen

45,37 So die bluomen uz dem grase dringent,
same si lachen gegen der spilden sunnen,
46,1 in einem meien an dem morgen fruo,
und diu kleinen vogellin wol singent
in ir besten wise die si kunnen,
waz wünne mac sich da genozen zuo?
5 ez ist wol halb ein himelriche.
suln wir sprechen waz sich deme geliche,
so sage ich waz mir dicke baz
in minen ougen hat getan,
und taete ouch noch, gesaehe ich daz.

10 Swa ein edeliu frowe schoene reine,
wol gekleidet unde wol gebunden,
dur kurzewile zuo vil liuten gat,
hovelichen hohgemuot, niht eine,
umbe sehende ein wenic under stunden,
15 alsam der sunne gegen den sternen stat, —
der meie bringe uns al sin wunder,
waz ist da so wünnecliches under,

als ir vil minneclicher lip?
wir lazen alle bluomen stan
20 und kapfen an daz werde wip.

Nu wol dan, welt ir die warheit schouwen!
gen wir zuo des meien hohgezite!
der ist mit aller siner krefte komen.
seht an in und seht an schoene frowen,
25 wederz da daz ander überstrite:
daz bezzer spil, ob ich daz han genomen.
owe, der mich da welen hieze,
deich daz eine dur daz ander lieze,
wie rehte schiere ich danne kür!
30 her Meie, ir müezet Merze sin,
e ich min frowen da verlür.

65. Rückblick

66,21 Ir reinen wip, ir werden man.
ez stet also daz man mir muoz
er unde minneclichen gruoz
noch volleclichen bieten an.
25 des habet ir nu von schulden groezer reht dan e:
welt ir vernemen, ich sage iu wes.
wol vierzec jar hab ich gesungen oder me
von minnen und als iemen sol.
do was ichs mit den andern geil:
30 nu enwirt mirs niht, ez wirt iu gar.
min minnesanc der diene iu dar,
und iuwer hulde si min teil.

Lat mich an eime stabe gan
und werben umbe werdekeit

35 mit unverzageter arebeit,
als ich von kinde habe getan,
so bin ich doch, swie nider ich si, der werden ein,
67,1 genuoc in miner maze ho.
daz müet die nideren. ob mich daz iht swache? nein,
die biderben hant mich deste baz.
der werden wirde diust so guot,
5 daz man inz hoehste lop sol geben.
ezn wart nie lobelicher leben,
swer so dem ende rehte tuot.

66. Abkehr

41,21 Man sol guotes mannes werdekeit
vil gerne hoeren unde sagen.
swer mir anders tuot, daz ist mir leit:
ich mac ouch allez niht vertragen.
25 rüemaere und lügenaere, swa die sin,
den verbiute ich minen sanc,
und ist ane minen danc,
daz sis als vil geniezent min.

13 Ich bin als unschedeliche fro,
daz man mir wol ze lebenne gan.
15 tougenliche stat min herze ho:
waz touc zer welte ein rüemic man?
we den selben! wie si manegen schoenen lip
habent ze boesen maeren braht!
wol mich, daz ichs han gedaht!
20 ir sult si miden, guotiu wip.

29 Maneger truret, dem doch liep geschiht:
ich han ab iemer hohen muot,

und enhabe doch herzeliebes niht.
daz ist mir also lihte guot.
herzeliebes, swaz ich des noch ie gesach,
da was herzeleide bi.
35 liezen mich gedanke fri,
son wiste ich niht umb ungemach.

Als ich mit gedanken irre var,
so wil mir maneger sprechen zuo:
42,1 so swig ich und laze in reden dar.
waz wil er anders daz ich tuo?
hete ich ougen oder oren danne da,
so kund ich die rede verstan:
5 swenne ich beider niht enhan,
son kan ich nein, son kan ich ja.

Ich bin einer der nie halben tac
mit ganzen fröiden hat vertriben.
swaz ich fröiden ie da her gepflac,
10 der bin ich eine hie beliben.
nieman kan hie fröide vinden, si zerge
sam der liehten bluomen schin:
da von sol daz herze min
niht senen nach valschen fröiden me.

67. Abschied von der Welt

100,24 Fro Welt, ir sult dem wirte sagen
daz ich im gar vergolten habe:
min groziu gülte ist abe geslagen;
daz er mich von dem brieve schabe.
swer ime iht sol, der mac wol sorgen.
e ich im lange schuldic waere, ich wolt e zeinem juden
[borgen.

30 er swiget unz an einen tac:
so wil er danne ein wette han,
so jener niht vergelten mac.

,,Walther, du zürnest ane not:
du solt bi mir beliben hie.
35 gedenke waz ich eren bot
waz ich dir dines willen lie,
als dicke du mich sere baete.
101,1 mir was vil innecliche leit daz du daz ie so selten taete.
bedenke dich: din leben ist guot:
so du mir rehte widersagest,
son wirst du niemer wol gemuot.“

5 Fro Welt, ich han ze vil gesogen:
ich wil entwonen, des ist zit.
din zart hat mich vil nach betrogen,
wand er vil süezer fröiden git.
do ich dich gesach reht under ougen,
10 do was din schoener lip ze schouwen wunderlich al sun-
doch was der schanden alse vil, [der lougen:
do ich din hinden wart gewar,
daz ich dich iemer schelten wil.

,,Sit ich dich niht erwenden mac,
15 so tuo doch ein dinc des ich ger:
gedenke an manegen liehten tac
und sich doch underwilent her
niuwan so dich der zit betrage.“ —
daz taet ich wunderlichen gerne, wan deich fürhte dine
20 vor der sich nieman kan bewarn. [lage,
got gebe iu, frowe, guote naht:
ich wil ze herberge varn.

68. Der Lohn der Welt

67,[8] Welt, ich han dinen lon ersehen:
swaz du mir gist, daz nimest du mir.
10 wir scheiden alle bloz von dir.
scham dich, sol mir alo geschehen.
ich han lip und sele (des was gar ze vil)
gewaget tusentstunt dur dich:
nu bin ich alt und hast mit mir din gampelspil:
15 ist mir daz zorn, so lachest du.
nu lache uns eine wile noch:
din jamertac wil schiere komen
und nimet dir swazt uns hast benomen,
und brennet dich dar umbe iedoch.

67,[32] Ich hat ein schoene bilde erkorn:
owe daz ich ez ie gesach
ald ie so vil zuo zime gesprach!
35 ez hat schoen und rede verlorn.
da wonte ein wunder inne: daz fuor ine weiz war:
68,[1] da von gesweic daz bilde iesa.
sin liljerosevarwe wart so karkelvar,
daz ez verlos sin smac und schin.
min bilde, ob ich bekerkelt bin
5 in dir, so la mich uz also
daz wir ein ander vinden fro:
wan ich muoz aber wider in.

67,[20] Min sele müeze wol gevarn!
ich han zer welte manegen lip
gemachet fro, man unde wip:
künd ich dar under mich bewarn!
lobe ich des libes minne, deis der sele leit:
25 si giht, ez si ein lüge, ich tobe.

der waren minne giht si ganzer staetekeit,
wie guot si si, wies iemer wer.
lip, la die minne diu dich lat
und habe die staeten minne wert:
30 mich dunket, der du hast gegert,
diu si niht visch unz an den grat.

69. *Klage*

124,1 Owe war sint verswunden alliu miniu jar!
ist mir min leben getroumet oder ist ez war?
daz ich hie vor wande daz waere, was daz iht?
dar nach han ich geslafen und enweiz es niht.
5 nu bin ich erwachet, und ist mir unbekant
daz mir hie vor was kündic als min ander hant.
liut unde lant, dar inn ich von kinde bin erzogen,
die sint mir worden fremde reht als ez si gelogen.
die mine gespilen waren, die sint traege und alt.
10 gebreitet ist daz velt, verhouwen ist der walt:
wan daz daz wazzer fliuzet als ez wilent floz,
für war min ungelücke wande ich wurde groz.
mich grüezet maneger trage, der mich bekande e wol.
diu welt ist allenthalben ungenaden vol.
15 als ich gedenke an manegen wünneclichen tac,
die mir sint enpfallen rehte als in daz mer ein slac,
iemer mere ouwe.

Owe wie jaemerliche junge liute tuont,
den e vil wünneclichen ir gemüete stuont!
20 die kunnen niuwan sorgen: ouwe wie tuont si so?
swar ich zer werlte kere, da ist nieman fro:
tanzen, lachen, singen zergat mit sorgen gar:
nie kristenman gesach so jaemerliche jar.
nu merket wie den frowen ir gebende stat:

25 die stolzen ritter tragent dörpelliche wat.
uns sint unsenfte brieve her von Rome komen,
uns ist erloubet truren und fröide gar benomen.
daz müet mich inneclichen (wir lebten e vil wol),
daz ich nu für min lachen weinen kiesen sol.
30 die wilden kleinen vogele betrüebet unser klage:
waz wunders ist ob ich da von so gar verzage?
waz spriche ich tumber man durch minen boesen zorn?
swer dirre wünne volget, der hat jene dort verlorn,
iemer mere ouwe.

35 Owe wie uns mit süezen dingen ist vergeben!
ich sihe die bittern gallen in dem honege sweben:
diu Welt ist uzen schoene, wiz grüen unde rot
und innan swarzer varwe, vinster sam der tot.
swen si nu habe verleitet, der schouwe sinen trost:
40 er wirt mit swacher buoze grozer sünde erlost.
125,1 dar an gedenket, ritter: ez ist iuwer dinc.
ir traget die liehten helme und manegen herten rinc,
dar zuo die vesten schilte und diu gewihten swert.
wolte got wan waere ich der sigenünfte wert!
5 so wolte ich notic man verdienen richen solt.
joch meine ich niht die huoben noch der herren golt:
ich wolte saelden krone eweclichen tragen:
die mohte ein soldenaere mit sime sper bejagen.
möht ich die lieben reise gevaren über se,
10 so wolte ich denne singen wol und niemer mer ouwe,
niemer mer ouwe.

WOLFRAM VON ESCHENBACH

1. Ohne Lohn

7,11 Ursprinc bluomen, loup uz dringen
und der luft des meien urbort vogel ir alden don:
etswenne ich kan niuwez singen,
so der rife liget, guot wip, noch allez an din lon.
15 die waltsinger und ir sanc
nach halben sumers teile in niemens ore enclanc.

Der blichlichen bluomen glesten
sol des touwes anehanc erliutern, swa si sint:
vogel die hellen und die besten,
20 al des meien zit si wegent mit gesange ir kint.
do slief niht diu nahtegal:
nu wache aber ich und singe uf berge und in dem tal.

Min sanc wil genade suochen
an dich güetlich wip: nu hilf, sit helfe ist worden not.
25 din lon dienstes sol geruochen,
daz ich iemer bitte und biute unz an minen tot.
laz mich von dir nemen den trost,
daz ich uz minen langen klagen werde erlost.

Guot wip, mac min dienst ervinden,
30 ob din helfelich gebot mich vröiden welle wern,
daz min truren müeze swinden

und ein liebez ende an dir bejagen min langez gern?
din güetlich gelaz mich twanc,
daz ich beide dir guot singe al kurz oder wiltu lanc.

35 Werdez wip, din süeziu güete
und din minneclicher zorn hat mir vil fröide erwert.
mahtu troesten min gemüete?
wan ein helfelichez wort von dir mich sanfte ernert.
mache wendic mir min klagen,
40 so daz ich werde groz gemuot bi minen tagen.

2. *Gefährliche Liebe*

6,10 „Von der zinnen wil ich gen in tagewise
sanc verbern.
die sich minnen tougenliche und ob si prise
15 ir minne wern,
so gedenken sere
an sine lere,
dem lip und ere ergeben sin.
20 der mich des baete,
deswar ich taete
im guote raete und helfe schin.
ritter, wache, hüete din!

25 Niht verkrenken wil ich aller wahter triuwe
an werden man.
niht gedenken soltu, vrouwe an scheidens riuwe
30 uf künfte wan.
ez waere unwaege,
swer minne pflaege,
daz uf im laege meldens last.

35 ein sumer bringet,
daz min munt singet:
durch wolken dringet tagender glast.
hüete din, wache, süezer gast."

40 Er muoste et dannen, der si klagende ungerne horte.
do sprach sin munt:
„allen mannen truren nie so gar zerstorte
7,1 ir vröiden vunt."
swie balde ez tagete,
der unverzagete
4/5 an ir bejagete daz sorge in vloch:
unvremedez rucken,
gar heimlich smucken,
ir brüstel drucken und mer dannoch
10 urloup gab, des pris was hoch.

3. *Das Tagesungeheuer*

4,8 „Sine klawen durch die wolken sint geslagen,
10 er stiget uf mit grozer kraft;
ich sihe in grawen tegelich, als er wil tagen,
den tac, der im geselleschaft
erwenden wil, dem werden man,
15 den ich mit sorgen in bi naht verliez.
ich bringe in hinnen, ob ich kan:
sin vil manegiu tugent mich daz leisten hiez."

„Wahter, du singes, daz mir manege vröide nimt
20 unde meret mine klage.
maere du bringes, der mich leider niht gezimt,
immer morgens gein dem tage.
diu solt du mir verswigen gar.

25 daz gebiute ich den triuwen din:
des lon ich dir als ich getar.
so belibet hie der geselle min.“

„Er muoz et hinnen balde und ane sumen sich:
30 nu gip im urloup, süezez wip.
laze in minnen her nach so verholne dich,
daz er behalde ere und den lip.
er gap sich miner triuwe also,
35 daz ich in ouch braehte wider dan.
es ist nu tac: naht was ez, do
mit drucken an die brust din kus dirn an gewan.“

„Swaz dir gevalle, wahter, sinc und la den hie,
40 der minne brahte und minne enpfienc.
von dinem schalle ist er und ich erschrocken ie:
5,1 so ninder morgensterne uf gienc
uf in, der her nach minne ist komen,
noch ninder luhte des tages lieht,
du hast in dicke mir benomen
5 von blanken armen und doch uz dem herzen nieht.“

Von den blicken, die der tac tet durch diu glas,
und do der wahter warnen sanc,
9/10 si muoste erschricken durch den, der da bi ir was.
ir brüstelin an brust si twanc.
der ritter ellens niht vergaz
(des wolde in wenden wahtaeres don):
urloup nahe und naher baz
15 mit kusse und anders vil gap im minne lon.

4. Zwei Herzen und ein Leben

3,1 Den morgenblic bi wahters sange erkos
ein vrouwe, da si tougen
an ir werden vriundes arme lac;
da von si ... vröiden vil verlos.
5 des muosten liehtiu ougen
aber nazzen. si sprach: „owe tac!
wilde und zam daz vrewet sich din
und siht dich gerne, wan ich eine. wie solz mir ergen?
10 nu enmac niht langer hie bi mir besten
min vriunt: den jaget von mir din schin."

Der tac mit kraft al durch diu venster dranc.
vil sloze si besluzzen:
daz half niht, des wart in sorge kunt.
15 diu vriundin den vriunt vaste an sich twanc:
ir ougen diu beguzzen
ir beider wangel. sus sprach zim ir munt:
„zwei herze und einen lip han wir:
19/20 gar ungescheiden unser triuwe mit ein ander vert.
der grozen liebe bin ich gar verhert,
wan so du kumest und ich zuo dir."

Der truric man nam urloup balde alsus:
ir liehten vel diu slehten
25 komen naher. sus der tac erschein
weinendiu ougen, süezer vrouwen kus.
4,1 sus kunden si do vlehten
ir munde, ir brüste, ir arme, ir blankiu bein:
swelh schiltaere entwurfe daz,
4/5 geselleclіche, als si lagen, des waere ouch dem genuoc.
ir beider liebe doch vil sorgen truoc.
si pflagen minne ane allen haz.

5. *Abschied*

7,41 „Ez ist nu tac, daz ich wol mac
mit warheit jehen, ich wil niht langer sin.
diu vinster naht hat uns nu braht
ze leide mir den morgenlichen schin."
8,1 „sol er von mir scheiden nuo,
min vriunt, diu sorge ist mir ze vruo:
ich weiz vil wol, daz ist ouch ime,
den ich in minen ougen gerne burge,
5 möhte ich in alsus behalden.
min kumber wil sich breiten:
owe des, wie kumt ers hin?
der hohste vride müeze in noch wider an minen arm
[geleiten."

Daz guote wip ir vriundes lip
10 vaste umbevienc: der was entslafen do.
do daz geschach, daz er ersach
den grawen tac, do muoste er sin unvro.
an sine brüste druhte er sie
und sprach: „jane erkande ich nie
15 kein truric scheiden also snel.
unde ist diu naht von hinnen alze balde,
wer hat si so kurz gemezzen?
der tac wil niht erwinden.
hat diu minne an saelden teil,
20 diu helfe mir, daz ich dich noch mit vröiden müeze
[vinden."

8,33 Ir ougen naz do wurden baz.
ouch twanc in klage: er muoste dan von ir.
35 si sprach hin zime: „urloup ich nime
ze den vröiden min: diu wil nu gar von mir,
sit daz ich vermiden muoz
dinen munt, der manegen gruoz

mir bot und ouch din süezen kus,
40 als in din uz erweltiu güete lerte
und din geselle, diniu triuwe.
weme wiltu mich lazen?
9,1 nu kum schier wider uf rehten trost.
owe, dur daz enmac ich strenge sorge niht gemazen.“

8,21 Si beide luste, daz er kuste
si genuoc: gevluochet wart dem tage.
urloup er nam, daz do wol zam;
nu merket wie: da ergienc ein schimpf bi klage.
25 si heten beide sich bewegen,
ez enwart so nahe nie gelegen,
des noch diu minne hat den pris:
obe der sunnen dri mit blicken waeren,
si enmöhten zwischen si geliuhten.
30 er sprach: „nu wil ich riten.
din wiplich güete neme min war
und si min schilt hiute hin und her und her nach zallen
[ziten.“

6. *Gefahrlose Liebe*

5,16 Ein wip mac wol erlouben mir,
daz ich ir neme mit triuwen war.
ich ger (mir wart ouch nie diu gir
verhabet) min ougen swüngen dar.
20 wie bin ich sus iuwelnslaht?
si siht min herze in vinster naht.

Si treit den helfelichen gruoz,
der mich an vröiden richen mac,
dar uf ich immer dienen muoz.

25 vil lihte erschinet noch der tac,
daz man mir muoz vröiden jehen.
noch groezer wunder ist geschehen.

Nu seht, waz ein storch saeten schade:
noch minre schaden hant min diu wip.
30 ir haz ich ungerne uf mich lade.
diu nu den schuldehaften lip
gegen mir treit, daz laze ich sin:
ich wil nu pflegen der zühte min.

7. *Eheliche Liebe*

5,34 Der helden minne ir klage
du sunge ie gegen dem tage,
daz sure nach dem süezen:
swer minne und wiplich grüezen
also empfienc, daz si sich muosten scheiden;
40 swaz du do riete in beiden, do uf gienc
der morgensterne, wahter, swic: da von niht gerne
[sienc.

6,1 Swer pfliget oder ie gepflac,
daz er bi lieben wibe lac
den merkern unverborgen,
der darf niht durch den morgen
5 dannen streben. er mac des tages erbeiten:
man darf in niht uz leiten uf sin leben.
ein offen süeze wirtes wip kan solhe minne geben.

ANMERKUNGEN

Die vorliegende Ausgabe mußte bei der Zeitlage auf eine erneute Heranziehung der Handschriften verzichten. Sie setzt für Minnesangs Frühling und Walther die Neubearbeitungen durch Carl von Kraus voraus und für Wolfram Lachmanns Ausgabe, neben der auch Leitzmanns Bearbeitung herangezogen wurde.

Die Anmerkungen mußten auf knappsten Raum zusammengedrängt werden. Sie geben in jedem Falle an, in welchen Handschriften ein Lied überliefert ist und wie die Strophen der Lieder in den Handschriften geordnet sind. So kann der Benutzer sich bei jedem Liede ein eigenes Bild von der rechten Strophenanordnung machen.

Die Lesarten dagegen müssen sich darauf beschränken, die Abweichungen von den zugrunde gelegten Ausgaben zu verzeichnen. Die eigenen Entscheidungen stellen sich aber dadurch der nachprüfenden Kritik, daß in diesen Fällen die tatsächliche Überlieferung vollständig vorgeführt wird.

Minnesangs Frühling wurde in der letzten Bearbeitung durch Carl von Kraus (Leipzig 1940) benutzt (zit. als MFK); Kr verweist bei Liedern aus Minnesangs Frühling auf Änderungen, die von Kraus gegen seine Vorgänger vorgenommen hat; für Walther von der Vogelweide wurde die Neubearbeitung der Lachmannschen Ausgabe durch Carl von Kraus (Berlin und Leipzig 1936) zu Rate gezogen (zit. als Kr); Lachmanns Ausgabe Wolframs (Neudruck Hamburg 1947) ist als La, Leitzmanns Bearbeitung (Altdeutsche Textbibliothek Nr. 16, 2. Auflage, IX, Halle a. d. S. 1925) als Le zitiert.

Über die Handschriften gibt Carl von Kraus in seinen Bearbeitungen von Minnesangs Frühling und von Lachmanns Waltherausgabe eine Übersicht. Über die Entstehung der Handschriften für Walthers Lieder berichtet V. Michels in seiner Neubearbeitung der Ausgabe von Wilmanns (Walther v. d. V. hrsg. u. erklärt von Wilmanns, 4. vollständig umgearbeitete Auflage, besorgt von V. Michels, II. Teil, Halle a. d. S. 1924, S. 13—41). In diesen Ausgaben sind auch die in der Forschung für die Handschriften üblichen Abkürzungen erklärt. Es widerstrebte mir, diese Angaben hier einfach zu wiederholen.

Die Forschung verdankt das meiste Carl von Kraus, der seine Auffassung eingehend begründet hat in seinen Untersuchungen zu Minnesangs Frühling (Des Minnesangs Frühling, Untersuchungen, Leipzig 1939) und zu Walther (Walther v. d. V., Untersuchungen, Berlin und Leipzig 1935). Dort sind auch die früheren Versuche zur Zeitfolge und die Ergebnisse der vorausgegangenen Forschung besprochen. Einiges Spätere ist in den Anmerkungen angeführt, besonders die Forschungen von Th. Frings, die für die Erkenntnis Veldekes eine ganz neue Lage geschaffen haben; die Entscheidungen von Frings (besonders soweit sie von MFK abweichen) sind ausdrücklich als F zitiert.

Dem Verlage August Lutzeyer wird für die Erlaubnis gedankt, die Texte Hausens im wesentlichen in der Gestalt wiederabzudrucken, die ihnen in meinem Buche über Friedrich von Hausen (Minden 1948) gegeben wurde; dem Verlage J. C. B. Mohr (Paul Siebeck) in Tübingen danke ich für die Erlaubnis, die Lieder Heinrichs von Rucke nach der Fassung wiederzugeben, die ich ihnen in meinem Beitrag zur Festschrift für P. Kluckhohn und H. Schneider verliehen habe (Tübingen 1948, S. 524—527).

Dem Verlage Schwann in Düsseldorf bin ich für das Wagnis dankbar, den altvertrauten Liedern einen neuen Weg zu bahnen und mit ihnen eine Reihe einzuleiten, die wesentliche Leistungen der deutschen Literatur in wissenschaftlich zuverlässiger Gestalt zugänglich machen will. Ihre besondere Note erhält diese Ausgabe durch die Beigabe der Melodien. Sie setzen den Leser instand, die Lieder auch als musikalische Gebilde aufzunehmen. Die Bearbeitung der Melodien durch Ursula Aarburg folgt als eigener Band.

Lippstadt, im Januar 1950.
(Düsseldorf) HENNIG BRINKMANN

NAMENLOSE

1 *Überliefert in M (MFK* 316): [2] alle *M*(z *nachträglich übergeschrieben*), allez *Kr* – [3] an *M*, ane *Kr* – [4] alle *M*(n *nachträglich hinzugefügt*), allen *Kr*.

2 *Überliefert in C (MFK* 33): *unter Dietmar überliefert, von Kr ihm abgesprochen, sicher mit Recht.*

3 *Überliefert in C (MFK* 33): *unter Dietmar überliefert, von Kr ihm sicher mit Recht abgesprochen.* 37,[6] ir liebes *C*, ire liebe *Kr* – [14] erwelton *C*, erwelten *Kr* – [17] Joh engerte ich ir dekeines *C*, jo'ngerte ich ir dekeiner *Kr mit Sievers.*

DER VON KÜRENBERG

Nur überliefert in C (MFK 4—6).

1 7,[26] nie fro *C*, nie mere fro *Kr*.

5 10,[21] ein schoene ritter *Kr mit C*.

7 9,[21] vil *C*, vile *Kr* – [27] minnestu *C*, minnest *Kr*.

8 *Bei Kr die beiden Strophen umgestellt und beide als Frauenstrophen genommen.* 7,[1] scheiden *fehlt C*, v. lieben fr. verkiesen *Kr* – [7] hie bi vor *C* (vgl. *Meinloh Nr. 7* = 13,[36]), hie vor *Kr* – [11] liebe (*ohne* liep) *C*, liebez liep *Kr* – [17]/[18] Daz min fr. ist der minnist Und alle andere man *C*, daz fr. ist mir der minnist umb alle andere man *Kr*.

10 10,[1] tunkel *C*, tunkele *Kr* – [7] ieman *C*, iemen *Kr*.

11 8,[22] an dem dorne *C*, in touwe *Kr mit Schröder*.

MEINLOH VON SEVELINGEN

Außer Nr. 11 *und* 12 *in B und C überliefert.*

1 11,[4] welende *B*, wallende *C*, sende *Kr*.

2 15,[8] nahe bi si g. *B*, ir nahe si bi gelegen *C*, nahe bi si g. *Kr* – [9]/[10] miniu ougen sahen die rehten warheit *BC*, miniu ougen (*mit Zaesur hinter* ougen) sahen die warheit *Kr* – [13-17] *fehlen in C (vielleicht eine ältere Fassung, die im Ton mit Nr. 9 und 13 übereinstimmt).*

3 14,[16] haisset *BC*, heizt *Kr* – [19] gedanke niene (niena *B*) *Kr mit BC* – [21] mir e. r. *BC*, im e. r. *Kr* – [22] vil nach *BC*, nach *Kr*.

4 12,[1] dienen sol *Kr mit BC* (12,[9] *aber* wiben dienet *C!*) – [2] der solde seliclichen v. *C*, der solde semelichen v. *B*, der sol heimlichen v. *Kr mit Punkt hinter* 2 – [4] *Komma hinter* bewarn *Kr* – [10] die *Kr mit BC*.

9 14,[14] Drie tugende sint in d. l. *BC*, Die lügenaer in d. l. *Kr* (*mit Komma hinter* lande) – [15] eine kan began *BC*, eine wil bestan *Kr* – [21] Sweder *BC*, swier *Kr;* still und über (uber *C*) l. *Kr mit BC* – [25] gesagen *BC*, sagen *Kr*.

10 12,[17] *hinter* nit *Punkt Kr* – [18] unstaetiu *Kr mit BC* – [19] machet *Kr mit BC*.

11 *Nur in A unter dem Namen Walter von Mezze.*

12 *Nur in C überliefert.*

BURGGRAF (FRIEDRICH) VON REGENSBURG

Überliefert in A (Nr. 1 *und* 4 *unter Lutolt von Seven*) *und C*.

1 16,[1/2] staete Einem *AC*, staetekeit eim (*mit Zäsur vor* eim) *Kr* – [3] daz minem *A*, ez minem *Kr mit C* – [5] manegen *A*, mangen *Kr mit C*.

2 16,[16] *hinter* wip *kein Komma Kr* – [17/18] Vure si mir mit vroiden wolde kunden die bl. und die s. *AC*, diu mir fröide wolde kunden vür bl. und vür s. *Kr* – [19] niden *AC*, nident (*dahinter Doppelpunkt*) *Kr* – [20] Dest *A*, des ist *Kr mit C* – [22] Ez enwirt niemer g. *AC*, ezn wirdet niemer me g. *Kr*.

3 17,[4] Daz *A*, des *Kr mit C* – sene we *A*, senede (senide *C*) we *Kr mit C* – [6] Des mac sich m. h. *AC*, daz mac m. h. *Kr*.

4 16,[10] in minem muote *AC*, in minen muot *Kr* – [11] meneges *A*, langes *C*, manges *Kr*.

DIETMAR VON EIST

1 33,[15] *in BC;* 33,[23] *in BC und in A (unter Heinrich von Veltkilchen). Hier beide Strophen zu einem Liede zusammengefaßt (sie folgen in BC aufeinander).* 33,[28] muoz er *A*, muos es *C*, mües es *B*, müeze ez *Kr*.

2 *Überliefert in BC (hintereinander). Die Abverse der beiden Stollenzeilen sind als Vierheber genommen (bei Kr als Dreiheber).* 32,[14] nu sage *Kr mit BC* – [15] mir tuot a. m. w. *Kr mit C*, daz mir a. m. tuot we *B* – [16] Das ich *BC*, deich *Kr* – [22] wol *Kr mit BC* – 33,[2] alles u. *BC*, ungemüete (*ohne* allez *Kr*).

3 *Überliefert in BC (derselbe Ton wie Nr. 2).* 33,[8] an dehainer *BC*, an keiner *Kr* – [10] vil wol worden *BC*, worden (*ohne* wol) *Kr* – [14] Widertailen durch (dur *C*) sinen u. m. *BC*, verteilen durch sinen u. m. *Kr*.

4 *Überliefert in BC (hintereinander)*; 32,[1] *auch in M. Die Zeilen sind hier anders geordnet als bei Kr:* 3a *und* 3b, 7a *und*

7b, 11a *und* 11b *sind bei Kr zusammengefaßt. Hier ist* 3a (bzw. 7a *und* 11a) *als Schwelle zwischen Aufgesang und Abgesang angesetzt; der Abgesang baut sich dann auf gegliederten Sechstaktern auf.* 32,[3] redete *B*, redte *C*, reit *M*, rette *Kr* – an ein ende ich des wol k. *Kr mit M*, Vil wol ichs (ichz *B*) an ain ende k. *BC* – [5] besten *Kr mit BC*.

5 *Überliefert in BC (hintereinander) und in A (unter Heinrich von Veltkilchen mit umgekehrter Strophenfolge). Vgl. den Text in Burger, Gedicht und Gedanke, 1942, S. 29 (Brinkmann).* 34,[8] da *C* (Da sach ich vil der bl. st. *A*), die *Kr mit B* – [17] al m. fr. *BC*, mir m. fr. *Kr mit A*.

6 *Allein in C überliefert. Der Wechsel hat auf Rietenburg gewirkt. Die Strophen des Tones* 37,[30] *sind hier anders geordnet. In C gilt die Folge:* 37,[30] – 38,[5] – 38,[14] – 38,[23] (*C* 25, 26, 27, 28). *Hier sind die Strophen C* 25, 28 *und* 26 *in dieser Folge zu einem Wechsel zusammengefaßt; Strophe C* 27 *ist als eigenes Gedicht, ein Botenlied, davon abgesetzt, weil sie unmittelbar auf Nr. 8 vorausweist.* 37,[30] verwandelt *C*, verwandelot *Kr* – [31] daz verstan ich bi der vogel singen *C*, daz verstan ich b. d. vogele ringen *Kr* (*hier nach* Nr. 3 = 33,[10] *geändert*) – [34] oben *C*, obenan *Kr* – 38,[27] ander *Kr mit C* – [28] dekeiner *C*, keiner *Kr* – [30] an *C*, ane *Kr* – 38,[6] tragen daz herze *Kr mit C* – [19] senendes *C*, sendez *Kr*.

7 *Wie Nr. 6 allein in C überliefert (vgl. zu* 6). 38,[16] der dich hat erwelt *Kr mit C* – [17] *Komma hinter* gemüete *Kr*.

8 *Nur in C überliefert.* 39,[11] möhte mir min *Kr mit C* – [16] *Komma hinter* owi *Kr* – [17] *Punkt hinter* sin *Kr*.

9 *Nur in C überliefert. Die 4. Zeile jeder Strophe bei Kr ohne Zäsur.* 39,[18] slafest *C*, slafst *Kr* – [23] rüefestu *C*, rüefstu *Kr* – [25] gebiutest *C*, gebiutst *Kr* – [27] ritest *C*, ritst *Kr* – [29] füerest *C*, füerst *Kr*.

HEINRICH VON VELDEKE

Überlieferung: BC; für einige Strophen auch A. Die Textgestaltung in MFK hat bereits von damals noch ungedruckten Studien von Theodor Frings (mit Gabriele Schieb) Kenntnis genommen. Inzwischen liegen diese Studien der Forschung vor: I Beiträge z. Gesch. d. dt. Spr. 68, 1—75; II—IX Beiträge 69, 1—284. Diese 9 Studien 1947 als Buch bei Niemeyer, Halle a. d. S., unter dem Titel: Heinrich von Veldeke, Die Servatiusbruchstücke und die Lieder, Grundlegung einer Veldekekritik von Theodor Frings und Gabriele

Schieb. X und XI Beiträge 70,1—294 (1948). Dazu: Theodor Frings und Gabriele Schieb, Heinrich von Veldeke zwischen Schelde und Rhein, Beiträge 71, 1—224 (1949); Drei Veldekestudien, Abhandlungen d. Dt. Ak. d. Wiss. Berlin, phil.-hist. Klasse, Jhg. 1947, Nr. 6 (1949). Durch diese weitausgreifende Forschung ist für die Beurteilung Veldekes eine ganz neue Grundlage gewonnen. Für die Lyrik kommen vor allem die Studien II—IX in Betracht; der Text weicht gegenüber MFK mehrfach ab (Verweise auf diese Studien sind mit F gegeben). Die Entwicklung des Lyrikers haben Frings und Schieb in der Festschrift für P. Kluckhohn und Hermann Schneider (Tübingen 1948) unter dem Titel „Heinrich von Veldeke, die Entwicklung eines Lyrikers" dargestellt (S. 101 bis 121). Die abweichenden Entscheidungen dieser Ausgabe müssen an anderer Stelle begründet werden.

1 *In ABC.* 59,^{1} da zuo *A*, dar zuo *BC*, dar tu *MFK*, da tu *F* – ^{5} ich si m. *Kr F mit A*, ich si doch m. *BC*, si doch m. (*ohne* ich) ? – ^{10} la *ABC*, lat *Kr F – zu Strophe* 59,^{11} *F „süddeutsche Nachbildung einer echten Veldekestrophe?"* – ^{18} man *ABC*, men *F* – ^{21} da von *ABC*, da van *MFK*, dar ave *F*.

2 *Überliefert in BC (in dieser Folge). Zu erwägen ist eine Umstellung, da* 58,$^{17-22}$ *als Gedichtschluß mit der Namensenthüllund besser zur Geltung kommen.* 58,^{14} min dar ane schone mit trouwen *C*, min an miner vrowen schonet *B*, min scone an here bit tr. *Kr F* – ^{25} vroude *Kr mit BC* (fröide), blitscap *F (vgl. Beitr.* 71,^{28} *f.)* – ^{31} er touwet *BC*, erdouwet *Kr*, bedouwet *F*.

3 *Nur in A. In MFK und bei F mit* 57,^{18}–58,^{10} *zu einem Lied verbunden. Die Lesart* tranc 57,^{16} *in A, die bisher übergangen wurde, löst die Strophe von* 57,^{18} *ff. und gibt ihr eigene Stellung als Äußerung der Frau, mit Bezug auf* Nr. 1 (59,^{1} *f.*). *Auch an anderer Stelle nebeneinander Strophen desselben Tones als eigene Gedichte* (Nr. 23, 24). 57,^{10} fro sit uns die tage *A*, blide sint di dage *Kr F* – ^{16} tranc *A*, cranc *Kr F* – ^{17} blischaft *A Kr*, blitscap *F*.

4 *Überliefert in BC.* 56,^{9} tragen *BC*, dragen *Kr*, dougen *F* – ^{11} Roten (rotten *C*) und der Souwen *BC*, Ronen ende der Souwen *MFK*, Roden ende der Souwen *F* – ^{12} blideschaft *C*, blideschafte *B*, bliscap *MFK*, blitscap *F* – ^{13} hinter rouwen *Doppelpunkt MFK, ohne Doppelpunkt F* – ^{17} oder in der welte mohte schowen *B*, o. i. d. w. ieman schouwe *C*, ofte in der werelt iman scouwe *MFK*, *F* – ^{18} noch sere *BC*, noch serre *MFK*, noch dan *F* – 57,^{2} verlaten *MFK mit BC*, laten *F*.

5 *Überliefert in ABC. Strophe 57,* $^{26-33}$ *nur in A und unvoll-*

ständig überliefert; hier als unechter Einschub fortgelassen. In Strophe 57,[34] – 58,[2] *mußten* 57,[37] – 58,[2] *umgestellt werden.* 57,[19] vil gedienet och ein man *A*, so wol gedienet ein man *BC*, wale gedienet ouch ein man *Kr* – [20] das *BC*, so dahte *A*, so dat *Kr* – 57,[37] – 58,[2] *sind mit der Umstellung auch die Satzzeichen verändert* – 58,[2] von ime (im *C*) *BC*, van heme *F*, an heme (ime *A*) *Kr mit A* – [7] dar an *A*, dran *BC*, dar ane *Kr*, dar ave *F* – [8] innen *BC*, wunen *A*, inne *Kr*, in inne *F* – [9] *ohne Doppelpunkt nach* ersit *Kr F* – [10] er brichet *BC*, daz herze br. *A*, det br. *Kr F*.

6 Überliefert in BC, aber in anderer Strophenfolge. C hat die Folge: 62,[36] – 62,[25] – 63, [9]; *in B folgen* 62,[36] *und* 63,[9] *aufeinander und dann folgt, durch* Nr. 7 (63,[20]) *getrennt,* 62,[25]. *Gegen MFK und F sind die Zeilen des Abgesangs anders geordnet. Wie* 63,[6] *zeigt, ist dieser daktylische Zweitakter die Schwellenzeile und darum als eigene Zeile abgesetzt (bei Kr und F mit dem folgenden daktylischen Zweitakter zu einer Zeile verbunden);* 62,[35] (*bzw.* 63,[8] *und* 63,[19]) *ist ein eigener Zehnsilber mit ebenem (fallendem) Rhythmus.* 62,[29/30] so haben ir wellen da die vogele singen *C*, so singent die vogele vn̄ heben iren willen *B*, so heven bit willen di vogele here singen *Kr F* – *hinter* [31] *Komma Kr, ohne Komma F* – [33] blideschaft *B*, blidescaft *C*, bliscap *MFK*, blitscap *F* – 63,[6] stat also *BC*, steit ouch also *Kr F* – [10] miner *(so Kr F mit BC) wegen der Betonung bedenklich* – [12] als ez ir g. *BC*, alst here g. *F in MFK, jetzt* alse here wale g. *F* – [14] von miner schulde *BC*, dore mine sculde (schulde *MFK*) *F*.

7 Überliefert in BC. Die Strophe ist daktylisch bis auf die Schlußzeile, die wie in Nr. 6 ein daktylisches Lied durch einen Zehnsilber mit ebenem Rhythmus beendet. Bei F (Beitr. 69,112) *ein Vorschlag zu durchgehendem ebenem Rhythmus.* 63,[20] sende ir *BC*, here sende *Kr* – [23] ich ir iht spreche ze l. *BC*, ich here it spreke (*ohne* te) leide *MFK*, ich here spreke it leide *F* – [25] so vaste *BC*, *ohne* so *Kr F* – [27] des fürhte ich si (sin *B*) als daz kint die ruote *BC*, des vorchte ich di gude alse dat kint di rude *Kr*, d. v. ich di gude alse dat kint dut di rude *F* (*anderer Vorschlag F:* d. v. i. si alse dat kint d. r.).

8 Überliefert in BC.

9 Nur in A (*vor* Nr. 3). 67,[34] ze guote *A*, te spude *Kr F* (63,[27] *aber von Kr gegen die Überlieferung rührender Reim eingesetzt*) – 68,[1] got weiz wol *A*, got weit wale *MFK*, got weit *F* – [6] unfro dar nach alse ez mir stat A, unvro sint datt mich also steit *MFK*, unblide sint't mich also steit *F* – [10] nie dehein dorpeit *A* (57,[13] dorpeliche *A*), negeine dumpheit *MFK F*

– [11] blischaft *A*, bliscap *MFK*, blitscap *F* – [12] des gesunder *A*, te gesunder *Kr*, di gesunder *F*.

10 *Überliefert in BC, aber in anderer Strophenfolge: C hat Folge:* 60,[4] – 59,[23] – 59,[32]; *B läßt* 59,[23] – 60,[4] – 59,[32] *aufeinander folgen.* 59,[32] Ich wil fro sin *BC*, Ich bin blide *MFK F* – 60,[6] *hinter* liden *kein Strichpunkt Kr F* – [7]/[8] noch mine blideschaft vermiden / vn̄ wil dar umbe niet *C*, vn̄ wil darvmbe niht / mine blitschaft vermiden *B*, noch mine bliscap nit vermiden, / ende ne wille drumbe nit *MFK*, noch mine blitscap niwet miden, / ende w. d. n. *F* – [12] dolen *B*, doln *C*, dolen *Kr*, dougen *F*.

11 *Überliefert in BC.* 61,[12] in dat herze *BC*, dat herte *MFK F* – [13] *nach F unecht* – deste e *B*, dest e *C*, deste ere *MFK*, des di ere *F* – [15] vroeliche *BC*, vrolike *Kr*, in bliden *F* – [16]/[17] (*in der Fassung von F:* ich ne wille dore here niden / mine blitscap niwet miden) *offenbar nachträglicher Zusatz nach* 60,[7] *ff.* (Nr. 10).

12 *Überliefert in BC, aber beide Strophen an sehr verschiedener Stelle.* 60,[13] hat (*im Reim auf:* stat) *BC*, entfeit *Kr mit F* – [20] blitschaft *B*, blideschaft *C*, bliscap *Kr*, blitscap *F* – [22] *hinter* leren *kein Punkt Kr F* – [23]/[24] dar abe das ich minen muot / niht kan wol gekeren (keren *C*) *BC*, dar ave dat ich minen mut / nit (niet *Kr*) wale ne kan gekeren *Kr F* – [28] sine bl. *BC*, here bl. *Kr F mit Onnes.*

13 *Überliefert in BC.* 65,[29] den sumer singēde enpfan (enpfant *C*) *BC*, singende d. s. e. *Kr F* – [33] min reht *BC*, recht *Kr F* – ich wiche *BC*, dare wike *Kr F* – [34] dar *verbessert aus* der *C*, dar *B*, da *Kr mit F.*

14 *Überliefert in BC.* 61,[36] wol im, derst ein saelic man *C (Vers fehlt in B)*, De is ein vele minnesalech man *Kr mit F* – 62,[1] uns alleguot *BC*, allet gut *(ohne* uns*) Kr F* – [6] minne ist kranc *C*, minne mit velsche sin *B*, minne it velsche ein cranc *Kr F mit Vogt.*

15 *Überliefert in BC.* 65,[22] dike das übel *BC*, dat ovele dicke *Kr F* – [25] übeln *BC*, quaden *Kr*, bosen *F*.

16 *Überliefert in BC.* 60,[30] erzeigent *B*, erzeigetē *C*, erzeigen *Kr*, tounen *F* – [31] vroudelosen *Kr mit BC*, blidelosen *F* – [34] die minne gerne nosen *B*, die minne osen *C*, den minneren gerne nosen *Kr F. Strophe* 65,[5], *bei Kr und F mit* 60,[29] *zu einem Liede verbunden, ist in BC an ganz anderer Stelle überliefert. Sie gehört in eine spätere Zeit und widerruft im Eingang den Schluß von* 60,[29]. *Sie ist darum als eigenes Gedicht angesetzt* (Nr. 19).

17 *Überliefert in BC. Die in den Handschriften vorausgehende Strophe* 63,[28], *in MFK mit* 64,[1] *zu einem Gedicht verbunden, ist mit F als unecht ausgeschaltet (wenn auch ungern).* 64,[3] inoch *Kr*, noch *F mit BC* – [4] so mir sin wirt *BC*, so michs wirt *Kr*, also mich's wirt *F* – [6] so betriegen kunde *BC*, also wale b. k. *Kr F* – [8] so gesorget ich *(*ich ich *B) BC*, so ne gesorge ich *Kr F* – [9] umb (vmbe *B*) mines sunes tohterkint *BC*, umbe mines anen d. *Kr F*.

18 *Überliefert in BC. Von Kr und F durch Ergänzungen an den Ton von* 64,[1] *angeglichen und mit Strophe* 64,[1] *zu einem Gedicht verbunden. Hier ist der Strophe ihr eigener Ton gelassen.* 64,[11] swa ich *BC*, war ich *Kr F* – [12] unde einen schrin von golde *BC*, ende ein scrin vol edeler steine, wale geworcht van roden golde *Kr F* – [15] sin von mir g. *BC*, sin vele g. *Kr F* – *zu* [15] *ergänzt Kr:* ende vele wale gedenken dis.

19 *Überliefert in BC.* 65,[9] vil deste (dest *C*) me *BC*, vele te mere *MFK*, vele di mere *F*.

20 *Überliefert in BC. Durch Ergänzung haben Kr F Strophe* 61,[18] *an Strophe* 61,[25] *angeglichen. Der Schluß von* 61,[25], *die scheinbar achte Zeile* (61,[32] di gedien selden), *wird in Wirklichkeit Randbemerkung eines Schreibers sein, die beim Abschreiben in den Text geriet. Hier ist darum* 61,[32] *gestrichen und beiden Strophen eine siebenzeilige Gestalt verliehn.* 61,[24] tugende went sich nu verkeren *BC*, *Kr F ergänzen* undoget wele sich meren, doget sich verkeren – [25] sint *BC*, di sin *MFK F* – [26] wan si *BC*, dat si *MFK F* – [27] ouch sint *BC*, ouch sin *Kr F* – [28] daz si in es niht wol vergelten *BC*, dat si hen wale vergelden *(*gelden *F) Kr F* – [29] daz schiltet *BC*, dat schildet *Kr F* – [30] *Punkt nach* mut *Kr F* – [32] *(hier gestrichen)* die gedihent selden *(*selten *C) BC*.

21 *Überliefert in BC.* 67,[25] Die wilent hoerent *C*, Die da wellen hoeren *B*, Di da horen *Kr F* – [29] vro *Kr mit BC*, blide *F* – [31] noch nie *BC*, nine *MFK F*.

22 *Überliefert in BC.* 66,[19] *F jetzt* erweren *mit BC* (erwern *B*, erwerren *C*), *früher* verweren *(so MFK)* – [20] gewaltecliche *BC*, gewaldelike *Kr*, geweldechlike *F*.

23 *Überliefert in BC.* 65,[3] schinen *BC*, schine *MFK (nach F)*, schinet *F (so früher Kr)* – [4] schine bi *BC*, bi (*ohne* schine) *Kr F*.

24 *Überliefert in BC.* 66,[19] so verliuse ich ze vil *BC*, si verluset *Kr F*.

25 *Überliefert in BC.* 66,[25] die troestent *B*, diu tr. *C*, trosten *Kr F* – [29] der schonen (schoenen *B*) vrowen und der guoten *BC*, dore di scone ende di gude *Kr F* – [35] angestlicher *B*, an-

geslichē *C*, angsteliker *Kr*, angestliker *F* – 67,[1] ich bin ir tote *BC*, ich bin here dode *Kr F* – *mit* 67,[2] *schließt die Überlieferung; die ergänzten Schlußverse nach F.*

26 *Überliefert in BC. Der hier gegebene Text versucht nahe bei der Überlieferung zu bleiben. Eine sichere Gestalt ist aber schwer zu gewinnen.* 64,[17] schin *BC*, wale schin *MFK F* – [19 b] *bei Kr und F mit* [19 a] *eine Zeile* (here sanc de maket mich den mut so gut) – *ebenso bei Kr F* [20/21] *eine Zeile* (dat ich bin vro noch trurech nine kan sin) – [23] al über den Rin *BC*, also verre al over Rin *Kr F* – [24] daz mir der sorgen gebuot *BC*, dat mich di sorgen sin gebut *Kr F* – [25] ist in ellende *C*, verre ist in ellende *B*, sich verellenden mut *MFK F*.

27 *Überliefert in BC.* 65,[14] doch *Kr mit BC*, idoch *F* – [17] iehent *BC*, vergin *Kr*, ergin *F*.

28 *Überliefert in BC.* 61,[6-8] *in C und B in zwei ganz verschiedenen Fassungen. Fassung B widerspricht der Situation von* 61,[1-4] *und sieht nach einer nachträglichen optimistischen Bearbeitung aus; das Echte muß in C stecken*: diu ist versüenet über al; die boesen site werdent alt: daz uns lange weren sal *B* (di is versunet over al. / bose seden werden alt, / dat uns lange weren sal *Kr F*); dú ist vn versvmet. wol gervmet. sint ir wege manigvalt *C*.

29 *Überliefert in BC.* 62,[11] seit al für war *BC*, seget wale vorwar *MFK*, seget vorwar *jetzt F* – [11] *und* [12] *zusammengefaßt F* – [14] mir swar *BC*, mich swar *Kr F* – [16] habet *B*, hat *C*, hebben *Kr F* – [18] Deste me noch deste min *B*, dest me noch dest min *C*, Te mere noch te min *MFK*, Des mere noch min *F* – [18] *und* [19] *bei F zu einem Vers zusammengefaßt* – [21] daz si *C*, daz *B*, di *Kr F*.

FRIEDRICH VON HAUSEN

Die Begründung des Textes bei: Hennig Brinkmann, Friedrich von Hausen, Minden 1948. Für alle Einzelheiten und für das Auslegungsverfahren wird darauf verwiesen. Dort S. 4—13 die Texte, S. 13—21 die Begründung des Textes und S. 21—50 die Begründung der Reihenfolge, die von der üblichen erheblich abweicht.

1 *Überliefert in BC.* 49,[38] us *BC*, uzer *Kr* – 50,[3] ich des lide *B*, ich mit ir tribe *(die Fassung C bemüht sich, reine Reime herzustellen) C*, ich des irlide *Kr*.

2 *Allein in C überliefert.* 43,[30] dienst noch minre fr. r. *C*, dienest noch friunde rat *Kr* - [33] den kumber den ich muos tr. *C*, swaz kumbers ich trage *MFK* – [34] Warumbe solte ich danne von den m. kl. *C*, waz sold ich danne von m. kl. *Kr* – [36] mangen *Kr mit C* – [38] engerte *C*, engert *MFK* – 44,[3] in den nit *Kr mit C*.

3 *Überliefert in BC.* 50,[25] ungerne *BC*, gerne *Kr mit Jellinek* – [27] Doch *B*, Noch *Kr mit C* – [32] So *(ohne* so *B)* lasse ich niht *BC*, laze ich iht (*mit Komma hinter* merkaere) *MFK* – [36] Und doch gemuot *BC*, und ungemuot *Kr mit Jellinek* – 51,[1] manigen *B*, mangen *Kr mit C*.

4 *Überliefert in BC.* 49,[16] *hinter* bekande *Komma MFK* – [33] ich den riuwen *BC*, ich solhen rouwen *Kr*.

5 *Überliefert in BC.* 51,[13] Sich (mich *B*) möhte wiser man verwüeten *Kr mit B*, Lihte ein unwiser man verwüete *C* – [14] manige *B*, menge *C*, mange *Kr* – [19] Joch *B*, Joh *C*, jo *MFK* – [21/22] lit ich durch got das si an mir begat der s. w. r. *BC*, lit ich durch got daz si begat / an mir, d. s. w. r. *Kr* – [29] vert der lip in ellenden *B*, Muos sich min lip von ir ellenden *C*, vert der lip in enelende *MFK* – [30] belibet da *B*, belibet doch da *C*, belibet doch alda *MFK*.

6 *Überliefert in BC (in B Strophe* 46,[39] *an wesentlich späterer Stelle, und zwar zwischen Nr.* 17 *und* 15*).* 46,[3] sin dicke in so grosse not *BC*, sin dicke in solhe n. *MFK* – [8] und swer mich gruozte ich sin nicht verstan *BC*, und swer mich gruozte daz ichs niht vernam *Kr mit Lachmann* – [11] Hat *BC*, Behabet *Lachmann*, haldet *Kr* – [17] ob ich des sünde süle (sule *C*) h. *BC*, wan ob ich d. s. s. h. *Lachmann*, ob ich des groze sünde solde h. *Kr* – [24/25] manigem *(*mengen *C)* tuot / Die selben clage *BC*, mangen (manegen *Lachmann*) tuot daz selbe klagen *Kr mit Lachmann* – [27] us der *BC*, uzer *Kr* – [33] Wider mich ze unmilte ist *BC*, zunmilte wider mich ist *Kr* – 47,[3] ir iht spr. *BC*, ir spr. iht *Kr* – [4] getuot *BC*, tuot *MFK*.

7 *Überliefert in BC. Vgl. H. Brinkmann in Gedicht und Gedanke (s. o. S. 371) S. 35–42.* 52,[8] Mich nie *BC*, nie mich *Kr* – [12] diu mir n. *BC*, diu n. *Kr* – [17] Es ist ein grôsse (grozez *MFK*) wunder *MFK mit B*, Es sint groesse wunden *C* – [21] gewinnen *C*, bevinden *MFK mit B* – [29] mir nieman *BC*, mir sin nieman *Kr* – [34] Des fröwe ich mich *C (der Vers fehlt B)*, daz fröit mich *MFK*.

8 *Nur in C.* 44,[17] Ander min angest ist *C*, min ander angest der ist *MFK* – [24] ime *C*, im *MFK* – [29] wunde *C*, sunde *Kr*

– [30] Erbarmen *C*, geriuwen *Kr* – [31] got an frowen aller tagen *C*, an fröiden lat betagen *Kr* – [32] Des en kan mir an ir nieman gemeren *C*, dazn kan er mir an ir niet meren *Kr* – [38] Daz ich *C*, deich *MFK* – [39] Daz ich *C*, die ich *Kr*.

9 *Die Strophen* 52,[37] *und* 53,[7] *allein in C und zwar in dieser Folge überliefert, getrennt davon an späterer Stelle die Strophen* 53,[15] *und* 53,[23] *(in dieser Folge) in B und C. Hier sind die beiden ersten Strophen umgestellt;* 53[12-14] *ist offenbar der ursprüngliche Schluß. Ihm widerspricht die Nachtragsstrophe* 53,[23]. *Wenn sie echt ist, muß sie in eine spätere Zeit gehören. Sie kann aber bereits die Gegenstrophe eines Unbekannten sein.* 52,[37] Wafena *MFK mit C* – Minne (*ohne* diu) *MFK mit C* – 53,[6] diu wont in minem muote *C*, diu mir wont in mim muote *Kr* – 53,[20] Da von mir *BC*, des mir *Kr* – 53,[9] verkeren *C*, verseren *Kr* – [12] Und wil dienen (*ohne* so ich kan) *C*, und dienen nochdan *Kr mit Vogt* – 53,[24] du minem herzen der fröiden (fröide *C*) wendest *BC*, du mim herzen der fröiden erwendest *Kr mit Bartsch* – [27] mir din lip *MFK mit BC*.

10 *Nur in C. In der Handschrift gehen die beiden Strophen von Nr.* 11 *den beiden Strophen von Nr.* 10 *voran. Nr.* 11 *und* 10 *haben denselben Ton und sind durch die Reime aufs engste miteinander verbunden, so daß der Gedanke an ein einheitliches Lied naheliegt (so brieflich Fr. Maurer); beide scheinen aber doch aus verschiedener Situation zu sprechen.* 45,[22] dar us bringet *C*, dar uf dringet *Kr mit Schröder* – [35] niet *MFK mit C* – [36] siet *MFK mit C*.

11 *Nur in C.* 45,[8] maniges *C*, mangez *Kr*.

12 *Überliefert in BC, aber in anderer Folge. In C lautet sie:* 47,[9] – 47,[25] – 47,[17] – 47,[33]. *Auch B überliefert hintereinander* 47,[9] *und* 47,[25]; *dann aber in erheblichem Abstand davon (vor* Nr. 17) *die Strophen* 47,[17] *und* 47,[33]. *Strophe* 47,[33] *wird kaum von Hausen, sondern von einem rheinischen Landsmann des Dichters stammen; sie widerspricht dem Schluß der dritten Strophe, die offenbar als Ausgang des Liedes gemeint war, und der Grundhaltung Hausens überhaupt.* 47,[9] wellent scheiden *MFK mit BC* (nu *aber in der nächsten Zeile hinter* waren *BC*) – [10] waren nu manige (menige *C*) *BC*, varnt nu mange *MFK* – [14] ander niht *BC*, ander niene *MFK* – [19] das es also were *BC*, deiz herze als e da waere *Kr* – [20] min stetekeit mir *BC*, sin staetekeit im *MFK* – [24] mir süle (sule *C*) an dem ende *BC*, mir an dem ende süle *MFK* – [27] geruoche *BC*, ruoche *MFK* – [30] getorstest *BC*, torstest *MFK* – [32] mit triuwen als *BC*, mit solhen triuwen als *MFK*

– [37] ir wort (worte *B*) *BC*, min wort *Kr* – [38] Rehte als es der sumer von triere t. *BC*, als ez der summer vor ir oren t. *Kr*.

13 *Überliefert in BC. In demselben Ton wie Nr. 14 (also dasselbe Verhältnis wie zwischen Nr. 10 und 11). Jeweils die 4. und 5. und die 8. und 9. Zeile jeder Strophe sind gegen Kr zu Langzeilen zusammengefaßt.* 42,[10] Mit gedanken (gedenken *B*) muos ich *BC*, Mit gedanke ich muos *Kr* – [14] *Doppelpunkt hinter* lip *Kr* – [17] In so rehte k. n. *BC*, in solhe k. n. *MFK* – [19] *ohne Strichpunkt hinter* sin *Kr* – [20] *Strichpunkt hinter* lip *Kr* – [21] iemer elliu wip *Kr mit BC*.

14 *Die erste Strophe* (43[1]) *nur in C; die beiden anderen Strophen in BC gemeinsam, aber in C an anderer Stelle* (*hinter* Nr. 18). *Die Strophen* 43,[10] *und* 43,[19] *schließen in B unmittelbar an die letzte Strophe von* 42,[1] (42,[19]) *an.* 43,[1]/[2] daz ich der lieben bin So verre komen *C*, deich von der lieben quam / so verre hin *Kr* – [24] ich schiet von ir *B*, ich von ir schiet *C*, ich schiet (*ohne* von ir) *Kr* – [25] und ich si jungest ane sach *Kr mit BC*.

15 *Überliefert in BC. Gegen MFK sind hier Langzeilen hergestellt;* 48,[27] *vermittelt als Schwellenzeile.*

16 *Überliefert in BC.* 48,[32] Do ich *BC*, Deich *MFK* – [33] ir *B*, zir *Kr mit C* – [34] Als mir *BC*, also mir *Kr* – [35] *Punkt hinter* ungemach *Kr* – 48,[36] daz liez ich durch (dur *C*) die valschen diet *BC*, daz liez ich durch die diet *MFK* – [37] von der mir nie geschach *B*, Von der mir nie lieb beschach *C*, von der mir nit geschach *Kr mit Schröder* – 49,[1] Dehainer slahte liep *B*, ich wünsche ir anders niet *Kr mit C* – [2] *Komma hinter* brach *Kr* – [5] Die si *B*, Die sin *MFK mit C* – [6] tuon *BC*, tuont *MFK* – *Strichpunkt hinter* schin *Kr*.

17 *Überliefert in BC.* 48,[8]/[9] Das ich von lieben vriunden min Han getan Swies (Swie es *B*) doch darumbe ergat *BC*, deich tet von lieben friunden min. / swiez doch dar umbe ergat *Kr* – [10] Herre got *BC*, got herre *Kr mit Haupt* – [14] *vielleicht wie in* Nr. 16 tach (*dann also auch:* slach, erschrach, mach) – [16] *bis* [18] *von Kr umgestellt* ([18], [17], [16]), *entsprechend mit z. T. anderer Zeichensetzung (Punkt hinter* [18], *Fragezeichen hinter* [17], *Ausrufungszeichen hinter* [16]; *Zählung nach der Überlieferung).*

18 *Nur in C.* 53,[35] und niender vert *C*, und si gespart *Kr* – [37] swann im diu porte ist vor verspert *C*, swann im diu porte ist vor verspart *Kr*.

KAISER HEINRICH

1 *Überliefert in BC. Die Strophenform hat gegenüber Kr ein anderes Gesicht erhalten. Der Abgesang setzt sich hier aus*

einem Viertakterpaar und einem Zehnsilberpaar zusammen, so daß ererbte und neue Form sich kennzeichnend vereinen. Kr faßt 4,[21] *und* 4,[22] *zu einer Langzeile zusammen, nimmt* 4,[23]/[24] *ebenfalls als Langzeile und* 4,[25] *als Sechstakter mit Zäsur. Dasselbe gilt für die entsprechenden Zeilen der zweiten Strophe.* 4,[19] So also *C*, so so *MFK mit B* – [21]/[22] *in MFK als eine Langzeile (mit Zäsur nach* tugende) – [23]/[24] *in MFK als eine Langzeile (mit Zäsur nach* verre) – Ich kom ir nie sit in iugende *B*, Ich kom sit nie so verre ir iugende *C*, ich kom ir nie so verre sit der zit ir jugende *Kr* – [25] *mit Zäsur nach* herze *Kr* – [30]/[31] *als Langzeile (mit Zäsur nach* vrouwen) *Kr* – [32]/[33] *als Langzeile (mit Zäsur nach* leide) *Kr* – leide das si in wellen schowen *C*, Laide das. si wellent in schowent *B*, leide daz sin wellen schouwen *MFK* – [34] nie manne *B*, nie nieman *Kr mit C*.

2 *Überliefert in BC. Auch hier ist die Strophenform anders aufgefaßt als bei Kr:* 5,[4]/[5] *bzw.* 5,[13]/[14] *sind als Reimpaar genommen.* 4,[37] Du bist i. m. s. *B*, Den nach m. s. *C*, der beste in m. s. *Kr mit Sievers* – 5,[5]/[6] *als Langzeile Kr* – [13] merkent wie ich *BC*, merke et wiech *MFK* – [14]/[15] *als Langzeile Kr.*

3 *Überliefert in BC.* 5,[18] si von munde rehte *BC*, si rehte von munde *Kr mit Haupt* – [22] *ohne Zäsur Kr* – [25] swenne ich gescheide *BC*, swenne ab ich g. *Kr* – [27] wan senden kumber den zel (zelle *C*) ich mir danne *BC*, senden (*ohne* wan) kumber den zele ich mir danne ze habe *MFK* – [29] unde bringe den wehsel als ich waene (wene *B*, wenne *C*) *Kr mit BC (ohne Zäsur)* – [31] unde *Kr mit BC* – [32] in sinne *Kr mit BC* – [35] mirs so rehte sch. *C*, mirs so sch. *B*, mirz so wol und so schone *Kr* – [36] *ohne Zäsur Kr* – [37] sündet swer des *BC*, sündet sich swer des *Kr* – 6,[1] niht vermezzen mag *BC*, niht vermezzen enmac *Kr* – [2] ich danne *Kr mit BC* – [3] wiben *BC*, wibe *Kr* – [4] *ohne Zäsur Kr* – unde *Kr mit BC*.

DER BURGGRAF VON RIETENBURG

1 *Überliefert in BC.* 18,[18] *und* 18,[19] *gegen Kr und BC umgestellt* – [24] als ir ist liep alse wil ich *B*, als wil ich *MFK mit C*.

2 *Strophe* 18,[1] *in BC, Strophe* 18,[9] *nur in C.* 18,[3] mich vlizen *C (der Vers fehlt in B)*, mich harte vlizen *Kr* – [4] waz darumbe ob ich des *BC*, waz drumbe ob si *Kr* – jaehe *BC*, jaehen *Kr* – [5] Das mir iemen si lieber iht *C*, Das mir ist iemen alse liep, *B*, daz im si iemen alse liep *Kr* – [7] verliesent *C*, verliessent *B*, fliesent *MFK* – [10] nie so hohe (ho *C*) von schulde *Kr mit C* (rehter *als Beiwort zu* güete *in der*

nächsten Zeile) – 11/12 in rehter güete / han also wol gedienet *C*, von ir rehter güete / han also wol gedient *Kr.*

3 *Überliefert in BC.* 19,9 *und* 19,10 *mit B gegen C (Kr) umgestellt* – 12 noch *Kr mit BC.*

4 *Überliefert in BC.* 18,27 ein selikeit (seligkait *B*) w. *BC*, ein saelic arbeit *Kr* – 28 anherschat *B (der Vers fehlt in C)*, unversuochten *Kr.*

5 *Überliefert in BC.* 19,18 für allez g. *BC*, allez für g. *Kr mit Schroeder* – 21 versuochet ez *Kr mit BC.*

6 *Überliefert nur in C.*

ULRICH VON GUTENBURG

1 *Die in BC gemeinsam überlieferten Strophen* 77,36–79,14 *sind bei Kr zu einem gemeinsamen Liedvortrag zusammengefaßt. Hier sind sie in drei Lieder zerlegt, die sich durch ihren Rhythmus unterscheiden. Die Zehnsilber von* Nr. 1 *sind in Vers* 5–7 *jeder Strophe eben, in den übrigen Versen daktylisch.* 78,1 sol es mir *BC*, solz mir *MFK* – 2 Der ich bin zallen (ze allen *B*) z. u. *BC*, der ich zallen ziten bin u. *Kr mit Lachmann* – 3 so hete *BC*, hete so *Kr* – 10 kan *BC*, enkan *MFK* 12 We (Wie *C*) sol ain so verdorben m. *BC*, we waz sol so verdorben ein m. *MFK.*

2 *Die drei Strophen sind durch denselben Eingang miteinander verbunden. In diesem Lied ist nur die fünfte Zeile jeder Strophe eben; alle anderen sind daktylisch (das unterscheidet von dem ersten Lied).* 78,15 iemer me (iemer *C*) wesen *BC*, iemer sin *Kr* – 19 ich mich fröiden (vroeden *B*) u. *BC*, ich fröiden mich u. *Kr* – 24 iemer mit genaden (gnaden *Kr mit Sievers*) *Kr mit BC – Punkt hinter* beliben *Kr* – 25 sünde ane schulde (schult *B*) an mir began *BC*, ane schulde an mir sünde began (*mit Komma hinter* began) *Kr* – 26 kan mich niemer anders *BC*, kan mich niemer *Kr mit Lachmann* – 28 diu tr. hoher solte *BC*, hoher diu tr. solte *Kr* – 33 durch (dur *C*) minen k. *BC*, durch k. *Kr mit Sievers* – 34 swies (swie es *B*) mir *BC*, swie soz mir *Kr* – 36 mir alse (so *C*) nahe g. *BC*, als nahe mir g. *Kr* – 79,1 lip an *Kr mit BC* – 2 Das min laider n. *BC*, leider min niemer *Kr* – 4 sol nu min fr. von ir schult beliben *B*, sol nu min fr. zergan von der pliden *C*, sol nu von ir schulde min. fr. b. *Kr.*

3 *Nur in B ist die richtige Reihenfolge der Zeilen bewahrt; aber auch in der Vorlage von C gingen* 79,12 *ff. der Gruppe* 79,8 *ff. voraus. Die Strophe besteht aus daktylischen Zehnsilbern, die mit Dreireim schließen.*

BERNGER VON HORHEIM

1 *Überliefert in BC.* 112,[6] daz leite mich *MFK mit BC* – ***10*** Es ist ain wunder *BC*, Est wunder *MFK* – [17] nu wise mich got an solhen (sölhen *B*) s. *BC*, nu wise mich got an den sin *MFK* – [19] *und* [21] *haben scheinbar die Lesarten miteinander ausgetauscht; daraus sind hier die Folgerungen gezogen:* [19] swer nu deheine vröide hat *MFK mit BC* – [20] Des v. B, der v. *Kr mit C* – [21] in guoten gebiten stat (biten *Kr mit Jellinek*) *Kr mit BC* – [22] die selben *MFK mit BC* – [26] Herze die schulde *BC*, die schulde, herze *Kr mit Spanke.*

2 *Überliefert in BC.* 113,[35] durch *B*, dur *C*, für *Kr* – 114,[1] so was si es ie *(ohne* ie *C)* nach der min herze ranc *BC*, so was siz ie n. d. m. h. r. *MFK* – [8] an dem anvange (anevange *C*) guot *BC*, an dem anvange vil guot *Kr (alle ohne* wol*)* – [11] von der not mich haben behuot *BC*, mich von der not han behuot *Kr* – [12] darf des niht gedenken *BC*, darf des niht denken *MFK* – [16] ez mir *MFK mit BC* – [17] noch langer haben *C*, langer noch haben *B*, langer noch halden *Kr* – [19] si mir schiere ain vil l. e. g. *BC*, si ein vil liebez e. m. g. *Kr.*

3 *Überliefert in BC.* 113,[20] *Doppelpunkt hinter* we *Kr* – sanft unde bas *BC*, sanfter dan baz *Kr mit Jellinek* – [22] verwnden *aus* veswnden *geändert B*, verswūden *C*, verwunden *MFK.*

4 *Überliefert in BC.* 114,[31] *Komma hinter* sin *Kr* – [33] us d. (deme *B*) s. *BC*, uzer d. s. *Kr* – *Punkt hinter* min *Kr* – [38] herzen beidiu naht unde tac *BC*, herzen naht unde tac *MFK* – 115,[1] *ohne Gedankenstriche Kr.*

5 *Nur in C überliefert.* 115,[11] ich klagen *C*, ich in klagen *Kr* – [14] *ohne Punkt hinter* hat *MFK* – [16] verswige ich als ich wol k. *C*, verswige ich als ich wole k. *MFK* – [21] doch es minen lib n. n. verdros *C*, doch es min lip n. n. genoz *Kr* – [22] *Doppelpunkt hinter* gewesen *Kr* – [23] *Punkt hinter* muot *Kr* – [24] Und das m. m. *C*, daz m. m. *Kr* – [25] lat *C*, lan *Kr* – [26] gedenkent *C*, gedenken *Kr.*

6 *Nur in C überliefert.* 115,[28] swanne si vienc *C*, swanne si vie *MFK.*

BLIGGER VON STEINACH

1 *Überliefert in BC.* 118,[4] mich sin *BC*, michs *Kr mit Bartsch* – [9] n. ich für loup *BC*, n. ich für bluomen für loup *Kr* – [14] müez ouch lang stete sin *B*, müeze ouch lanc stete sin *C*, müeze ouch lancstaete sin *Kr.*

2 *Überliefert in BC.* 118,[25] siner (*ohne* staete) engalt *BC*, siner triuwe engalt *MFK* – [26] ERfunde *C*, Befunde *B*, Befünde *MFK* – 119,[9] *fehlt in BC (in MFK unergänzt)* – [10] ir (mir *C*) min sw. *MFK mit BC (ohne Ergänzung)* – [12] lieber mohte sin *BC*, lieber, möhtez sin, *Kr*.

HEINRICH VON RUCKE

Schreibung des Namens nach A (Rvcche) *und B* (Rvche). *Zu seiner Liebeslyrik vgl. H. Brinkmann, Rugge und die Anfänge Reimars in: Festschrift für P. Kluckhohn und H. Schneider, Tübingen 1948, S. 498–527. Dort die Begründung der Reihenfolge.*

1 *Überliefert in ABC*^{1} *und C*^{2} *(unter* Reinmar*).*

2 *Überliefert in BC*^{1} *und C*^{2} *(unter* Reinmar*). Von Kr unter die unechten Strophen verwiesen (S.* 137), *aber abzulösen von den drei voraufgehenden Strophen, die nur in A (unter* Seven*) überliefert sind.* 103,[28] manige *B*, menige *C*^{2}, menge *C*^{1}, mange *MFK*.

3 *Überliefert in ABC*^{1} *und C*^{2} *(unter* Reinmar*).* 108,[12/13] daz ich mine gehabe wol. Wan ich der zit geniezen sol *A*, daz ich der zit geniezen sol, nu bin ich hohes muotes: daz ist wol *MFK mit BC*^{1}*C*^{2}.

4 *Überliefert in ABC*^{1} *und C*^{2} *(unter* Reinmar*).* 107,[36] deheinen *A*, deheinē *C*, kainen *B*, keinen *MFK* – [4] an dem *ABC*, an deme *MFK*.

5 *Überliefert in ABC*^{1} *und C*^{2} *(unter* Reinmar*).*

6 *Überliefert nur in C*^{1} *und C*^{2} *(unter* Reinmar*).* 101,[8] wol *C*^{2}, des *MFK mit C*^{1}–[12] kein *C*^{2}, enkein *Kr mit C*^{1} – daz sie *C*^{2}, daz ie *C*^{1}, dazs ie *MFK*.

7 *Nur in C überliefert.* 101,[17] ich in *C*, ichn *MFK* – [19] minne *Kr* – [25] der mich verleit *C*, der verlazet *Kr mit Vogt* – [36] daz ich mich han verlan. Ze verre uf den wan *C*, deich niht verlan han den wan *Kr* – [37] Und mir freislichen loug *C*, und mir vil armen ie freislichen louc *Kr*.

8 *Nur in C überliefert.* 102,[6] ungemacher *C*, ungemaches *Kr mit Paul* – [8] nu ist *C*, nust *Kr* – als *C*, also *MFK* – [11/12] *ohne Zäsur Kr*.

9 *Überliefert in BC und in A (unter* Reinmar). 108,[27] warumbe ich niht singe *AB*, war umbe. ich tumbe. niht singe *C*, war umbe ich sus truobe *MFK (Überlieferung verderbt, sichere Herstellung nicht möglich)* – 109,[3] Ich enwil *Kr mit A*, Ich wil *BC* – [4] Swer nu so *A*, Swer nu *BC*, swer so nu *MFK* – [6] vund *A*, vinde *BC*, vind *MFK*.

GRAF RUDOLF VON FENIS-NEUENBURG

1 *Überliefert in BC. Die hier gegebene Fassung schließt sich enger an die Überlieferung an und rechnet damit, daß daktylischer und ebener Rhythmus in demselben Liede wechseln können (das gilt für Nr. 1 und 2). Musikalische Schwierigkeiten stehen dem Wechsel nicht entgegen. Kr versuchte streng daktylischen Rhythmus durchzuführen.* 80,[5] als *C*, alse *Kr mit B* – der uf den boum *da st. BC*, der den boum da uf st. *Kr* – [7] mit nihte wider komen kan *BC*, wider komen mit nihte kan *MFK* – [8] also die zit mit sorgen hine vertribet *BC*, also mit sorgen die zit hin vertribet *Kr* – [10] da mitte verliuset *BC*, da mite vliuset *Kr (ohne Komma hinter* verliuset*)* – [11] unde *MFK mit BC* – *Doppelpunkt hinter* verswert *MFK* – [13] die minne (die diu m. *B*) wider mich hat *BC*, die gein mir Minne hate *Kr* – [16] geltes nie *BC*, gelts nie *Kr* – [17] sol lan nu *(ohne* nu *B) BC*, solde nu lan *Kr* – [18] ich mac ez m. (wan ich m. ez m. *C*) *BC*, wan ich mac ez m. *MFK* – [19] e doch *C*, iedoch *Kr mit B* – geruoche liden *BC*, ruoche geliden *Kr* – [20] so wirret mir niht diu not die ich l. b. *BC*, so wirret mir not niht diech l. b. *Kr* – [22] schaidet mich von *BC*, scheid et sich *Kr* – [23/24] ich mere Das si mich von allen minen fr. v. *C*, ich das si mich vertribe *B*, ich me dan den tot / daz si mich von al minen fr. vertribe *Kr*.

2 *Überliefert in BC.* 80,[26] mich *Kr mit BC* – [27] Nu han ich *BC*, han ich *Kr* – *ohne Gedankenstriche Kr* – gedinge *Kr mit BC* – 81,[1] Und das ich mines sanges iht genieze *BC*, daz ich m. s. iht gen ir gen. *Kr* – [3] noch min dienst ie vil claine wac *BC*, noch vil kleine min dienest ie wac *Kr* – [4] niht gehelfen mac *BC*, gehelfen niht mac *MFK* – [6] *ohne Gedankenstriche MFK* – [7] von ir iemer (niemer *C*) *BC*, iemer von ir *MFK* – [8] *Komma hinter* mazen *Kr* – [10] swies (swie es *B*) doch darumbe *BC*, swiez doch mir ergat *Kr* – [13] iemer mere *MFK mit BC* – [14] Iemer mere *MFK mit BC* – *Komma nach* staete *MFK* – [15] daz ich sin niemer lon gewinne *BC*, daz ich sin lon niemer gewinne *Kr* – [17] lones mich versehe *BC*, lones versaehe mich *MFK* – [19] da ez mich claine k. v. *BC*, da ez mich niht k. v. *Kr* – [22] wellent durch (dur *C*) daz niht von ir sch. *BC*, durch daz niht von ir wellent sch. *Kr* – [25] allen guoten wiben *BC*, guoten wiben *MFK* – [27] not ist diu *MFK mit BC* – [28] ir zorn (zorne *B*) dar umbe lassen sin *BC*, dar umbe ir zorn lazen sin *Kr* – [29] si enkan *BC*, sin kan *MFK*.

3 *Überliefert in BC.* 81,[31] singe ich *MFK mit BC* – [32] mere singe und ir *BC*, me singe, ich ir *Kr mit Paul* – *Doppelpunkt*

hinter gedenke *Kr* – [38] in dem herzen *Kr mit BC* – 82,[3] das *BC*, dez *MFK* – [6] *hinter* so sere *kein Strichpunkt MFK* – *nach* bin *Doppelpunkt MFK* – [7] ist min *BC*, ist daz min *MFK* – *hinter* gedinge *Komma MFK* – [10] wene (wenne *C*) des daz mir wol g. *BC*, waene des daz mir vil wol g. *MFK* – [16] Swenne ich *BC*, so ich *MFK* – [19] da vor *BC*, da vür *MFK* – [23] herze das enlie mich also n. *BC*, herze enlie mich also n. *Kr* – [24] Ich enhabe *BC*, ich habe *MFK*.

4 *Überliefert in BC.* 83,[11] selber *C*, selben *MFK mit B* – [13] zerwerbenne vil lihte w. *MFK mit BC* – [19] *so Bartsch*, mich het(t)e an si v. *BC*, mich gar an si hette v. *Kr* – [22] ich uf vil *(*vil *fehlt C)* t. w. *BC*, ich gouch uf vil t. w. *Kr* – [23] *so Paul*, gewinne *MFK mit BC*.

5 *Überliefert in BC; die erste Strophe auch in A unter* Nivne. 82,[27] Der stuont noch hiure vil vroelichen e *A*, daz doch vil schone stuont froelichen (froeliche *B*) e *MFK mit BC* – *ohne Gedankenstriche MFK* – riset es (er *A*) *ABC*, reret erz *Kr* – [36] ir güete wil an mir *BC*, an mir güete *Kr mit Bartsch* – 83,[4] *Punkt hinter* tuot *MFK*.

6 *Überliefert in BC. In MFK sind die Strophen 83,[25] und 83,[36] nach dem Vorbild von Bartsch zu einem Lied zusammengefaßt. Das war aber nur durch erhebliche Eingriffe in die Überlieferung möglich, die hier vermieden sind. Beide Strophen haben eigenen Eingang, eigenen Schluß und ihre eigene Situation. Darum muß ihre Eigenständigkeit als selbständige Lieder anerkannt werden.*

7 *Überliefert in BC.* 84,[1]/[2] *bei Kr anders gegliedert* (84,[1] *endet mit* lip) *und zwar gegen BC, die hinter* betwungen *Punkt setzen* – [2] ir niht vergessen mag *BC*, ir vergezzen niht mac *Kr* – [4] *Komma hinter* biten, *Punkt hinter* gedingen *Kr* – [5] da von muos ich dur not sin ungesungen *C*. Da muos ich dur not von verderben *B*, da von muoz ich lan durch ein wip *Kr* – [6] Von ir wan mir nie wib so nahe gelac *C*, Von ir wan mir nie wip s. n. g. *B*, minen sanc, wan mir not nie so nahe gelac *Kr* – [7] *Punkt nach* ane *Kr* – [9] genuoc groz her min vr. *Kr mit B*, gen. gr. min vr. her *C*.

8 *Nur in C.* 84,[12] gewalte *C*, gwalte *MFK* – [15] gewalt *C*, gwalt *MFK* – [18] gewaldes *C*, gwalt *Kr* – [27] zehen *C*, zehn *MFK*.

HARTWIC VON RUTE

1 *Überliefert in BC.* 117,[1-13] *und* 117,[14-25]; *in MFK als zwei verschiedene Gedichte;* 117,[13] (anevan) *und* 117,[18] (getan) *sind aber durch Reim miteinander verbunden, und die Vers-*

gruppe 117,[14-19] *wiederholt in der strophischen Form die Versgruppen* 117,[1-5] *und* 117,[6-10]. *Das ganze Gebilde wirkt wie das Bruchstück eines Leiches.* 117,[6] mich tw. *MFK mit BC* – [7]/[8] das min munt singet. Manigen sweren t. *BC*, daz ir singet / min munt mangen swaeren t. *Kr* – [9]/[10] Wan ich enmag. Niht geruowen. Ich enkome ir nahe bi *BC*, wan ich geruowen niht enmac,/ ich enkome ir nahe bi *Kr* – [13] *als eine Zeile (ohne Zäsur) MFK* – ane (âne *C*) van *BC*, an vahen *Kr* – [15] ob (obe *B*) si geruochen. Welle *BC*, ob si ruoche *Kr* – [18] langer danne ich *Kr mit BC* – [19-21] So stiget min vr. gegen der wünneclicher zit und wirt mir so wol ze muote *BC*, min fr. stiget widerstrit / engegen der wünneclicher zit / und wirt mir so ze muote *Kr* – [24] handelunge *BC*, wandelunge *Kr mit Schroeder.*

2 *Überliefert in BC. Mit der fünften Zeile beginnen daktylische Verse.* 117,[26] daz beste *MFK mit BC (hier an* 117,[28] *angeglichen)* – [28] ir rainen lip *BC*, ir lip *Kr mit Haupt* – [30] *bei Kr als zwei Zeilen* (*Zäsur nach* sprunge) – [30] Ich stan dike *BC*, dicke ich stan *Kr* – [31] mir so suoze vor g. *MFK mit BC* – [32] Neme (*ohne* unde) sin al diu welt (elliu werlt *C*) war *BC*, naem al diu werlt sin w. *Kr* – [34] sin niht *BC*, es niht *Kr* – [36] ir ainer hulde *BC*, ir hulde *Kr*.

3 *Überliefert in BC. Das Bruchstück* 116,[22-25], *bei Kr mit den vorausgehenden Strophen zu einem Gedichte vereint, ist hier wieder als eigenes Gebilde abgetrennt* (Nr. 4). 116,[3] Ob si (Obe siu *B*) da iender *BC*, obs iender da *MFK* – [7] Das si (siu *B*) iemer velsch kunne *BC*, dazs iemer kunne valsch *MFK* – [13] welle mir ir boten *BC*, welle danne mir ir b. *Kr* – [17] *nach* verbaere *Punkt Kr* – [18] *nach* gesach *Komma Kr* – [20] Do was daz min *BC*, so was doch daz min *Kr*.

4 *Überliefert in BC. Offenbar Bruchstück eines Liedes mit eigenem Thema, bei Kr mit Nr. 3 verbunden.* 116,[23] Mit ain ander niemen (nieman *C*) gedienen mag *BC*, gedienen mit ein ander niemen m. *Kr*.

HARTMANN VON AUE

1 *Nur in C überliefert.* 216,[4] *Doppelpunkt hinter* lit *MFK* – [9] dest beidenthalp v. *C* (*vgl.* Rucke 98,[39]), dest beidenthalp niht wan v. *MFK* – [13] *Doppelpunkt hinter* bewegen *MFK*.

2 *Überliefert nur in C.* 215,[28] Daz enpfie si mir daz *C*, daznpfie sie mir so daz *MFK* – [32]/[33] *jeweils Doppelpunkt und zwar hinter* vertriben *und* leit *MFK*.

3 *Überliefert in BC.* 212,[15] sit der da *BC*, sit daz der da *MFK* – [24] alze *BC*, alse *Kr*.

4 *Nur in C überliefert.*

5 *Die hier als ein Lied gegebenen Strophen in dieser Folge in A (wo sie die Sammlung der Strophen Hartmanns eröffnen) und in C als Eigentum Hartmanns; in E Walther zugeschrieben. Zwei Strophen gleichen Tones, die in der Überlieferung Walther zugewiesen werden* (W. 120,[16] *und* W. 217,[10]), *werden bei Kr mit unseren Strophen zu einem Liede Walthers zusammengefaßt. Hier sind die Strophen mit der Überlieferung (E hat nur wenig Gewicht) als Lieder Hartmanns und Walthers voneinander getrennt (die Strophen Walthers in unserer Ausgabe als Nr.2* (S. 279) *und Nr.* 5 (S. 282)*).* 214,[35] dir ez wol *A*, dirs wol *C*, dirs vil wol E, dir es wol *MFK* – 215,[5] bote *A*, bot *Kr mit Sievers, fehlt C* – [8] *Punkt hinter* gesehen *MFK* – [10] bin ein *AC*, bin ime ein *E*, bin im ein *MFK* – [12] Swer er uch anders gert *A*, Swes er ouch anders g. *C*, Swes er denne nach eren g. *E*, swes er ouch anders danne g. *MFK* – W. 217,[1] die si ie *AC*, dies ie *MFK* – vernam *A*, vernan *MFK mit CE* – [2] Die enphienc *A*, Die enpfie *C*, Do enpfieng *E*, die'npfienc *Kr mit Sievers.*

6 *In AC in dieser Folge überliefert, in B in umgekehrter Folge* (207,[1] – 206,[29] – 206,[19]). 206,[21] Und iemer wesen undertan *A*, Und wesen in u. *B*, Und wesen undertan *MFK mit C* – [28] ir einer *A*, ir iemer *MFK mit B*, dar iemer *C* – [34] daz *A*, diu *MFK mit BC* – [37] eine *A*, niht *C*, *fehlt B*, niene *MFK.*

7 *Alle sechs Strophen nur in C (Folge:* 208,[8] – 207,[11] – 207,[35] – 208,[32] – 207,[23] – 208,[20]); *fünf Strophen in B (Folge:* 208,[8] – 207,[11] – 207,[35] – 207,[23] – 208,[20]), *aber so daß Strophe* 208,[20] *von der in B vorhergehenden* (207,[23]) *durch Lied* Nr. 11 (S. 184) *getrennt ist; A überliefert nur vier Strophen (Folge:* 207,[11] – 207,[23] – 208,[20] – 208,[32]). 207,[11] einer *A* (vgl. 206,[28] *in* Nr. 6), iemer *MFK mit BC* – [12] Und lie daz *A*, Daz liez ich *Kr mit BC und Bech* – [13] *Doppelpunkt hinter* gegeben *MFK* – [14] Und han daz nu *A*, Daz han ich nu *MFK mit BC* – [18] der *A*, siner *MFK mit BC* – *Punkt hinter* gar *MFK* – [19] Alse si mich hat getan *A*, Also han ich getan *MFK mit BC* – [20] Ir si der criek verlan *A*, Der kriec si ir v. *MFK mit BC* – [21] Von dirre zit *A*, für dise zit *MFK mit BC* – 207,[36] Nu *C*, Und *MFK* mit *B* – *Komma hinter* sin *MFK* – [38] Danne daz mich *C*, Das denne das mich *B*, dan daz daz mich *Kr* – 208,[2] *Komma hinter* we *MFK* – 207,[34] leide *A*, leides *MFK mit BC* – 208,[28] Daz ime niemer *A*, Das im niemer *BC*, daz im niemer *Kr mit Saran.*

8 *Alle Strophen nur in C, im Zusammenhang hintereinander aber nur* 205,[1] *und* 205,[10] *(und zwar beide in dieser Folge*

mit B gemeinsam). Die dritte Strophe (nur in C) hinter Strophe 208,[20] (Nr. 7). *Die vierte Strophe (nur in C) von* 205,[1] *und* 205,[10] *durch* Nr. 14 (S. 187) *getrennt.* 205,[1] clage *B*, klagen *MFK mit C* – [2] ze fr. min tr. *Kr mit BC und Paul* – [4] ouch min s. m. *BC*, ouch min vil s. m. *Kr* – [7] dienst *BC*, dienest *Kr mit Schroeder* – zuo den langen *BC*, zuo langen *Kr mit Schroeder* – [21] libes *MFK mit C* – [26] dur *MFK mit C*.

9 *In BC überliefert (in dieser Folge).* 211,[31] *Doppelpunkt hinter* geschehen *MFK* – 212,[1] mir ougte (ougete *B*) lieben w. *BC*, mir erougte lieben w. *MFK* – [6] an vrowen *B*, an fröiden *C*, an staeten fröiden *MFK* – [9] undertan *BC*, dienestman *MFK*.

10 *Nur in C überliefert.*

11 *In BC überliefert (in dieser Folge).* 209,[9] in *BC*, ir *Kr* – [11] *Punkt hinter* zit *MFK* – [12] *Komma hinter* strit *MFK*.

12 *Nur in C überliefert. Hier gegen C und MFK zweite und dritte Strophe umgestellt (in C:* 216,[29] – 216,[37] – 217,[6]).

13 *Nur in C überliefert. Nach Sievers und Kr unecht.*

14 *Nur in C.* 206,[11] wan *Kr mit C* – [13] *Punkt nach* gebot *MFK* – stunde *C (der Vers ist als Schlußzeile um einen Takt gedehnt)*, stunt *Kr*.

15 *Nur in C.* 218,[9] varn *C*, vri *Kr* – [19] Und lebte min her *C*, und lebt min herre *Kr mit Paul* – [24] minne *MFK*.

REIMAR

1 *In BC unter Dietmar, in A unter Veldeke überliefert. Verfasserschaft Reimars: H. Brinkmann, Rugge und die Anfänge Reimars (Festschrift für Kluckhohn und Schneider S. 503–508).*

2 *In dieser Folge in A überliefert; MFK hat mit C die Folge:* 150,[1] – 150,[10] – 150,[19]; *B eröffnet mit* 150,[1] *die Sammlung der Lieder Reimars, bringt aber die Strophen* 150,[10] *und* 150,[19] *(in dieser Folge) unter Hausen.* 150,[18] von al der welte *B* (vg. 157,[32] *und* 166,[9]), für al die werlt (welt *A*) *MFK mit AC* – gerne *AB*, vil gerne *MFK mit C* – 150,[8] miden *A*, vrömede (frömde) *BC*, fremden *Kr* – 150,[24] Ioch wande ich niht *B*, Ich enwande niht *AC*, ichn wande niht *Kr*.

3 *In dieser Folge in BC; bei Kr mit Nr. 5* (151,[17] *und* 151,[25]) *zu einem vierstrophigen Lied verbunden, bei dem Nr. 5 durch die beiden Strophen von Nr. 3 umrahmt ist.* 151,[7] suochent die *BC*, suochent aber die *Kr* – [8] (*wie* [16]) *ohne Zäsur MFK*

– ^{13} ze der werlte (welte *B*) niht getar *BC*, zer werlte niht getar *MFK*.

4 *In BC überliefert.*

5 *In BC überliefert (s. zu Nr. 3).* 151,$^{21/22}$ daz si mich geniessen lat. Miner grôssen (grozen fehlt *B*) st *BC*, daz si mich lat / geniezen miner st. *MFK* – ^{24} Das si *BC* dazs *MFK* – mir missetaete *BC*, mir *(ohne Zäsur)* also harte m. *Kr mit Arnold* – ^{32} *ohne Zäsur hinter* vil *MFK*.

6 *Die ersten drei Strophen in B, C und E, die letzte nur in E; Anordnung nach E. BC ordnen:* 152,^{5} – 151,^{33} – 152,^{15}. *Kr gruppiert:* 152,^{15} – 151,^{33} – 152,^{5} – 152,^{24a}*;* 151,^{33} *ist aber leicht als Liedeingang zu erkennen. Die fünfte und sechste Zeile jeder Strophe, in MFK Vierheber, sind hier im Anschluß an die Überlieferung als Fünfheber genommen.* 151,^{37} daz ich in grozer sw. si *Kr mit BC und Paul* (Daz ich habe grozze sw. *E*) – ^{38} Mir ist vil lihte *BC*, mirst lihte *Kr*, Und ist mir lihte *E* – 152,^{6} in ir genade (gnade *B*) minen l. *BC*, in ir gewalt den minen l. *Kr mit E* – ^{8} Das iemer werde dehain ander w. *BC*, d. in der werlde kein ander w. *E*, daz in der werlde ein ander w. *Kr* – ^{9} Diu von ir gesch. *BC*, von ir gesch. *Kr mit E* – ^{10} swaz diu werlt (welt *B*) mir ze l. *BCE*, swaz mir diu w. ze l. *Kr* – ^{13} nie so wol erliden *BCE*, nie gerner liden *Kr* – 152,^{19} *mit zweisilbigem Auftakt Kr* – ^{20} und sol im (ime *B*) *BC*, sol im *E*, sol 'm *Kr* – ^{23} Und fürhte des das sich *BC*, Ich fürhte daz wir sin gescheiden *E*, und fürhte des, sich *Kr* – ^{24e} Nu en *E*, nu'nweiz *Kr* – ^{24f} *mit zweisilbigem Auftakt Kr. Die letzten vier Zeilen dieser Strophe haben BC als Schluß der ersten Strophe.*

7 *Strophe* 152,^{25} – 152,^{34} – W. 71,^{27} in *E (in dieser Reihenfolge) unter Reimar; außerdem* 152,^{25} *in C unter Reimar und* 152,^{34} *unter Reimar in B (hier nur diese eine Strophe) und C^1 (diese Strophe vereinzelt). A und C^2 überliefern alle Strophen, aber unter Walther und gemeinsam in der Folge:* 152,^{25} – W. 71,^{19} – 152,^{34} – W. 71,^{27}. *C^1 überliefert für sich die beiden Strophen* W. 71,^{19} und W. 71,^{27} *unter Walther.* 152,^{32} so tete (tet *C^1*) ich gerne wol *AC^1*, So tet ich wol *C^2*, Ich taete gerne wol *MFK mit E*.

8 *Alle Strophen nur in C (in dieser Folge), wo gemeinsam mit A vor der letzten eine weitere Strophe überliefert wird; diese muß schon deswegen unecht sein* (155,$^{27-37}$), *weil sie im Reim abweicht* (155,^{31} *und* 155,^{33}). *In A ist die Folge dieselbe wie in C, nur fehlt Strophe* 155,^{5} *(dafür steht vor der Schlußstrophe die Zusatzstrophe* 155,^{27}*). In B die drei Strophen (in dieser Folge):* 154,^{32} – 155,^{5} – 155,^{16}. *E hat eine völlig ab-*

weichende Anordnung: 155,^{16} – 155,^{38} – 155,^{5} – 154,^{32}. 154,^{33} (*u.* ^{35}) *ohne Zäsur MFK* – ^{35} *Punkt hinter* mac *MFK* – ^{36} Doch gedenke ich wol *BC*, ich gedenke wol *Kr mit AE* – $^{37/38}$ *als zwei Zeilen MFK* – 155,$^{1/2}$ *als zwei Zeilen MFK* – ^{4} Mir ist beidiu w. u. der sumer *A*, So ist mir w. u. summer *E*, Mir ist baidiu (beide *C*) sumer unde winter *BC*, mirst beidiu winter und der sumer *MFK* – ^{4} *ohne Zäsur MFK* – ^{6} (*u.* ^{8}) *ohne Zäsur MFK* – ^{9} so tet si doch *BC*, doch tet sie *E*, iedoch leit si daz ie *Kr* – $^{10/11}$ (*u.* $^{12/13}$) *als zwei Zeilen MFK* – ^{15} *ohne Zäsur MFK* – $^{21/22}$ (*u.* $^{23/24}$) *als zwei Zeilen MFK* – ^{25} mich diu zit *ABCE*, mich al diu zit *Kr* – ^{26} *ohne Zäsur MFK* – *Strophe* 155,$^{27-37}$ *weicht im Reim* $^{31/33}$ *ab und bleibt im Gegensatz zu den drei vorhergehenden Strophen in* ^{36} *ohne Korn. Strophe* 155,^{38} *in E als Mannesstrophe* – 155,^{39} *und* 156,^{2} *in MFK ohne Zäsur* – $^{4/5}$ (*u.* $^{6/7}$) *als zwei Zeilen MFK* – 156,^{9} machet mir diu ougen dicke r. *MFK mit E*, machet mir diu ougen rot *AC* – *ohne Zäsur MFK*.

9 *Die ersten beiden Strophen in bC, die zweite und dritte Strophe in a.* 168,^{9} Sit ich *a*, daz ich *MFK mit Ca* – ^{10} So gat mit iamer hin *a*, des gat mit sorgen hin *MFK mit bC* – ^{11} iemer nu *a*, iemer me *MFK* mit *bC* – ^{29} gesinde *a*, ingesinde *MFK* – *die letzte Zeile jeder Strophe in MFK als zwei verschiedene Zeilen.*

10 *Überliefert in bC (und zwar in dieser Folge). Kr stellt mit Nordmeyer Strophe* 173,^{20} *vor* 173,^{13}. 173,^{13} mit miner *MFK mit bC* – ^{21} ich es *b*, ich *MFK mit C* – ^{23} ichz doch der *MFK mit bC* – 174, ^{2} So gediene (gedinge *b*) ich uf die sele *bC*, so geswinget uf min sele *Kr*.

11 *In bCE überliefert (in dieser Folge).* 174,^{14} tuot noch hiute *bCE*, tuot hiute noch *Kr* – swanne si *bC*, so sie *E*, so si *Kr* – ^{26} an (ane *b*) sach *bC*, sach *MFK mit E* – ^{29} mir nu vil lihte *b*, mir vil lange *E*, nu vil lihte *C*, mir vil lange *MFK* – ^{33} wan *bC*, wenne E, wanne *MFK*.

12 *Nur in C überliefert (in dieser Folge). Die letzte Zeile ohne Zäsur MFK.*

13 *In bC überliefert (in dieser Folge).* 171,^{17} kan es mich *bC*, kan michz *MFK*.

14 *Vollständig nur in C (in dieser Folge); B hat dieselbe Anordnung, aber nur die ersten vier Strophen* (153,^{14} – 153,^{23} – 153,^{32} – 153,^{5}). *In A fehlt die dritte Strophe* (153,^{32}); *die letzten drei Strophen decken sich in der Anordnung mit der Folge von C, aber die ersten Strophen weichen in der Folge ab* (153,^{5} – 153,^{14} – 153,^{23} – 154,^{5} – 154,^{14} – 154,^{23}). *E hat nur drei Strophen, die in der Anordnung mit A zusammen-*

gehen (153,[5] – 153,[14] – 153,[32]). 153,[18] Doch *BCE*, och *MFK mit A* – [36] Doch *E*, do *MFK mit BC* – 153,[10] fürhte (vurhte *A*) unrehten spot niht ze sere *ABCE*, fürhte unr. sp. niht alze sere *Kr mit v. d. Hagen* – 154,[13] langer *A*, lange *Kr mit C*.

15 *Von Kr unter die unechten Lieder gezählt. Überliefert in bC unter Reimar (aber in anderer Folge); die erste Strophe auch in A unter* Reimar der viedeler. *bC ordnen gemeinsam:* 176,[5] – 176,[16] – 176,[27] – 176,[38]. *Die hier gegebene Folge nach Singer.* 176,[27] han noch nie (me *C*) getan *bC*, han niht me g. *Kr*.

16 *In bC in dieser Folge überliefert; mit E haben sie noch zwei weitere Strophen gemeinsam, die unecht sind* (170,[22] *und* 170,[29]). *E beginnt mit* 170,[15], *läßt die beiden unechten Strophen folgen und gibt dann nacheinander* 170,[8] *und* 170,[1]. *A überliefert nur die zweite und dritte Strophe in der Folge:* 170,[15] *und* 170,[8].

17 *In ABCE überliefert, aber in abweichender Folge. bCE beginnen mit* 159,[1] *und AE schließen mit* 159,[37]. *Der hier mit MFK gegebenen Folge entspricht die Anordnung in E. Nahe steht dieser Anordnung auch A, nur ist die erste Strophe an vierte Stelle gerückt (also die Folge:* 159,[28] – 159,[1] – 159,[10] – 159,[19] – 159,[37]*). bC haben gemeinsam diese Anordnung:* 159,[1] – 159,[19] – 159,[37] – 159,[10] – 159,[28]. 159,[6] n. si niemer tac f. g. *bC*, n. si von mir niht f. g. *E*, n. eht (eth *A*) si von mir niht f. g. *Kr mit A* – [8] uzer wiplichen tugenden *A*, uz wiplichen tugenden (tugende *b*) *Kr mit bCE und Paul* – [14] an ir *bE*, an mir *MFK mit AC* – [17] an frowen *C*, an fröiden *MFK mit Ab* – [23] So wol ime dc ez *A*, wol ime (im *C*) des (der *E*) deiz (dc es *C*, das es *b*, *fehlt E*) *MFK mit bCE* – [34] clage *A*, sage *MFK mit bCE* – [36] an dem (deme *A*) *Ab*, in dem *C*, mine *E*, inme *MFK* – 160,[1] Ist aber daz si ez *A*, und ist daz siz *MFK mit bCE* – [4] als ich wol kan *A*, da ichz nan (do iz nam *E*) *MFK mit bCE* – [5] da ich ez da nam *A*, als ich wol kan *MFK mit bCE*.

18 *Nur in C (in dieser Folge).* 181,[22] ouch *C*.

19 *In dieser Folge in C überliefert. In E ist das Lied zu einem fünfstrophigen Gebilde ausgeweitet: zwischen die zweite und dritte Strophe und hinter die dritte Strophe ist jeweils noch eine unechte Zusatzstrophe gestellt. m vereinigt die zweite Strophe mit der ersten Zusatzstrophe zu einem Lied. Die letzte Zeile ohne Zäsur MFK.*

20 *Vollständig in keiner Handschrift überliefert (nicht in C!). b und E ergänzen sich: in b fehlt die sechste Strophe, in E*

fehlen die fünfte und siebente Strophe (die Folge in beiden wie hier im Text). p überliefert nur drei Strophen (*Folge:* 179,[3] – 179,[30] – 179,[21]). *Die vierte Strophe auch in s.* 179,[5] ist hiure unsanfter vil dan e *p*, ist vil unsanfter nu dan e *MFK mit bE* – [33] ich niemer tag von sorgen fri *p*, ich niemer me vor leide fri *MFK mit b*, ich von sorgen nimmer fri *E*, ich nemmer sorgen vry *s* – 180,[12] also hoh *b (die Strophe nur in b)*, als hoh *Kr* – [15] Und dienet uf *b*, unde erdienet *Kr* – 181,[6] nidet er mich, waz ruoche ich *Kr mit b (Kr vermutet aber als ursprüngliches Reimwort* mich*)*.

21 *In ABCE überliefert (Schlußstrophe nur in E); A hat zweite und dritte Strophe in umgekehrter Folge* (165,[10] – 165,[28] – 165,[19] – 165,[37]). 165,[32] mit rede nieman *A*, nieman mit rede *Kr mit E*, mit rede nieman (niemen *B*) wol *BC* – 166,[5] wurde *A*, wirde *MFK mit BCE* – [13] *fehlt in der Überlieferung (E).*

22 *Vollständig nur in E; in b fehlen vierte und fünfte Strophe; in C fehlt die fünfte Strophe, während die vierte an anderer Stelle nachgetragen ist. In der Anordnung der ersten drei Strophen stimmen alle Handschriften überein; im übrigen weicht E darin ab, daß letzte und vorletzte Strophe vertauscht sind (also* 175,[36] *hinter* 175,[22]*).*

23 *In bC überliefert (in dieser Folge). Kr stellt mit Vogt die vierte Strophe* (172,[11]) *an die Spitze.* 171,[34] So wirde ich niemer fro *bC*, sone wirde ich niemer fro. *MFK.*

24 *Überliefert in AbCE, alle Strophen aber nur in C und E; nur die letzten drei Strophen in m. CE haben übereinstimmend die hier gewählte Folge. A und b haben die ersten drei Strophen in derselben Anordnung wie CE; b bringt außerdem dann noch die vierte Strophe, während A die vierte Strophe ausläßt und dann die beiden letzten Strophen in umgekehrter Folge anschließt (also:* 167,[4] – 167,[13]*). Kr stellt die Strophen gegen die Handschriften um und ordnet:* 166,[16] – 167,[22] – 166,[25] – 167,[13] – 166,[34] – 167,[4].

25 *Beide Strophen in A in dieser Folge; in bCE mit Nr. 26 vermischt. C läßt die zweite der ersten Strophe vorangehen und schickt die zweite Strophe von Nr. 26 voran (während die erste Strophe von Nr. 26 folgt). Damit geht b zusammen, nur fehlt die zweite Strophe von Nr. 25. E schiebt zwischen die erste und zweite Strophe die erste von Nr. 26 ein und läßt dann die drei anderen Strophen von Nr. 26 folgen. Die zweite Strophe von Nr. 25 auch in i. Kr faßt Nr. 25 und 26 als ein Lied zusammen; beide unterscheiden sich aber im Ton (Nr. 25 hat in der zweiten Stollenzeile einen Takt mehr). In* 162,[24]

endet Nr. 25 mit einer deutlichen Schlußpointe. 162,[8] Sin wip versuochen noch gezihen *AbC*, Sin wip gezihen noch versuochen *E*, versuochen noch gezihen *MFK* – [10] doch keine *AE*, ouch dehaine *bC*, ouch keine *MFK* – [17] Durch die ich dicke hohe trage minen muot *i*, von der (den *E*) ich hohe solte tragen den muot *MFK mit ACE* – [19] alsam vil meneger *A*, als ie doch vil maniger *C*, alse noch vil maneger *i*, so vil maniger *E*, als vil manger *Kr* – [20] an sach *i*, sach *ACE*, gesach *MFK* – [21] min munt wider si *MFK mit A*, ie min munt wider sie *E*, min munt ie wider si *C*, ich wider siu *i* – [24] cleinen *ACE*, gefüegen *i*, keinen *Kr*.

26 *Alle Strophen nur in CE, in b nur die ersten beiden, in A nur die erste Strophe überliefert. E hat die erste Strophe zwischen die beiden Strophen von Nr. 25 eingeschoben und ordnet die drei übrigen Strophen in umgekehrter Folge (also:* 162,[34] – 163,[5] – 163,[14]*). C schickt die zweite Strophe von Nr. 25 voran und läßt diesem Liede die erste Strophe folgen, während die letzten beiden Strophen von Nr. 26 an späterer Stelle überliefert sind. b umklammert wie C Nr. 25 mit den beiden ersten Strophen von Nr. 26. So sind die beiden Lieder durcheinandergeraten. Die Strophen von Nr. 26 haben denselben Ton (die zweite Stollenzeile ist im Gegensatz zu Nr. 25 fünfhebig) und sind durch den Reim* e : me : we *miteinander verbunden (dieser Reim fehlt in Nr. 25).* 163,[10] naht noch tac *C*, tac noch naht *MFK mit E*.

27 *In keiner Handschrift vollständig überliefert: in Em fehlt die dritte Strophe* (178,[15]); *in C fehlen zweite und sechste Strophe* (178,[8] *und* 178,[36]); *in b sind nur erste, dritte und fünfte Strophe überliefert (Folge:* 178,[1] – 178,[29] – 178,[15]). *m gibt das Lied unter dem Namen* Nyphen. 178,[13] denne den liehten tac *(die Zeile, bei Kr als Vierheber genommen, ist fünfhebig) E*, den dene tach *m*, denne den tac *Kr mit Bartsch* – [20] Swas im (e) danne muge *bC*, swaz danne im müge *Kr* – [27] da mite *CE (fehlt m)*, des *Kr* – besweren *Cm*, beswert *E*, besweren *Kr* – [34] Und *bC*, Ez *E*, Izt *m*, und *Kr* – [39] senelicher ? senentliker *m* (getaner *MFK mit E*).

28 *Überliefert in ABCE (in E fehlt die letzte Strophe). A und E weichen in der Anordnung völlig ab; A gruppiert* 161,[15] – 160,[38] – 160,[6] – 160,[22] – 161,[31]: *E ordnet* 160,[6] – 160,[38] – 161,[15] – 160,[22]. *Die vorletzte Zeile mit Haupt (und Huisman vgl. Korrekturnote unter Walther* S. 402*) gegen Kr als Fünfheber.* 160,[20] wie han ich tumber g. *ABC*, wie han ich mich gauch *E*, wie han ich gouch *Kr* – [27] so maniger *bCE*, vil meneger *A*, vil manger *Kr* – [30] *Punkt hinter* belibe *Kr* – [31] *Kom-*

ma nach vervahen *Kr* – [34] wolte (wölte *E*) *bCE*, solt *MFK mit A* – [36] unde *mit Haupt*, und *Kr* – [37] Nein h. jo ist si so guot *A*, Neine h. ioch ist si so rehte guot *b*, Neina h. jo ist doch so rehte guot *C*, Neina h. jo ist si doch so guot *E*, neina, herre! jo ist si so guot *MFK* – 161,[11] *Komma nach* verlorn *MFK* – [12] Nu wil si *bCE*, und wil nu *MFK mit A* – Daz ich *mit AbCE und Haupt*, deich *Kr* – [27] si enkan *Ab*, sine kan *MFK mit C*, noch enkan *E* – [29] si engetet *mit A und Haupt*, Si (Sie *E*) getet *bCE*, sin getet *Kr* – [40] *Punkt nach* staete *MFK* – 162,[1] Und ge *b*, Und gebe *AC*, ge (*ohne* und) *MFK*. – [5] obe *mit Ab und Haupt*, ob *Kr mit C*.

29 *Überliefert in AC (in dieser Folge); die erste Strophe gemeinsam mit einer unechten Strophe auch in e.* 190,[4] mich also verderben *A*, mich verderben *MFK mit Ce* – alsus gar *MFK mit AC*, gar *e* – [9] *Doppelpunkt nach* sol *Kr* – [10] Tuot (Tuo *C*) si eines *AC*, Tuot sie einem friunde mit ir lone wol *e*, tuos eht einez *Kr* – [21] Daz daz bi *AC*, daz et daz bi *MFK* – [24] Und si mich helfelosen also (suz *A*) v. l. *AC*, und si mich alsus v. l. *Kr* – [25] vil clagen ich t. m. *AC*, klagen vil, ich t. m. *MFK*.

30 *Vollständig in ACE (in B fehlen erste und vierte Strophe), aber in völlig abweichender Anordnung. Die letzte Strophe bringen als Schluß des Liedes AC; BCE beginnen mit der dritten Strophe* (157,[1]), *und es bleibt darum zu überlegen, ob sie nicht doch wie früher in der Gruppierung von Haupt und Vogt an die Spitze gehört. Im einzelnen gelten folgende Anordnungen: A* 156,[27] – 157,[1] – 157,[21] – 157,[31]; *C* 157,[1] – 157,[11] – 156,[27] – 157,[31] – 157,[21]; *E* 157,[1] – 157,[21] – 156,[27] – 157,[31] – 157,[11]; *B* 157,[1]–156,[27]–157,[31]. 157,[16] *Komma hinter* wip *MFK* – ich ir *A*, ich der *MFK mit CE* – [17] *die ganze Zeile fehlt A*, und sol daz alse lange stan *Kr mit C (mit Bezeichnung einer Lücke nach* daz*)*, So muoz min fraude gar zergan *E* – [18] Und daz *A*, daz *MFK mit C* – [18/20] *in E in ganz anderer Fassung:* Swaz ich nu uf disen tac. Uf wibes lon gedienen mac. Daz ist allez in ir namen getan. – 156,[32] wanne *A*, wenne *MFK mit BC (der Vers fehlt in E)* – 157,[25] Und iedoch niht *AC*, und doch niht *Kr mit Paul und E* – [33] *Doppelpunkt nach* tac *MFK* – [34] Io *A*, Sus *BC*, Noch *E*, so *MFK* – [38] Doch du si ez *A*, Nu tuo sie *E*, Nu tuo es *BC*, nu tuo si *MFK*.

31 *In AC in dieser Folge überliefert; in B fehlt die zweite Strophe (sonst dieselbe Folge); E ordnet an:* 158,[11] – 158,[31] – 158,[21] – 158,[1]. 158,[11] nu lange *A*, so lange *MFK* mit *CE* – [25] ich den *A*, ich daz *MFK mit BCE* – [30] doch nu *A*, doch wol *MFK mit BCE* – [38] gelebte *A*, gesaehe *Kr mit Paul und BCE*.

32 *Die hier von Kr übernommene Anordnung folgt E (wo nur die dritte Strophe fehlt); die Gruppierung der Strophen in bC weicht völlig ab:* 163,[23] – 163,[32] – 164,[30] – 164,[3] – 164,[12] – 164,[21] – 165,[1] *(diese Strophe fehlt in b); A hat von dem Liede vier Strophen in der Folge:* 164,[12] – 163,[23] – 164,[21] – 164,[30]; *B enthält nur die Strophe* 165,[1]. 163,[25] sprach *MFK mit AbCE (in dieser Zeile sonst Auftakt)* – [28] *in den Handschriften sehr verschieden:* Der ir lop gerner horte und dem ieman ir gnade l. w. *A*, Der ir lop so gerne horte und dem ir genade l. w. *E*, Dem al ir lop und auch ir ere lieber were *C*, Der ir ere und ir güete gerner horte und sehe *b*, der ir lop gerner horte und dem ie ir genade lieber waere *MFK* – 165,[6] *Ergänzung von Haupt* – [8] erhebe *C (der Vers fehlt in B)*, bestan *Kr* – 164,[28] manne *bE*, manegem *MFK mit A*, manige *C* – [29] *zwischen* si *und* sehe *ist* sa *getilgt E*, si saehe *MFK mit AbC* – [36] Die mir da sempfte *A*, und mir vil sanfte *bCE* – 164,[3] Der aldie werlt gefrauwet ie baz danne ich *E*, Der ie die werlt gefröite baz dann ich *MFK mti bC*.

33 *Überliefert in bC (in dieser Folge); erste Strophe auch in M.*

34 *Nur in C überliefert.*

35 *Überliefert in AC (die dritte Strophe fehlt in A); die erste Strophe auch in e. AC ordnen:* 189,[5] – 189,[14] – 189,[23] – 189,[32] *(diese Strophe nicht in A); Kr ordnet mit Vogt:* 189,[5] – 189,[23] – 189,[14] – 189,[32]. 189,[24] Daz ich so reine noch *AC*, daz ich si so reinen noch so *Kr* – [25] lihte ze *AC*, l. da ze *MFK* – [26] *Komma nach* geschiht *Kr* – *Strichpunkt hinter* sinne *Kr* – [27] verluz *A*, verliuse *MFK mit C* – niemer *AC*, miner *MFK* – *Komma hinter* vil *MFK*.

36 *In C in dieser Folge überliefert, in E in der Anordnung:* 195,[19] – 195,[28] – 195,[10]. 195,[15] swie si gebiutet (*ohne* mir) *E*, swie so si gebiutet mir *MFK mit C* – [21] Vil nahen wer aber ich des wert *E*, vil mangen (manigen *C*) tac. diuht ich sis wert *Kr mit C* – [24] Ichn weiz *E*, ich enweiz *MFK mit C* – [33] Owe so *CE*, owe also *MFK* – [35] diu sorge *MFK mit CE*.

37 *Nur in C überliefert (in dieser Folge).*

38 *In A überliefert in der Folge* 187,[31] – 188,[18] – 188,[5] – 188,[31]. *C kennt nur die drei Strophen (in dieser Folge)* 187,[31] – 188,[18] – 188,[5] (*die Frauenstrophe* 188,[31] *fehlt*). 187,[37] den val den gehe git *A*, der valschen nit *MFK mit C* – 188,[7] niemer grozer kunde sin *A*, niemer kunde groezer sin *Kr mit C* – [27] ratet *C*, ratit *A*, raetet *MFK* – [34] minne ruowe herzen mach *A*, minne riuwe heizen mac *MFK* – [36] mit truwen *A*, mit riuwen *MFK* – *Strophe* 188,[31] – 189,[4] *als Mannesstrophe MFK.*

HEINRICH VON MORUNGEN

Den Liederzyklus Heinrichs von Morungen in der durch v. Kraus angesetzten Folge interpretiert J. Schwietering: ZfdA 72, 77 ff (1948).

1 *Alle Strophen in C überliefert (in der Folge:* 142,[19] – 142,[26] – 142,[32]). *Die Schlußstrophe auch in M.* 142,[26] *verrät sich als Eingang durch den spruchhaften Beginn,* 142,[19] *als Schluß durch die Auszeichnung des durchgeführten Reimes. In der Strophe* 142,[19] *folgt unser Text nicht nur im Aufgesang (wie Kr) M, sondern auch im Abgesang:* 142,[23] Daz machet mir eine vrowe guot *M*, daz schaffet (schafet *C*) mir ein frowe fruot *MFK mit C* – schaffet *wegen* 142,[34]; fruot *wird in M durch* guot *ersetzt sein* – [24] Ih wil ir iemer dienen mer *M*, dur die so wil ich stete sin *MFK mit C* – [25] Ih engesah nie wip so wol gemuot *M*, wan in gesach nie wip so rehte guot *MFK mit C*.

2 *Nur in C überliefert (in dieser Folge). Der Abgesang der zweiten Strophe* (141,[5-7]) *unecht* (ja hat si mich verwunt / sere in den tot. ich verliuse die sinne. / gnade, ein künginne, du tuo mich gesunt).

3 *In BC überliefert. Beide haben zwischen der zweiten und dritten eine weitere Strophe* (122,[19] – 122,[27]), *die Kr mit Schütze als unecht ausscheidet.* 122,[8] ir giht *BC*, mir jet *Kr* – [15] fin *mit Frings*, fier *MFK mit BC*.

4 *Nur in C überliefert (in dieser Folge).* 125,[1] IR wol liehten ougen in daz herze min *C*, Birgets ab ir liehten ougen schin *Kr* – [15] Daz er wunder an ir bege *C*, daz si wunder an im spe *Kr* – [18] So sin so rehte schonen se *C*, so sin also schonen selten se *Kr*.

5 *Nur in C überliefert (in dieser Folge).* 130,[19] mir nie *C*, mir noch nie *MFK* — [20] ich ir dienst man *C*, ich ir eigen man *Kr* – [22] guot *MFK mit C – Komma nach* sach *Kr mit Gottschau* – [23] si mit *C*, si mich mit *Kr mit Paul*.

6 *Alle vier Strophen (in dieser Folge) in A; in B fehlt die zweite Strophe. BC ordnen anders:* 126,[8] – 126,[32] – 126,[24] – 126,[16] *(diese Strophe fehlt in B).* 126,[9] liebe *ABC*, minne *Kr* – [12] Und zunst. *A*, mir zunst. *MFK mit BC* – [13] *Komma hinter* sich *MFK* – [14] Und tuo *A*, tuo *MFK mit BC* – so vreut si *A*, da mitte vröwet si *BC*, si fröit *Kr* – so sere mich *Kr mit A*, so mich *BC* – [15] wunnen *A*, liebi *B*, libe *C*, liebe *MFK* – [23] Ja ist *A*, Nu ist *C*, nust *Kr* – [31] Daz wirt mir vil ubel oder lihte g. *A*, Daz ist mir vil ubel und ouch lihte g. *BC*, deist mir übel und wirt noch lihte g. *Kr* – [34] danne get *A*, danne stet *MFK mit BC* – [35] *Komma hinter* zergen *Kr* – [36] Ich muos

vor ir sten *A*, wan ich danne stan *BC*, wan ich danne sten *MFK* – [37] Und waren die vreuden min *A*, und warte der frouwen min *Kr mit BC*.

7 *Nur in C überliefert (in dieser Folge).*

8 *Alle Strophen nur in C überliefert, aber in abweichender Folge:* 138,[17] – 138,[25] – 138,[33] – 139,[3] – 139,[11]. *Dritte und vierte Strophe auch in A (Kr gibt nicht an, an welcher Stelle in A die vierte Strophe steht).* 138,[35] beide *AC*, leide *Kr*.

9 *In A nur diese Strophen und in dieser Folge überliefert. C ordnet:* 123,[10] – 123,[34] – 123,[23]; *zwei weitere Strophen, die unecht sind, schließen in C an.* 123,[10] Min liebeste und och min erste *A*, Min erste und ouch min leste *MFK mit C* – [13] gab ze d. *A*, bot ze d. *Kr mit C* – [14] Daz hohste und och daz herste *A*, diu hoste (hohste *C*) und ouch diu beste *Kr mit C* – [15] An dem *A*, in dem *MFK mit C* – [19] beide min *A*, al min *MFK mit C* – [25] wan ir tuot min sw. baz *A*, Und ir tete min sw. baz *C*, wan min sw. töhte ir baz *Kr* – [34] ratent *AC*, rat et *Kr* – [36] uch *A*, ir *C*, dir *Kr* – 124,[1] dir *AC* und *Kr* – [2] den si *AC*, den ich *Kr* – [3] Alder welte *A*, mit der werlte *Kr mit C*.

10 *In A und B in dieser Folge überliefert, in C in abweichender Folge* (132,[35] – 132,[27] – 133,[5]). 132,[36] naher *A*, nach ir *MFK mit BC* – 133,[2] liebe schone *A*, herzeliebe (-liebiu *B*) *BC*, schone, liebe *Kr* – [12] Swenne ir *A*, So diu *Kr mit BC* – mich *ABC*, si *Kr*.

11 *In A und C in verschiedenen Fassungen überliefert. C ordnet:* 127,[1] – 127,[12] – 127,[23]; *A beginnt mit* 127,[12-17] und 127,[29-33] *und läßt* 127,[1] *darauf folgen.* 127,[15] Nu dei schal dicke vor ir man. *A*, Nu ist diu klage von ir dike mancvalt *C*, nust der schal vil dicke vor ir man. *Kr* – [16] *Komma nach* not *MFK* – [17] Wil si die bekennen *A*, Swie sis niht erkenne *C*, wils eht die bekenne *Kr* – *nach* bekenne *Punkt Kr* – [29] Nein sinen tuot *A*, nein si niht *MFK mit C* – [30] Got der welle ein wunder sin *A*, Got enwelle ein wunder *C*, got well ein sin wunder *Kr*.
Die zweite Fassung wird von einem anderen stammen und scheint in Nr. 12 (132,[7-10]) *von Morungen zitiert. Hier sind von der zweiten Fassung die zweite und dritte Strophe wiedergegeben. Die Überlieferung zu* 127,[12-17] *und* 127,[29-33] *unter den Abweichungen zur ersten Fassung.* [18] Doch *C*, ouch *Kr* – [25] minnen *C*, „Minne“ *Kr*.

12 *A überliefert nur die drei Strophen* 131,[25] – 131,[33] – 132,[19] *(in dieser Folge). BC ordnen:* 131,[25] – 132,[3] – 132,[11] – 132,[19] – 131,[33]. *Die Anordnung in MFK folgt BC, nur ist* 131,[33]

wie hier vor 132,[19] *gestellt.* 131,[25] iemer ander *A*, iemer der ander *BC*, iemer eine *Kr* – [30] mit sange ir wol *A*, mit gelaze ir *Kr mit BC* – *hinter* künden *kein Punkt Kr* – [31] Mohte ich mich *A*, unde mich *Kr mit BC* – [32] wurde wunders *A*, wurde ir wunder *BC*, wurde ir wunders *MFK* – 132,[13] müese in der niuwen rede g. *BC*, müese ir im, der niuwen rede, g. *Kr* – [14] Owe das iemen (ieman *C*) sol für *BC*, we, sol iemen daz für *Kr* – [18] *Punkt hinter* gesage *MFK* – 132,[5] das neme (nemen *B*) durch (dur *C*) got von mir für ein fleen (vlehen *BC*) *Kr mit BC* – [10] Wol sprich das und habe des iemer d. *BC*, wol sprechent siz und habent des niemer d. *Kr* – 131,[33] Si ensol *AB*, Sine sol *C*, Sie nesol *Kr mit Sievers* – [34] Also *A*, Alse *BC*, so *Kr mit Sievers* – 132,[20] So enweiz ich (ich niht *B*) wie die liebe *AB*, Sone weiz ich niht wie die leide *C*, in weiz wie ich die minne *Kr* – [21] Liebe won mir dicke in minen sinnen, *A*, Herzeliebe wont mir *(fehlt B)* in minem (indem *C*) sinne *BC*, minne wont dicke in minem sinne *Kr* – [13] Liep han (hat *A*, het *C*) ich gerne leides enbere (enber *C*) ich wol *ABC*, hete ich liebe, minne enbere ich wol *Kr* – [25] So enweiz *AB*, sone weiz *MFK mit C* – diu leide (*ohne* minne) *A*, diu liebe *BC*, diu minne *Kr* – [26] daz ich *ABC*, deich *Kr* – iemer *ABC*, eine *Kr*.

13 *Nur in C überliefert (in dieser Folge).*

13a *Alle vier Strophen in C (in dieser Folge) überliefert; zweite und dritte Strophe in B unter* Dietmar von Aste. 133,[23] laides *BC*, sanges *Kr* – *Doppelpunkt nach* twinget *MFK* – [24] aber ich rehte als ich tet do (aldo *B*) *BC*, ab ich reht als ich tet aldo *Kr mit Bartsch* – [27] diu mich sanges (sanges mich *C*) betwinget (twinget *C*) *BC*, diu mich leides verdringet *Kr* – [31] diu libe *B*, und schone *Kr mit C* (*oder:* an libe ?) – [32] des hoere ich *B*, des muoz ich *MFK mit C* – [34] gerne sehen *B*, flehen *C*, gerne flen *MFK* – *kein Punkt am Ende MFK* – [35]/[36] *als direkte Rede in Anführungszeichen Kr* – [35] frouwe mir *C*, mir vrowe *B*, frouwe, im *Kr* – *Doppelpunkt nach* lonist *MFK* – [36] Ich han *C*, Ich kan *B*, er kan *Kr* – veriehen *BC*, begen *Kr*.

14 *Die Strophen überliefert A in dieser Folge; C stellt* 136,[37] *vor* 136,[31]; *erste und dritte Strophe auch in p; A und p haben je eine Zusatzstrophe* (137,[9a] *und* 137,[4]). *Kr erklärt die dreifach überlieferte Strophe* 136,[37] *für unecht.* 136,[32] wie *A*, wen *Kr mit C* – *nach* zerge *kein Komma MFK* – [33] *Komma nach* morgen *MFK* – 137,[2] bilde *A*, wunne *MFK mit Cp.*

15 *Nur in C (in dieser Folge) überliefert; der Abgesang unecht nach Sievers, darum hier fortgelassen. Ohne Zäsur in der zweiten und vierten Zeile MFK.* 143,[17] das ein lützel ist *C*, dazs ein lützel ist *MFK*.

16 *Alle Strophen (in dieser Folge) in C überliefert; in B nur die vierte Strophe und zwar mit eigenem Schluß.* 128,[6] So sprechent si daz mir min singen zeme bas *C – Die Zeilen* 21–24 *hat B in der folgenden (allein in B erhaltenen Strophe) an Stelle der dort in C überlieferten Zeilen* [31-34]. [25] IR lachen und ir schone an sehen *C*, Lachen und schones sehen *B*, Lachen unde schoenez sen *Kr* – [31] an sach *C*, sach *MFK* – [34] *nach der Zeile wiederholt B:* owe; *schloß hier in einer früheren Fassung das Lied?* – 129,[11]/[13] *mit Lachmann (die Verse weichen als Schluß von den entsprechenden der früheren Strophen ab)*, Waz si sich bedenket bas. Und tete si liebe daz. So verbere ich alle klage *C*, ich vle daz si sich bedenket baz. / unde tuot si liebe daz, / so verbere ich al owe *Kr*.

17 *Nur in C überliefert (in dieser Folge).* 144,[13] Min arme *C*, mich armen *Kr mit Schönbach.*

18 *Alle vier Strophen nur in B; in C fehlt die Eingangsstrophe (im übrigen in BC dieselbe Folge wie hier).* 130,[37] Swenne aber *B* (131,[15] Als aber *BC*), alse ab *Kr mit Bartsch.*

19 *In AC (in dieser Folge) überliefert.* 137,[10] wilt du *MFK mit AC.*

20 *Alle Strophen in BC (in dieser Folge) überliefert; die Eingangsstrophe auch in A.* 125,[19] hoher *ABC*, hoe *Kr mit Schroeder.*

21 *Nur in C (in dieser Folge) überliefert, wo noch eine weitere, unechte Strophe angefügt ist. Kr erklärt die zweite (wie die hier ausgeschiedene dritte Strophe) mit Sievers für unecht.* 144,[28] So ist *C*, so'st *Kr mit Sievers.*

22 *Nur in C überliefert; eine weitere, in C überlieferte Strophe als unecht ausgeschieden (gegen Kr).* 140,[12] Alder *C*, od *Kr* – [14] Daz ich *C*, deich *Kr* – von der *MFK mit C* – [15] Si ist *C*, sist *Kr mit Sievers* – [19] von allen minen sorgen *C*, aller miner sorgen *Kr* – [21] nieman lebe der in *C*, nieman in *Kr mit Sievers* – [23] Also sprich *C*, spriche *Kr* – [24] Diu mir hat benomen mit fröide gar min *C*, diu mir mit fröiden hat benomen min *Kr*.

23 *In C unter Morungen, in B unter Dietmar überliefert.* 134,[7] *ohne Zäsur MFK* – [9] *ohne Zäsur MFK* – gebent *B*, gib *MFK mit C* – [10] *ohne Zäsur MFK* – Tailent si ir *B*, teile

ir si *MFK mit C* – [13] kumber gebot *BC*, kumber nie gebot *MFK*.

24 *Nur in C überliefert (in dieser Folge).*

25 *In AC (in dieser Folge) überliefert.* 136,[8] wunne und des *AC*, wunne, des *MFK* – [13] und ein verholner *AC*, uf den verholnen *MFK* – [15] Swen *A*, Swanne *C*, swa *MFK* – [21] und ich ir doch so hold. herze *A*, und wie ich ir so hold. herze *C*, und ich so hold. herze ir *Kr* – [23] dur got *A*, nach gote *MFK mit C* – [24] hin zuozim e m. t. *A*, zuo zim ach m. t. *C* hin zim e m. t. *MFK*.

26 *Nur in C (in dieser Folge) überliefert.* 135,[19] weiz vil wol daz si lachet *MFK mit C*.

27 *Nur in C (in dieser Folge) überliefert.*

28 *Nur in C (in dieser Folge) überliefert.* 142,[14] gewalt vor gesaz *C*, gewalte versaz *Kr* – [18] Verbrunne e ich ir iemer diende in wisse umbe waz *C*, brunne e ich ir iemer diende, ine wisse rehte umbe waz *Kr*.

29 *Nur in C (in dieser Folge) überliefert.* 146,[5] mit schalle *C*.

30 *Nur in C überliefert; zweite und dritte Strophe gegen C und Kr umgestellt.* 139,[20] lute stimme und süezen sanc *C*, lute stimme und s. klanc *Kr* (klanc *mit Schroeder*) – 140,[2] eine und ich was zuo zir gesant *C*, eine, und ich was zir besant *Kr*.

31 *Alle Strophen in e (in dieser Folge) überliefert; die erste Strophe auch in C.*

32 *Nur in C überliefert.* 147,[4] vil süeziu *MFK mit C* – [6] Und ich iuch *C*, und i'uch *MFK* – [7] frouwe für *C*, frouwe, gar für *MFK* – [8] ir mich toetent *C*, *ohne Ergänzung MFK*.

ALBRECHT VON JOHANSDORF

1 *In AC überliefert.*

2 *Nur in A überliefert, die zweite Strophe bruchstückhaft; eine dritte Strophe* (Nr. 3 = 87,[21]) *folgt in A, die in MFK mit unserem Lied verbunden ist, obwohl sie in der Überlieferung eine andere Form hat (in MFK durch Änderung angeglichen).* 87,[13] gesach . . . an mine *A*, gesach an mim *MFK*.

3 *Nur in A überliefert, in MFK als dritte Strophe mit Nr. 2 verbunden.* 87,[22] zeinem liebe *A*, zeim liebe *Kr mit Haupt* – [23] *rhythmisch bedenklich* – [26] Dane niemen zesere gevalle *A*, dane mac niemen gevallen ze sere *MFK* – [27] Daz meine ich so so die selen werden vro *A*, daz mein ich so, daz den selen behage *Kr* – [28] So si zehimele keren mit schallen A, so si mit schalle ze himele keren *MFK*.

4 *In BC (in dieser Folge) überliefert.* 89,[22] ierusalem *BC*, Iersalem *MFK* – 90,[2] *lies* múotèr – niht si *BC*, niht ensi *MFK*.

5 *In BC (in dieser Folge) überliefert. In MFK ohne die hier angesetzten Zäsuren.* 89,[12] han gedienet *MFK mit BC* – [16] ez mit *MFK mit BC* – [19] sprechent herre wurre *BC*, sprechet, vrouwe, wurre *Kr* – [20] den man *B*, dem man *Kr mit C*.

6 *Alle Strophen (in dieser Folge) in BC überliefert, erste und dritte Strophe auch in A.* 86,[2] boeste *A*, leste *MFK mit BC (MFK folgt sonst A)*.

7 *In BC überliefert. Die Zäsuren in* 91,[36] – 92,[2], *die MFK nicht kennt, sind nach dem Vorbild von* 92,[5] *angesetzt.* 91,[37] in grüezen *MFK mit BC*.

8 *Beide Strophen in A und zwar unter* Niune *überliefert; in BC nur die erste Strophe (in C die zweite Strophe an anderer Stelle). Die Zeilen* 87,[29] *und* 87,[30] *sowie* 87,[33] *und* 87,[34] *(bzw.* 88,[5] *und* 88,[6] *sowie* 88,[9] *und* 88,[10]) *sind gegen MFK zu Langzeilen zusammengefaßt; die Zeilen* 87,[37] *und* 88,[4] *(bzw.* 88,[13] *und* 88,[18]) *gegen MFK durch Zäsuren zerlegt.* 88,[1] aber *ABC*, ab *Kr mit Haupt* – [5] mere *MFK mit C (fehlt in A)* – [15] und laze *MFK mit AC – ohne Zäsur MFK* – [17] Nu gip *AC*, du gip *Kr*.

9 *In BC (in dieser Folge) überliefert; Strophe* 88,[19-32] *in A im Anschluß an* Nr. *8 unter* Niune. *MFK gibt das Lied als zwei Einzelstrophen in umgekehrter Folge. Der Ton unterscheidet sich von Nr. 8 durch die Gliederung der viertletzten und der vorletzten Zeile (in beiden Fällen in MFK keine Zäsur). Im übrigen gilt das zu* Nr. *8 Gesagte.* 89,[5] die aber mit listen *BC*, die aber mit valschen listen *Kr mit Braune* – 88,[24] leider *A*, aller *MFK mit BC* – [28] *Punkt nach* zorn *MFK* – [29] und erkenne *A*, nu erkenne *MFK mit BC* – ein ieglichez *A*, ein ieglich *MFK mit BC*.

10 *Überliefert in BC (in dieser Folge). Eine weitere Strophe (hier* Nr. 11*), die in der Überlieferung andere Form zeigt und in C an anderer Stelle steht, wird von Kr mit Vogt an dieses Lied angeschlossen. In MFK ist nur in der fünften Zeile Zäsur angesetzt, und die letzte Zeile ist in zwei Verse zerlegt.* 90,[35] vogele *MFK mit BC* – Ain schoener slat *BC*, ein schoeniu stat *MFK*.

11 *Nur in C überliefert; hier im Anschluß an C als eigener Ton (vgl. zu* Nr. 10*).* 92,[12] *ohne Zäsur MFK*.

12 *In BC (in dieser Folge) überliefert.* 90,[20] aber *BC*, ab *Kr mit Vogt*.

13 *Die vier Strophen sind so nicht zusammen überliefert. C gibt alle Strophen aber so, daß zwischen den ersten beiden und den letzten beiden* Nr. 7 (91,[36]) *steht und die beiden Paare in umgekehrter Folge erscheinen. Die letzten beiden Strophen auch in B. Die erste Strophe ist in MFK als Frauenrede gegeben (offenbar ist aber die zweite Antwort der Frau).* 91,[9] gesamene *B*, gesamne *MFK mit C.*

14 *In AC (in dieser Folge) überliefert, in A aber unter* Gedrut; *die letzte Strophe auch in C² unter* Rubin v. Rüdiger. 94,[34] So si er umbe halben lon der guoten hie gemant *A*, So si er der guoten dort umb halben lon gemant *C*, so si der guoten hie er umbe halben lon gemant *Kr* – 95,[15] *ohne Zäsur MFK.*

15 *Nur in C (in dieser Folge) überliefert.* 94,[2] Ja si hat *C*, ja hat si *MFK.*

WALTHER VON DER VOGELWEIDE

[Korrekturnote: Während der Revision erschien Joh. Alph. Huisman, Neue Wege zur dichterischen und musikalischen Technik Walthers v. d. V., Diss. Utrecht 1950.]

1 *Nur in C (in dieser Folge) überliefert.*

2 *In CE überliefert; von Kraus mit Strophen Hartmanns zu einem fünfstrophigen Liede Walthers vereinigt (vgl. zu Hartmann* Nr. 5*). Der Ton weicht in der letzten Zeile vom Tone Hartmanns ab.* 120,[23] und bewar *CE*, und ouch bewarn *Kr* – [24] Daz sie sich auch an mir versume sich niht *E*, Daz si sich an mir ouch versume sich niht *C*, dazs an mir niht versume sich *MFK.*

3 *Nur in C (in dieser Folge) überliefert.* 99,[14] ouch ich *MFK mit C* – [17] Swenn ez diu ougen *C*, swenn ez dougen *Kr mit Wackernagel* – [20] In weiz niht wol wiez *MFK mit C* – [30] Da mite *MFK mit C.*

4 *Nur in C (in dieser Folge) überliefert; in MFK letzte und vorletzte Strophe umgestellt.* 112,[36] ein bote *MFK mit C.*

5 *In E s überliefert, in E im Anschluß an Hartmann* Nr. 5.

6 *Alle Strophen in C überliefert, nur drei Strophen (in der Folge:* 14,[30] – 14,[6] – 14,[22]*) in p. Ohne Zäsur in der zweiten und vierten Zeile in MFK.* 14,[24] *Fragezeichen nach* sin *MFK* – [25] *Komma nach* gert *MFK* – [27] *Punkt nach* meine *MFK.*

7 *Nur in C (in dieser Folge) überliefert.* 96,[30] ob si *MFK mit C* – 97,[8] nochn ist mir leider niht *MFK mit C* – [21]

doch *MFK mit C* – [28] guotiu *MFK mit C* – [29] alsus *MFK mit C.*

8 *Nur in C (in dieser Folge) überliefert.*

9 *In C (in dieser Folge) überliefert; in MFK umgestellt:* 109,[1] – 109,[9] – 109,[17] – 109,[25] – 110,[5]. 110,[8] und wirt min *C*, und wirt al min *Kr* – 109,[18] *Punkt nach* vil *MFK* – 109,[19] Du lerest liebe uz *C*, du lerst ungemüete uz *Kr.*

10 *In C (in dieser Folge) überliefert.* Vgl. *Reimar* Nr. 17. 111,[24] Des im nieman wol gevolgen (ein spil *in Zeile* [23]) *C*, des nieman im wol volge geben *Kr* – [25]/[26] Er giht wenne sin ouge ein wib ersiht Si si sin osterlicher tag *C*, er gihet, swenne ein wip ersiht / sin ouge, ir si mat sin osterlicher tac *Kr* – [29] Ich bin der eine ders *C*, ich bin der imez *MFK* – [35] Das mir selkem stelne nieman keinen schaden *C*, daz mir mit stelne nieman keinen schaden *MFK.*

11 *In AC (in dieser Folge) überliefert.* 72,[11] er wil *AC*, er ere wil *MFK* – [12] mir fröide *AC*, mir mit fröide *MFK* – [13] ich sin vil *AC*, ich ouch sin vil *MFK* (*oder:* ich vil schone sin ?).

12 *Vollständig in CEU (in dieser Folge) überliefert; in F fehlt die erste, in O die dritte Strophe.* 114,[1] *Komma nach* baete *MFK* – [2] *nach* wile *kein Komma MFK* – enhulff in *F*, enhulfe es *CE*, enhulfe *Kr mit* U^x – [10] das ich *FU*, das ichs im *C*, daz iz ime *E*, deichz im *MFK* – [16] deist *U*, das ist *CEFO*, dest *MFK* – [18] kunde *U*, kunde *mit* n *über* d *O*, künne *MFK mit CEF* – [20] Mineme *U*, In mynem *O*, in mime *CE*, inme *MFK* – [21] Dar *FU*, da *MFK mit CEO.*

13 *In CE überliefert, aber in der Folge:* 119,[17] – 119,[35] – 119,[26] – 120,[7]. *Kr ordnet:* 119,[17] – 119,[26] – 119,[35] – 120,[7]. 119,[23] Des min herze inneclichen (minnenclichen *E*) *CE*, inneclichen des min herze *Kr* – [37] si alle (allen *E*) *MFK mit CE* – 120,[5] Wand ich *CE*, ich *Kr mit Wackernagel* – [9] der w. *MFK mit CE* – [13] unde spilte im *CE*, unde spilet im *MFK* – [14] sol daz *MFK mit CE.*

14 *In C (in dieser Folge) überliefert. Erste und zweite sowie vierte und fünfte Zeile jeder Strophe sind gegen MFK zu einem Vers zusammengefaßt.* 97,[36] *und* 98,[1] *gegen MFK gegliedert* – 98,[5] noh *C*, iu *MFK* – [10] bi ir *C*, ir (bi *am Anfang der nächsten Zeile*) *MFK* – *nach* min *kein Komma MFK* – [11] Daz man mich ofte *C*, bi, daz man mich ofte *MFK* – [13] min herze ir beider *C*, diu herze, ir beider *Kr* – [14] wol *C*, niene *Kr* – [18] wan *nicht abgesetzt MFK* – [27] mich *nicht abgesetzt MFK* – [30] mich *nicht abgesetzt MFK* – [40] minne *nicht abgesetzt MFK* – 99,[4] Minne *nicht abgesetzt MFK.*

15 *In BC und EU überliefert, aber in abweichender Folge; BC ordnen:* 42,[15] – 42,[31] – 42,[23] – 43,[1]; *EU gruppieren:* 42,[31] – 43,[1] – 42,[23] – 42,[15]. 43,[7] diu *U*, si *MFK mit BCE* – 42,[15] swere *EU*, sorge *MFK mit BC* – [19] In den *EU*, gegen den *MFK mit BC* – lide *E*, so lid *U*, han *MFK mit BC* – [21] An min herze en midden da *U*, mitten an daz herze *MFK mit BCE* – [30] Vor alleme liebe *U*, Aller liebest *E*, vor al der welte *MFK mit BC*.

16 *Vollständig nur in A und C überliefert (vor die letzte Strophe ist* Nr. *17 eingeschaltet); E hat dieselbe Strophenfolge wie A, bringt aber die Schlußstrophe nicht; C hat dieselben Strophen wie A, aber in ganz anderer Folge* (55,[26] – 55,[8] – 55,[17] – 56,[5] *und an späterer Stelle* 54,[37]); *F bringt nur die drei Strophen* 54,[37] *und (an späterer Stelle)* 55,[8] *und* 55,[26]. 55,[12] kunde *A*, mac *Kr mit E*, mocht *F*, sol *C* – [19] Gevuogen *A*, noch füegen *MFK mit C (fehlt E)* – [27] Owe wes tuost *A*, war umbe t. *MFK mit CE*, Mynnigliche worumbe t. *F* – [30] Nu wil ich sehen ob du noch t. *A*, Da wil ich schowen ob du t. *E*, Nu la schowen ob du iht t. *C*, So mag man schowen ob du tringest *F*, nu wil ich schowen ob du iht t. *MFK* – [33] Daz eh dir wider stuende diep aller meinsterinne *A*, daz vor dir gestüende diebe meisterinne *MFK mit C*, Das vor dir je bestunde d. m. *F*, Du diebe meisterinne daz vor dir bestuende *E* – 56,[6] du so *A*, du doch so *MFK mit C* – [12] von kum ich niemer gnade frowe *A*, vone kume ich niemer gnade frowe *C*, von enkume ich niemer gnade ein *Kr mit Wackernagel* – [13] dir *AC*, ir *Kr*.

17 *Überliefert in ABCEF; in B als Einzelstrophe, in E im Anschluß an* Nr. 16, *in AC vor die letzte Strophe von* Nr. 16 *eingeschaltet, in F nach der Eingangsstrophe von* Nr. 16. 55,[37] Nu enwil si niht *A*, Da enkan si niht *BC*, Du kanst auch niht *E*, Wen mag sie doch *F*, wan kan si doch *Kr mit Jellinek*. – [38] des *A*, es *Kr mtt B*, dar umbe *CEF*.

18 *Vgl. Fr. Neumann in: Gedicht und Gedanke, hrsg. von H. O. Burger*, 1942, S. 11–28 *(und die Anmerkungen S. 422–425). In dieser Folge (mit* 57,[7 - 14] *als Schlußstrophe) nur in A überliefert. Die Handschriften weichen wesentlich in der Stellung der dritten und fünften Strophe voneinander ab: C gibt der fünften Strophe die dritte Stelle* (*Folge:* 56,[14] – 56,[22] – 57,[7] – 56,[30] – 56,[38]); *E rückt die dritte Strophe ans Ende* (*Folge:* 56,[14] – 56,[22] – 56,[38] – 57,[7] – 56,[30]), *und ähnlich wird auch die Anordnung in U gewesen sein (dieselbe Folge wie E, die Fragmente brechen aber mit* 57,[7] *ab). Die Eingangsstrophe ist im Frauendienst Ulrichs von Lichtenstein*

zitiert. Die nur in C überlieferte Strophe 57,[15-22], *deren Echtheit zweifelhaft ist, erscheint hier als* Nr. 18a. 57,[13] da ist *MFK mit ACEU. EU gehen wie in der Anordnung zusammen in der nationalen Zuspitzung der letzten Strophe (mit dem Eingang:* Wälhischez volk ist gar betrogen).

*18*a *Nur in C überliefert (vg. zu* Nr. 18*).* 57,[16] und iemer gerne *C*, und iemer mere gerne *MFK* – [18] iedoch so *MFK mit C.*

19 *Nur in C (in dieser Folge) überliefert.* 100,[18] dazs iemer *MFK mit C.*

20 *In AC (in dieser Folge) überliefert.* 71,[3] Si enhiez *A*, Si gehies *C*, sin gehiez *MFK* – [7] danne das *C*, daz *MFK mit A* – [14] mich gewinnen *AC*, mich ouch gewinnen *Kr* – [17] Du sage an *A*, nu sage *MFK mit C* – [18] getar ich dich niht *AC*, tar ich dich niht *MFK.*

21 *Vollständig nur in C überliefert (aber dritte vor der zweiten Strophe); E gibt nur die drei ersten Strophen (in der hier angesetzten Folge), O nur die zweite und dritte Strophe (in dieser Folge), U nur die erste Strophe.* 52,[24] Daz sie wider mich als übel (ubele *U*) tuot *EU*, dazs an mir als harte missetuot *MFK mit C* – [25] Ja *U*, Jo *E*, nu *MFK mit C* – [26] und vil *U*, und *E*, und dar zuo *C*, dar zuo *Kr* – 53,[4] Süln die lieben iar (tage *E*) also zergan *EOU*, sol diu liebe an mir alsus zergan *MFK mit C* – [5] Manige (Manig *EU*) swere (sorge *EU*) *EOU*, lide ich not *MFK mit C* – 52,[32] ne *(fehlt E)* kunde ich niht *EO*, kunde ich nie *MFK mit C* – 53,[9] Ich *MFK mit C* – [20] *nach* lebent *Punkt, nach* erkant *Strichpunkt MFK* – [21] *Doppelpunkt nach* zuo *MFK.*

22 *Vollständig in ACE überliefert, aber nur in A besteht die hier gegebene Folge; C hat die letzte Strophe an einer ganz anderen Stelle (weit später); E hat zwischen dritte und vierte Strophe noch eine andere eingeschoben (sonst Folge wie in A). B gibt nur die ersten drei Strophen, U hat nur die letzte Strophe bewahrt.* 40,[36] habt noch *A*, habet *MFK mit BCE* – 41,[1] Ir sulent *A*, muget (Mugen *B*) ir *MFK mit BCE* – [3] *Fragezeichen nach* heilen *MFK* – [4] verschapfen *A*, verdorben *MFK mit BCE.*

23 *In CG (in dieser Folge) überliefert; G (beginnend mit* 90,[24]*) endet mit der vierten Strophe.* 90,[22] ist ez *MFK mit C* – danne iemer *C*, iemer *Kr* – [30] nu *(fehlt G)* lützel iem. *MFK mit CG* – [32] *Doppelpunkt nach* schult *MFK* – dest leider so *C*, daz ist also *Kr mit G* – *Punkt nach* also *MFK.*

24 *Überliefert in AC in dieser Folge; E ordnet:* 72,[31] – 72,[37] – 73,[17] – 73,[11] – 73,[5]; *b hatte wahrscheinlich dieselbe Folge (überliefert sind:* 72,[31] – 72,[37] – 73,[17]); *Bruchstücke der ersten und letzten Strophe in xy.* 72,[32] muoz *Abx*, wil *Kr mit CE* – 73,[10] scheide ich mich von ir also *C*, lat si mich verderben so *Kr mit E* – [16] sterbet si mich *AC*, stirbe ab ich *Kr nach Jellinek mit E* – [17] Solde *A*, Sol *MFK mit CEbxy* – [19] Liht ist mir (Vil lihte wirt *E*) min har *Eb*, Das mir der (mein *y*) part ist (ist so *y*) graw g. *xy*, so ist min har vil lihte also g. *MFK mit AC* – [21] So *ACExy*, Nu *b*, so *MFK*.

25 *In C (in dieser Folge) überliefert; die letzte Strophe auch in i und s.*

26 *Alle Strophen (in dieser Folge) in CE überliefert; in A die ersten drei Strophen unter* Lutolt von Seven. 86,[23] an schouwen *C*, schowen *MFK mit E.*

27 *In ACEGO überliefert und zwar in AEG in dieser Folge; C hat dritte und vierte Strophe vertauscht; O* (*beginnend* 49,[28] *mit* ich) *ordnet:* 49,[25] – 50,[7] – 49,[31] – 50,[1] – 50,[13]. 49,[29] nu *A*, dir *MFK mit CEGO* – 50,[14] din *AO*, des *CG*, *fehlt E*, sin *Kr* – [18] owe *A*, owe des *G*, owe dan *O*, owe danne *MFK mit CE.*

28 *Vollständig (in dieser Folge) nur in C überliefert; je drei Strophen in E und s und zwar in s die drei letzten Strophen* (*in der Folge:* 50,[35] – 50,[27] – 51,[5]), *in E die Strophen* 50,[19] – 51,[5] – 50,[27] *(in dieser Folge); B bewahrt nur die letzte und erste Strophe* (*Folge:* 51,[5] – 50,[19]). 50,[28] so zelden an mich *s*, an minz so selten *E*, mich so selten *MFK mit C* – [29] mir daz *E*, mir *s*, daz *MFK mit C* – 51,[5] nu *B*, du *C*, des *E*, dich des *s*, du *MFK.*

28a *(Korrekturnote: nach Huismans Nachweis S. 35 ff. eine Kontrafaktur zu Reimar* Nr. 28*). Überliefert in BC und A (hier unter* Reimar*).* 47,[19] So *A*, Nu *MFK mit BC* – [22]/[23] *gegen MFK zusammengefaßt* (unde.. unbilde) – [23] Selch *A*, groz *MFK mit BC* – [25]/[26] *gegen MFK zusammengefaßt* (mich.. schulde – alle *(so auch Huisman) fehlt ABC MFK* – [27]/[28] *gegen MFK zusammengefaßt* (zir.. wilde) – [30]/[31] *gegen MFK zusammengefaßt* (fröide.. hulde) – [30] *fehlt A*, Fröide *BC*, der *Kr* – [31] ir *A (so auch Huismann)*, der vil *BC*, *ohne* ir *(bzw.* der vil*) MFK* – [34] gerne *A (so auch Huisman)*, ouch *MFK mit BC* – [35] Swenne ich *A (so auch Huisman)*, So *C*, so ich *MFK mit B.*

29 *In dieser Folge in EF überliefert (nur ist jedesmal zwischen die vorletzte und letzte Strophe noch eine andere eingeschoben); C hat dieselbe Folge, nur ist die letzte Strophe an den Eingang gesetzt; ganz anders ordnet A:* 69,[15] – 69,[22] – 69,[8] – 69,[1]; *s bewahrt nur die Eingangsstrophe; O hat die drei Strophen:*

69,[8] – 69,[15] – 69,[22] *(die letzten beiden Strophen durch eine weitere getrennt)*. 69,[12] Sols *E*, Sol sie *FO*, sol *MFK mit AC* – [17] est an *E*, an *MFK mit ACFO*.

30 *In CEF (in dieser Folge) überliefert; in F fehlt die Gegenstrophe eines Unbekannten im gleichen Ton, die von CE angeschlossen und von Kr mit dem Liede verbunden wird* (119,[11]). 118,[31] daz verb. *CE*, des ye verb. *F*, gen ir verb. *Kr mit Wackernagel.*

31 *In CE (in dieser Folge) überliefert.* 115,[9] daz i'm *MFK mit CE* – [12] vil wol *MFK mit CE* – [16] und gesch. *CE*, und ist so gesch. *MFK* – [20] *Komma nach* behüeten *Kr* – [21] Ich fröwe mich nach *CE*, in fr. mich nach *Kr mit Wackernagel* – [27] gesihet *MFK mit CE* (schowet ?).

32 *Nur in C (in dieser Folge) überliefert.* 110,[21] an die *MFK mit C* – [24] fröiden zer werlde ie *C*, noch fr. z. w. ie *Kr.*

33 *Alle Strophen in C (in dieser Folge) überliefert; A hat die vierte und fünfte Strophe verloren und ordnet:* 51,[21] – 51,[13] – 51,[29] – 52,[15] *(das Lied wird in A* Lutolt von Seven *zugewiesen); M hat die vierte, s die fünfte Strophe bewahrt.* 51,[19] *ohne Komma nach* vert *MFK* – dur sine *A*, in siner *MFK mit C* – [25] *Fragezeichen nach* unfro *MFK* – [27] *Komma nach* done *MFK* – [37] dich *MFK mit CM.*

34 *In ACDN überliefert und zwar in DN in dieser Folge; C hat die dritte Strophe an letzte Stelle gerückt; A hat ganz anders geordnet:* 53,[25] – 53,[35] – 54,[7] – 54,[17] – 54,[27]. 53,[33] unde *MFK mit ACDN* – 54,[30] doch *A*, ouch *CN*, wol *D*, ouch *MFK* – [34] mohte *A*, mac *MFK mit CDN* – 53,[35] *Komma nach* fliz *MFK* – 54,[9] uz *A*, von *MFK mit CN* – [14] alles *A*, vollez *MFK mit CDN.*

35 *Vollständig in AC überliefert; in C stehen aber die beiden letzten Strophen an ganz anderer Stelle (und zwar in umgekehrter Folge), und A setzt die letzte vor die vorletzte Strophe (also wie C); E hat die vorletzte Strophe (über deren Stellung man streiten kann) nicht und ordnet:* 74,[20] – 75,[9] – 74,[28] – 75,[1]. *Kr stellt mit E die zweite hinter die dritte Strophe.* 75,[13] niht verre *E*, so verre *MFK mit AC* – [16] sülle *E*, suln *MFK mit AC* – 74,[30] Doch *AE*, do *MFK mit C.*

36 *In BC (in dieser Folge)* überliefert.

37 *Überliefert in BCE (in E in umgekehrter Folge).* 39,[9] doch *B*, ouch *MFK mit C*, *fehlt E.*

38 *Überliefert (in dieser Folge) in CEU*[x]. 114,[24] niene sungen *U*, niht ensungen *MFK mit CE* – [29] send *U*, seit *MFK mit CE* – [33] in *U*, an *MFK mit CE* – [34] Ja schadet *U*, Jo schat

es *E*, joch schat ez *MFK mit C* – [35] rinden *U*, rungen *MFK mit CE* – [36] tanzen unde singen *U*, tanzen unde sprungen *C*, tanzten unde sprungen *E*, tanzten unde sungen *Kr* – 115,[1] ewelicher *(vor* welicher *ist* wichli *ausgestrichen)* slac *U*, engestlicher sl. *E*, angeslicher sl. *MFK mit C* – 115,[2] Dan noch *U*, dennoch *MFK mit CE* – [5] ouch *U*, noch *MFK mit CE.*

39 *Nur in C (in dieser Folge) überliefert.* 112,[13] *Komma nach* tuot *MFK*.

40 *In ACU*[x] *(in dieser Folge) überliefert.* 94,[13] drungen *U*, sprungen *MFK mit A*, entsprungen *C* – [16] Durch *U*, Uf *C*, an *MFK mit A* – [17] spranc *U*, entspranc *MFK mit AC* – [35] mirz *U*, mir *MFK mit AC und Wackernagel* – 95,[9] Hat getrostet *U*, diu getroste *MFK mit AC* – [12] *Punkt nach* bediute *MFK* – [13] *ohne Klammern MFK* – merken *U*, merkent *C*, hoeret *A*, merket *Kr mit Wilmanns* – gute *U*, lieben *MFK mit A*, wise *C*.

41 *In AC überliefert (die sechste Strophe geht der fünften voran). Zusammenfassung zu Langzeilen gegen MFK.* 88,[33] Frowe nu sich *(ohne* sich *A) AC*, Frowe min, nu si *Kr* – 89,[1] *Komma nach* we *MFK* – [8] *Komma nach* mac *MFK* – [10] *Doppelpunkt nach* lanc *MFK* – [35] der wahter diu tag. *MFK mit AC*.

42 *In ACEU überliefert (in A unter Niüne) und zwar in enger Verbindung mit den Strophen von* Nr. 45, *mit denen Kr unsere Strophen zu einem Lied vereinigt: A schließt an die erste Strophe von* Nr. 45, *die als einzige des Liedes bewahrt ist, unsere beiden Strophen an; C und E schieben unser Lied zwischen die zweite und dritte Strophe von* Nr. 45 *ein; U läßt die dritte Strophe von* Nr. 45 *(die einzige, die U davon kennt) auf unser Lied folgen. Die fünfte und sechste Zeile jeder Strophe sind bei Kr zu einem Vers zusammengefaßt.* 118,[1-4] *(der Abgesang) fehlen in CEU* – 118,[2] Sumer unde wint *A*, winter unde sumer *Kr mit CE* – [10] owe *A*, we *MFK mit CEU*.

43 *Vollständig nur in C unter den letzten Nachträgen; in FO fehlt die letzte Strophe; allein die Halmstrophe (die offenbar auch selbständig überliefert wurde) bewahren B und C (an anderer Stelle).* 65,[33] In einem *CFO*, Umb einen *Kr* – [35] uz ir *O*, ausz jrem *F*, von ir *MFK mit C* – 66,[2] kleyne *O*, cleinez *F*, *fehlt C*, kleinez *MFK* – [11] ich (ichs *FO*) also mas *C*[2]*FO*, ich tet *BC*[1], so ich maz *Kr* – so (do *B*) was (wart *BC*[1]) ie (in *F*) daz ende guot *alle Hss.*, daz ende was ie guot *Kr* – [15] Daz ich ir si zem besten bi *C*, daz man ir si ze dienste bi *Kr*.

44 *So in AC mit bruchstückhafter dritter Strophe (in dieser Folge) überliefert und zwar in A unter* Lutolt von Seven. 110,^{32} versinnent *AC*, versument *MFK*.

45 *A überliefert nur die erste Strophe; in CE sind nur zweite und dritte Strophe bewahrt, beide durch Lied* Nr. 42 *getrennt. U gibt nur die letzte Strophe und zwar im Anschluß an Nr.* 42. 117,^{34} daz mohten si mir gerne sagen *A*, möhten sie mirz gerne sagen *Kr* – ^{35} So hulf ich ir sch. kl. *A*, ich hulf in ir sch. kl. *Kr*.

46 *In AC (in dieser Folge) überliefert.* 75,^{27} Die *AC*, *ohne* die *Kr mit Wackernagel* – 76,^{3} Des bin ich *AC*, ich bin *Kr* – ^{15} als esau *C*, als ein su *MFK mit A* – ^{18} *Punkt nach* veltgebu *MFK* – ^{19} Danne ich lege *A*E das ich lange *C*, e deich lange *Kr* – ^{20} *Komma nach* nu *MFK*.

47 *Vollständig nur in A (in dieser Folge) überliefert; CE bewahren eine andere Fassung ohne dritte und vierte Strophe; C teilt diese beiden Strophen an früherer Stelle mit.* 74,^{9} entstet (enstet *A*) mines *AC*, senftet mines *Kr mit Bartsch* – ^{12} In behalde minen *E*, Ich enbúte u (enbúten dir *A*) minen *AC*, in behabe minen *Kr mit Wackernagel* – *Komma nach* strit *Kr*.

48 *Vollständig nur in C überliefert; E gibt nur drei Strophen in der Folge:* 58,^{3} – 58,^{12} – 57,^{23} *(die zweite Strophe fehlt).* 57,^{30} sin *C*, sint *MFK mit E* – 58,^{4} vert *C*, get *MFK mit C* — ^{16} als der *E*, als einer der *MKF mit C* (*Kr fragt:* als er, der ?) – ^{18} swas *C*, swes *E*, swa *MFK*.

49 *in C (in dieser Folge) überliefert; in B nur die letzte Strophe.* 64,^{37} eht also *MFK mit C* – 65,^{12} Doch *C*, noch *Kr* – ^{31} Bi den *B*, Die *C*, bi den *MFK* – ^{32} ist si her bekomen *C*, ist si och her komen *B*, ists och her bekomen *MFK*.

50 *BC überliefern alle Strophen des Liedes und zwar in dieser Folge; EO haben dieselbe Folge, kennen aber die vierte Strophe nicht; A bewahrt nur die ersten drei Strophen, und zwar in umgekehrter Folge* (60,^{13} – 60,^{6} – 59,^{37}). 59,^{37} ich *A*, man *MFK mit BC*, Wer mac (nu *O*) gewarten dir (dir gewarten *E*) *EO* – 60,^{10} hie *A*, ie *MFK mit BCO, fehlt E*.

51 *In CE (in dieser Folge) überliefert.* 116,^{38} werlt manege *CE*, werlt mir manege *Kr* – 117,^{18} waenet daz ich mich niht *CE*, waenet des daz ich mich niht *MFK*.

52 *Unsere Anordnung folgt A (wo nur die erste Strophe fehlt); C und e überliefern alle Strophen und gehen darin zusammen, daß sie mit der zweiten Strophe* (48,^{12}) *beginnen und die Strophen* 48,^{25} *und* 48,^{38} *(wie A) hintereinander bringen, weichen aber sonst in der Anordnung voneinander ab; C ordnet* 48,[12] – 48,[25] – 48,[38] – 47,[36] – 49,[12]; e *dagegen* 48,[12] – 47,[36] – 48,[25] – 48,[38] – 49,[12] *(e überliefert das Lied unter* Reymar*)*; *B bringt nur die beiden Strophen* 48,[12] *und* 48,[25]. *MFK ordnet:* 47,[36] – 48,[12] – 48,[25] – 48,[38] – 49,[12]. 48,[2] swa man *C*, so man *MFK mit e* – 49,[16] erwerben *A*, verdienen *MFK mit Ce* – [18] wend *A*, kere *C*, neige *e*, ker *MFK* – [23] danken kunnen *A*, kunnen danken *MFK mit C*, künnen fraude mern *e* – 48,[30] Daz och si sich *A*, daz si sich ouch *MFK mit BCe* – [34] Ob man *A*, sit man *MFK mit BCe* – 49,[8] sint *ACe*, sin *Kr*.

53 *Vollständig nur in C überliefert, aber wie auch in den anderen Handschriften in ganz abweichender Folge* (58,[21] – 59,[19] – 59,[10] – 58,[30] – 59,[1]); *in E fehlt die dritte Strophe* (*Folge:* 58,[21] – 59,[19] – 59,[28] – 59,[10] – 58,[30]); *in A fehlen dritte und sechste Strophe* (*Folge:* 58,[21] – 59,[19] – 58,[30] – 59,[10]); *in B fehlen die erste und vierte Strophe, und die zweite Strophe steht an späterer Stelle* (*Folge:* 59,[19] – 59,[1] – 59,[28] *und später* 58,[30]); *F bewahrt nur die erste Strophe.* 58,[22] Und *A*, ezn *MFK mit CEF* – [34] guoten *mit A* ?, tiuschen *MFK mit BCE* – [36] Die besten von den boesten *A*, die guoten von den boesen *MFK mit E*, Die guoten und die boesen *BC* – [38] st. daz *alle Hss. und MFK* – 59,[18] Swem *A*, dem *MFK mit CE* – [22] min *MFK mit den Hss.* – [25] schat *A*, schadet *MFK mit BCE* – vinden *E*, vienden *B*, viende *A*, vient *C*, vinde *MFK* (vinden ?*Kr*) – [27] vil is sueche *E*, vil sich suoche *A*, vil ich suoche *MFK mit BC*.

54 *In CEO in dieser Folge überliefert; in O fehlen* 116,[10] [17]. 116,[5] daz *O*, min *MFK mit CE* – [23] *Fragezeichen nach* vil *MFK* – [24] Wen daz ich bin *O*, ich bin doch *MFK mit CE* – *Punkt nach* eigen *MFK* – [30] Das sol man gar verheln (vergeben *mit* verbergen *verwechselt*) *CE*, des sol man sich gar bewegen *Kr mit O* – [31] Wan das ir wunnecliches leben *CE*, wan daz ir vil (vil *fehlt O*) minneclichez pflegen *Kr mit O*.

55 *in BC (in dieser Folge) überliefert; in A fehlt die erste Strophe.* 44,[36] *Punkt nach* ste *MFK* – [38] alze *MFK mit C*, also *B* – 45,[1] Iedoch han ich die *B*, ich habe ouch die *MFK mit C* – [2] *nach* stoeret *Komma MFK* – [8] Ain *B*, min *Kr mit AC* – schedelichen *A*, frevelliche *Kr nach Wackernagel mit BC* (frevellichen *C*, vraevenlichen *B*) – [10] lobes nie *BC*, lobes noch nie *MFK mit A* – [13] Dies enhaben deheinem *A*, Des enhabe deheinú *BC*, des enhabe deheinen *Kr*.

56 *Alle Strophen in E (in dieser Folge) überliefert; O hat die Eingangsstrophe nicht und ordnet* 171,[13] – 171,[1] – 44,[11]; *BC*

haben erste und letzte Strophe gemeinsam (*Folge:* 44,[11] – 44,[23]). *Kr hat die Schlußstrophe an den Anfang gestellt* (*Folge:* 44,[11] – 44,[23] – 171,[1] – 171,[13]). 171,[7] *hinter* bi *kein Doppelpunkt MFK* – [8] Do rieten *O*, und rieten *MFK mit E* – [16] Die werlt wol halp get an mynen rat *O*, ez gat diu werlt wol halbe an m. r. *MFK mit E* – [17] Und hat mich doch *O*, und bin doch *Kr mit E* – [18] ie tzo lutzel *O*, lützel hie zuo *MFK mit E* – [19] einen *O*, einem *MFK mit E* – [21] vriunt *O*, friunde *Kr mit E* – 44,[12] daz *O*, als *MFK mit E* (des waene ich wol *BC*) – [13] Min hertze ne schiet von ir noch nie *O*, von ir geschiet ich mich noch nie *MFK mit BC*, Wenne ich geschiet noch nie von ir *E* – [19] Nu wölte ich daz er ir neme guote (g. *fehlt O*) war *EO*, nu wolt ich er taete ir guote war *MFK mit BC* – [20] dor under *EO*, dar umbe *MFK mit BC* – [21] Waz dan al t. *O*, waz hilfet *MFK mit E*, Nu was hilfet *BC* – dú ougen *BCO*, min augen *E*, dougen *MFK* – [22] So sicht iedoch myn hertze dar *O*, So siht sie doch durch daz hertze dar *E*, so sehent si durch min herze dar *MFK* mit *BC*.

57 *Überliefert in BCEF. Von Kr für unecht erklärt.*

58 *In ABCEF (in dieser Folge) überliefert*, 47,[6] der muot *A*, der lip *MFK mit BCEF* – [15] doch *A*, wol *MFK mit BCEF*.

59 *Nur in C (in dieser Folge) überliefert. Die ersten beiden Stollenverse sind gegen MFK zu einem Verse zusammengefaßt.* 93,[24] In weiz niht daz ze fröiden h. t. *C*, in weiz niht daz ze allen fröiden h. t. *Kr mit Lachmann* – [25] Swenne ein wip *C*, swenne so ein wip *Kr* – [38] naem *MFK mit C*.

60 *Vollständig in CG überliefert; G weicht darin ab, daß die eröffnende Naturstrophe ans Ende gesetzt ist (wie in MFK); C ordnet:* 64,[13] – 64,[22] – 63,[32] – 64,[4]; *E hat die dritte Strophe nicht und gruppiert:* 64,[4] – 64,[13] – 64,[22]; *B hat die zweite Strophe an früherer Stelle und ordnet die verbliebenen Strophen:* 63,[32] – 64,[22] – 64,[13]; *a hat nur die mittleren Strophen in der Folge* 63,[32] – 64,[4]. *Kr hat sich offenbar an B angeschlossen* (*Folge:* 63,[32] – 64,[4] – 64,[22] – 64,[13]). 64,[14] muez *G*, wil *MFK mit BCE* – [19] Trost nu (so *E*) troeste ouch *(fehlt G)* m. *EG*, Troeste mit troste m. *BC*, trost, so troeste m. *Kr* – 64,[8] sehet *a*, owe do (da *G*) *Kr mit EG*, wie *BC* – [10] vil schone sich *a*, so schoen sich *C*, schone *MFK mit BC*, sich schone *E* – *ohne Strichpunkt nach* versan *Kr* – [11] Do muose er *a*, Ouch muest er *G*, Und muose *BC*, und muose et *Kr* – 64,[22] mac *E*, wil *Kr mit BCG*.

61 *In BC (in dieser Folge) überliefert.*

62 *In BC mit Umstellung der mittleren Strophen überliefert (Folge:* 62,[6] – 62,[16] – 62,[26] – 62,[36]). 62,[13] unsanfter *B*, unsanfte *Kr mit C und Jellinek* – 62,[35] guete *C*, guote *MFK mit B* – 62,[37] *Punkt nach* lip *MFK* – [38] *Komma nach* gesach *MFK* – 63,[1] *Punkt nach* wip *MFK* – [4] Dise (Dis *C*) naem ich als gerne *BC*, wan dise naem ich als g. *Kr mit Wackernagel.*

63 *Vollständig überliefert (in dieser Folge) in BCEFOas; in D nur die erste Strophe.* 43,[20] zuor *EO*, zir *a*, tei *s*, der *F*, in der *BC*, waere et ich zer welte *Kr mit Lachmann* – [30] Den guoten frauwen *O*, Der guoten frauwen *E*, An guoten wiben *s*, guoten wiben *F*, Iuch (Iu *C*) guoten wiben *BC*, Ob allin guotin dingin *a*, der wibes güete *Kr mit Jellinek* – 44,[6]/[7] Und da bi kan tragin beidu nider unde ho *a*, Und sin gemuete setzen nider unde ho *E*, Unde gedenke (gedenchen *s*) yme tzo maze (maesen) nider unde (u. ouch tzo mazen) ho *Os*, Der dine ja zu massen hie und do und trage dein gemüte weder nider noch ze ho *F*, Das er gedenket ze masse weder nider noch ze ho *BC*, und im gemuoten / ze maze nider unde ho *Kr* – [8] swes *EFa*, des *Kr mit BCOs.*

64 *Vollständig in ABCE überliefert und zwar in AB in dieser Folge, während in CE zwischen zweite und dritte Strophe das Lied* Nr. 58 *eingeschoben ist, das einen sehr verwandten Ton hat; N hat die letzte, F die erste Strophe verloren.* 46,[4] genozen *AN*, gelichen *MFK mit BCE* – [10] edelú vrowe schoene (schoene und *E*) raine *BCE*, edeliu vrouwe reine *N*, edeliu schoene frowe reine *MFK mit AF.*

65 *In ABCw*[x] *(in dieser Folge) überliefert, aber in Verbindung mit Lied* Nr. 68; *in BCw folgt* Nr. 68; *in A gehen zwei Strophen von* Nr. 68 *voran, während eine folgt. Kr hat die Strophen von* Nr. 65 *und* 68 *zu einem Gedicht zusammengefaßt (*Nr. 68 *macht aber andere Voraussetzungen als* Nr. 65*).* 66,[24] volleclichen *A*, volleclicher *MFK mit BCw* – 67,[3] biderben *A*, werden *Kr mit BCw und Wackernagel* – [4] Der werden *A*, Dú werde *BC*, diu wernde *Kr mit Wackernagel* – [5] in daz *A*, ir das *B*, irs *C*, irz *Kr mit Wackernagel.*

66 *Vollständig nur in C überliefert, wo aber zweite und erste Strophe vertauscht sind; dieselbe Folge wie hier in E, wo aber die letzte Strophe fehlt; B gibt nur drei Strophen in der Folge* 41,[13] – 41,[21] – 41,[37]. 41,[21] Man sol *E*, Ich wil *MFK mit BC* – [24] Ich mac es alles niht verdagen *E*, ich wilz ouch allez niht vertragen *MFK mit BC* – [28] Daz siez als vil *E*, obs also vil *MFK mit BC* – 41,[17] *ohne Ausrufungszeichen nach* selben *MFK* – waz sie *E*, die so *MFK mit BC.*

67 *In C (in dieser Folge) überliefert; die erste Strophe auch in A und* w^{x}. 100,[35] waz ich dir eren bot C, wie ich dirz erbot *Kr mit Lachmann* – 101,[4] Son *C*, so *MFK* – [10] din schowen *C*, din schoene an ze schowen *Kr mit Bartsch* – wunderlich *C*, wünneclich *Kr mit Bartsch* – [22] herberge *C*, hereberge *Kr mit Plenio.*

68 *In BC so überliefert, daß zweite und dritte Strophe ihre Stelle vertauscht haben; in* w^{x} *stehen die Strophen in der Folge* 67,[20] – 67,[32] – 67,[8]; *in A gehen die Strophen* 67,[20] und 67,[32] *dem Liede* Nr. 65 *(siehe dort) voran, während Strophe* 67,[8] *dem Liede folgt.* 67,[15] Ist mir daz zorn *A*, Und zurne ich das so *BC*, zur(n) ich (da)z so *w*, und zürn ich daz, so *Kr mit Paul* – [32] schone *BCw*, schoenez *MFK mit A* – 68,[3] sin smac unde *A*, smac unde *MFK mit BC.*

69 *Vollständig nur in C (in dieser Folge) überliefert; die erste Strophe auch in E, die dritte (bruchstückhaft) in w* . 124,[3] ie *MFK mit CE* – daz iht waere *CE*, ez waere *Kr* – daz iht *CE*, daz allez iht *Kr* – [10] bereitet *C* – [16] *ohne* rehte *Kr mit CE* – [19] núwekliche *C*, hovelichen *Kr* – [23] nie kristenman *C*, nie kein kristenman *Kr* – iar *C*, schar *MFK* – [28] ie *(statt* e*) MFK mit C* – [30] Die wilden vogel betr. *C*, die vogel in der wilde betr. *Kr* – [31] da von verzage *C*, da von an fröiden gar verzage *Kr* – [32] Waz spr. *C*, we waz spr. *Kr* – [33] der hat *C*, hat *Kr* – [36] die bittern gallen mitten *C*, die gallen mitten *Kr* – 125,[5] man *Cw*, armman *Kr* – [10] *Zäsur nach* wol *Kr.*

[Korrekturnote: Die Auffassung der Textgestalt dieses Liedes berührt sich nahe mit Huisman S. 6–31.].

WOLFRAM VON ESCHENBACH

Über die Zeitfolge der Lieder Wolframs: Wolfgang Mohr, Wolframs Tagelieder (Festschrift für Kluckhohn und Schneider, S. 148–165). Zuletzt J. H. Scholte, Wolframs Lyrik (Beitr. z. Gesch. d. dtsch. Spr. u. Lit. 69, 1947, S. 409–419).

1 *In C (in dieser Folge) überliefert. Bei Lachmann und Leitzmann fehlen die hier in der zweiten, vierten und sechsten Zeile angesetzten Zäsuren.* 7,[26] bitte und búte *C*, biute und biute *La und Le* – [34] dir beide guot singe *C*, dir beide singe *La und Le.*

2 *In BC (in dieser Folge) überliefert. Die Zeilen des Aufgesangs sind hier anders als bei Le zusammengefaßt (La setzt alle Zeilen mit Endreim als eigene Verse ab): Le verbindet jeweils den zweiten und dritten Stollenvers (*6,[12]/[13]

und 6,[14]/[15] *sowie die entsprechenden Zeilen der anderen Strophen) miteinander zu einer Verszeile und läßt allen Reimzeilen des Abgesangs ihre Selbständigkeit. Maßgebend für unsere Anordnung war der rhythmische Anschluß (Probe:* 6,[38]*).* 6,[34] melden *B*, meldes *La mit C*, meldennes *Le* – 6,[38] tagender *C*, ein tagender *La und Le mit B*.

3 *In G (in dieser Folge) überliefert. Die ersten beiden Stollenzeilen sind mit Le gegen La zu einem Vers zusammengefaßt. Die Zäsur in der letzten Zeile fehlt bei La und Le.* 4,[15] in bi naht virliez *G*, in bi naht verliez *mit Le und Mohr* (S. 157), in verliez *La (diese Zeile ist von La als viertaktiger Vers verstanden worden)* – [17] mich daz *mit G und Le*, michz *La* – [25] gebiut ih *G*, gebiute ich *mit Le*, biut ich *La* – [27] der geselle *mit G und Le*, selle *La* – [35] braehte ouch *La mit G*, ouch braehte *mit Le* – [37] mit truchen an die brust din kus mir in an gewan *G*, mit druck (drucke *Le*) an brust din kus mirn (mir in *La*) an ge. *La Le* – 5,[3] luhtet tages *G*, Luhte tages *La*, luhte et tages *Le* – [5] und uz herzen *La und Le mit G* – [13] wahtaers *G*, wahters *La*, wahtaeres *mit Le* – [15] anders gab in *La und Le mit G (La fragt:* im?*)*.

4 *In G (in dieser Folge) überliefert. Die vorletzte Zeile bei La und Le ohne Zäsur; die drittletzte Zeile mit Le (und Paul) zusammengefaßt und gegliedert.* 3,[9] eine *mit G und Le*, ein *La* – sol iz *La mit G*, sol ez *Le* – [21] der bin ich vil gar *La*, ich bin vil gar *Le* – [25] *Doppelpunkt nach* erschein *Le*.

5 *In AC überliefert. Gegen AC und La und Le sind die beiden letzten Strophen umgestellt (Folge in AC:* 7,[41] – 8,[9] – 8,[21] – 8,[33]*). Die Stollenverse sind anders als bei La und Le geordnet; der Stollen hat bei ihnen folgende Gestalt:* Ez ist nu tac, daz ich wol mac mit warheit jehen, / ich wil nu niht langer sin. *Bei La und Le fehlt die Zäsur in der letzten Zeile.* 8,[16] unde ist *mit AC*, uns ist *La Le* – *Doppelpunkt nach* balde *La Le* – [33] *Doppelpunkt nach* baz *La*, *Punkt Le* – [35] er sprach hin zir *(und* [35] - [41] *Rede des Mannes) A* – [41] und din geselle din triuwe *AC*, und diu geselle din, diu tr. *La und Le* – [42] si sprach weme *A*.

6 *In BC (in dieser Folge) überliefert.* 5,[28] Nu seht waz ein storche (storch *B*) saeten *BC*, Seht waz ein ein storch den saeten *La*, Nu seht, waz ein storch saeten *Le*. *Fünfte und sechste sowie siebte und achte Zeile sind mit Le gegen La zusammengefaßt. Die Zäsur in der letzten Zeile fehlt bei La und Le.* 6,[2] bi lieben wibe (wiben *B*) *mit BC und Le*, bi liebe *La*.

VERZEICHNIS DER STROPHENANFÄNGE*

* Die römische Zahl hinter der Nummer des Gedichtes gibt an, welche Stelle die Strophe im Liede einnimmt.

INHALT

In Vorbereitung befinden sich

HENNIG BRINKMANN

FRÜHGESCHICHTE DER DEUTSCHEN SPRACHE

Die germanischen Stämme, die später zum deutschen Volk zusammenwuchsen, traten mit ihrem Erbe bei der Landnahme in einen europäischen Zusammenhang ein; dabei kam es im Westen durch die Franken zu einer engen Fühlungnahme mit dem werdenden Französischen. Die Entstehung des Deutschen wird wesentlich unter drei Gesichtspunkten verfolgt: dem Zusammenhang mit der gesamtgermanischen Welt, dem Zusammenhang mit dem Romanischen und dem Einfluß der neuen geistigen Mächte (Antike und Christentum).
Das 1. Kapitel beleuchtet die sprachliche Gliederung, die durch die germanische Gruppenbildung bestimmt war und durch die Räume, die bei der Landnahme besetzt wurden. Das 2. Kapitel würdigt die fränkische Leistung, soweit sie in der Sprache zum Ausdruck kommt. Das 3. Kapitel („Die neue sprachliche Gestalt") verfolgt die Entstehung neuer sprachlicher Normen, die sich im Frankenreiche durchsetzten, und die grundlegenden Änderungen des Sprachbaus, die damals sich vollzogen. Das 4. Kapitel („Die geistigen Mächte") geht den neuen Seh- und Erlebnisweisen nach, die sich in Wortbildung und Wortschatz zeigen; es schließt mit der Rezeption des aristotelischen Denkens bei Notker.

HENNIG BRINKMANN

MORPHOLOGIE DER DEUTSCHEN SPRACHE

Die Arbeit stellt Gestalt und Leistung der deutschen Sprache der Gegenwart dar. Sie untersucht die Formen, die bei den Wortarten (Substantiv, Adjektiv und Verbum) ausgeprägt sind, und fragt nach der Leistung, die sie vollbringen. So gewinnt sie einen Standort innerhalb der Sprache, der sowohl die logische wie die psychologische Betrachtung durch eine Interpretation der sprachlichen Gestalt überwinden hilft. Dabei wird der Fächerbau der überlieferten Sprachlehre aufgegeben, weil Form, Bildungsweise und Satzverwendung des Wortes zusammengehören. Ebenso wie die Wortarten wird der Satz als sprachliche Gestalt dargestellt.
Für Wissenschaft und Unterricht wird damit eine neue Grundlegung versucht. Proben der gewählten Betrachtungsweise sind in Aufsätzen des Verfassers gegeben: Die sprachliche Gestalt (Muttersprache, Jahrgang 1949, Heft 1, S. 2-25); Die Wortarten im Deutschen (Wirkendes Wort, Jahrgang 1950/51, S. 65-79)

PÄDAGOGISCHER VERLAG SCHWANN DÜSSELDORF